A
TEMPESTADE
QUE
CRIAMOS

VANESSA CHAN

A TEMPESTADE QUE CRIAMOS

Tradução
LÍGIA AZEVEDO

paralela

Copyright © 2024 by Vanessa Chan

A Editora Paralela é uma divisão da Editora Schwarcz S.A.

Grafia atualizada segundo o Acordo Ortográfico da Língua Portuguesa de 1990, que entrou em vigor no Brasil em 2009.

TÍTULO ORIGINAL The Storm We Made
CAPA Ale Kalko
IMAGENS DE CAPA Ilustração: Laurindo Feliciano
Fundo: gamjai/ Adobe Stock
MAPA © 2023 Jeffrey L. Ward
PREPARAÇÃO Larissa Luersen
REVISÃO Marise Leal e Natália Mori

Dados Internacionais de Catalogação na Publicação (CIP)
(Câmara Brasileira do Livro, SP, Brasil)

Chan, Vanessa
    A tempestade que criamos / Vanessa Chan ; tradução Lígia Azevedo. — 1ª ed. — São Paulo : Paralela, 2024.

    Título original: The Storm We Made.
    ISBN 978-85-8439-363-3

    1. Ficção malasiana (Inglês) I. Título.

23-173340   CDD-823

Índice para catálogo sistemático:
1. Ficção : Literatura malasiana em inglês   823

Cibele Maria Dias – Bibliotecária – CRB-8/9427

Todos os direitos desta edição reservados à
EDITORA SCHWARCZ S.A.
Rua Bandeira Paulista, 702, cj. 32
04532-002 — São Paulo — SP
Telefone: (11) 3707-3500
editoraparalela.com.br
atendimentoaoleitor@editoraparalela.com.br
facebook.com/editoraparalela
instagram.com/editoraparalela
twitter.com/editoraparalela

Para minha mãe e minha avó, que sempre escolheram a vida

Querida leitora,

Na Malásia, nossos avós nos amam não falando. Mais especificamente, não falando sobre suas vidas entre 1941 e 1945, período em que o Exército Imperial Japonês invadiu a região que hoje chamamos de Malásia, expulsou os colonizadores britânicos e transformou uma nação tranquila em uma que guerreava consigo mesma.
    O curioso é que, em relação a todo o resto, nossos avós são falantes. Eles nos contam sobre a infância — os vizinhos e amigos com quem costumavam brincar, os professores que amavam e os que odiavam, os fantasmas que os assustavam. Eles nos contam sobre a vida adulta — o rubor da primeira paixão, os horrores sobre ser pais, a primeira vez que tocaram o rosto dos netos. No entanto, dos quatro anos de ocupação durante a Segunda Guerra Mundial, eles quase não falam — se muito, dizem que foi uma época ruim, mas sobreviveram. Então nos mandam embora e nos repreendem por sermos intrometidos.
    Antes de escrever A *tempestade que criamos*, eu contava nos dedos de uma mão os fatos que sabia sobre a ocupação japonesa. Sabia que os japoneses haviam invadido a região de maneira engenhosa: pelo norte, através da Tailândia e de bicicleta, enquanto os canhões britânicos estavam ao sul apontados para o mar. Sabia que os japoneses tinham sido brutais e que mataram sem misericórdia. Além de que, durante a invasão, eles haviam distribuído folhetos vermelhos de propaganda sobre uma "Ásia para os asiáticos", tanto um aviso como uma convocação à guerra.
    Sendo a primeira neta dos meus avós paternos, eu passava uma sig-

nificativa parcela de tempo com eles, fazendo perguntas demais que os dois respondiam com todo o carinho. Por meio desses interrogatórios na infância, aprendi algumas coisas com a minha avó. Como evitar ser atingida pela artilharia aérea ("Deitando de bruços no chão até que o avião tenha desaparecido de vista, porque as bombas caem na diagonal, e não perpendicularmente"). Como ser a preferida da mãe ("Nascendo um menino lindo como o meu irmão, sendo sequestrado pelos japoneses durante a guerra, depois retornar, dizendo que nada aconteceu"). Como deixar o marido com ciúmes ("Recebendo um calendário anual pelo correio, ao longo de vinte e cinco anos, de um notável japonês bondoso com quem eu trabalhei na ferrovia durante a guerra").

Conforme fui ficando mais velha, escavar a verdade sobre a adolescência da minha avó na Kuala Lumpur ocupada se tornou uma espécie de caça ao tesouro de palavras. Quando eu perguntava como era a vida durante a ocupação, ela sempre dizia: "Normal! Que nem a de todo mundo".

Entretanto, ao longo dos anos, com uma voz firme que emitia apenas fatos, ela me contou mais — as pessoas tinham dificuldade de alimentar a família, as escolas foram fechadas, os membros da polícia secreta japonesa (o Kempeitai) tinham aprisionado burocratas britânicos em Singapura e esmagado rebeldes chineses na selva.

Deixei esses fatos de lado por anos. Eu tinha coisas a fazer e lugares onde estar — era o que eu pensava. Tinha trabalhos a manter, dinheiro a ganhar, minhas próprias histórias a contar. Até que, em 2019, numa espécie de retorno ao lar, comecei a escrever as histórias da Malásia.

Durante uma oficina de escrita no fim daquele ano, escrevi o que parecia ser uma lição de casa descartável — uma adolescente correndo para chegar em casa antes do toque de recolher, quando os soldados japoneses tomariam as ruas. Eu me lembro do comentário à mão da professora: "Guarde bem essa preciosidade. E continue escrevendo".

Foi o que eu fiz. Escrevi no meu pequeno apartamento durante uma pandemia global, diante da morte prematura da minha mãe, em meio à profunda solidão de não poder voltar para casa na Malásia. Escrevi sobre dores herdadas, sobre ser mulher, sobre mães, filhas e irmãs, sobre como as nossas escolhas reverberam por gerações — tanto da própria família como da comunidade — muitas vezes de maneira imprevisível.

Escrevi sobre carregar o legado da colonização no corpo, sobre se atrair por homens tóxicos, sobre manter amizades complicadas, sobre viver a vida em fragmentos, sobre a ambiguidade entre certo e errado quando a sobrevivência está em jogo. A lição de casa descartável se tornou o quarto capítulo do meu romance.

Espero que você goste de *A tempestade que criamos* e de como Cecily, Jujube, Abel e Jasmin trilham seu caminho no mundo. Espero que sinta amor, admiração, tristeza e alegria enquanto lê. E, principalmente, espero que você se lembre da história deles.

Obrigada pela leitura.

Com amor,
Vanessa

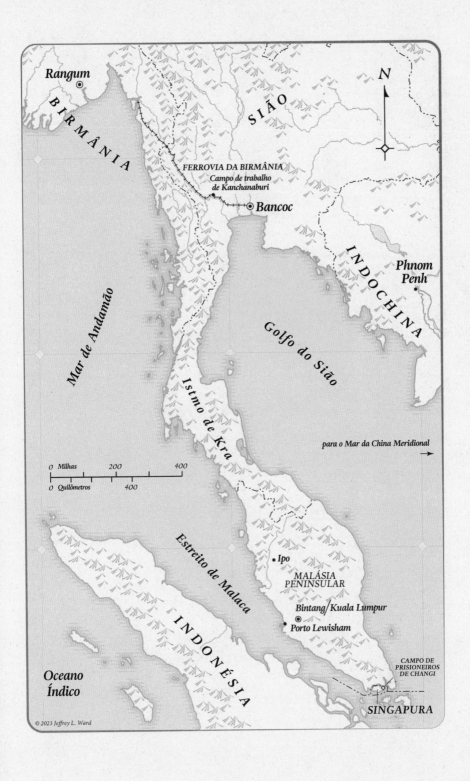

1
CECILY

Bintang, Kuala Lumpur
Fevereiro de 1945
Malásia ocupada pelos japoneses

Os adolescentes começaram a desaparecer.

O primeiro de quem Cecily ficou sabendo foi um dos irmãos Chin, o filho do meio de cinco garotos grandalhões de testa estreita e ombros largos. Os nomes deles eram Boon Hock, Boon Lam, Boon Khong, Boon Hee e Boon Wai, embora a mãe chamasse todos de Ah Boon esperando que soubessem de quem se tratava. Durante a dominação britânica, os irmãos Chin eram conhecidos pela riqueza e crueldade. Era comum vê-los em roda atrás da espalhafatosa casa marrom e dourada da família. Em geral, ficavam diante de um criado, à medida que um dos garotos segurava uma vara, e todos os olhos brilhavam de animação por causa da batida do instrumento na pele do criado. Quando os japoneses chegaram antes do Natal de 1941, os irmãos Chin foram hostis: olharam feio para os Kempeitai, cuspiram naqueles que ousaram se aproximar. Foi o filho do meio, Boon Khong, que desapareceu como se nunca tivesse existido. Os cinco irmãos Chin viraram quatro, simples assim.

Os vizinhos se perguntavam o que havia acontecido com o garoto. A sra. Tan especulou que ele tinha fugido. Puan Azreen, sempre um poço de melancolia, se preocupava com a possibilidade de o garoto ter entrado numa briga e caído em uma vala qualquer, o que levou os vizinhos a verificarem as fossas, temerosos, enquanto cumpriam os afazeres, sem saber ao certo o que encontrariam. Outras mães balançaram a cabeça; *é o que acontece com os valentões*, diziam, *talvez alguém simplesmente se cansou dele*. Cecily procurou pela mãe dos irmãos Chin, curiosa para ver se ela se mantinha na porta à espera de notícias ou se estava mergulhada na histeria de uma mãe apavorada. A sra. Chin e o resto da família, no entanto, se mantiveram reclusos. Nas raras ocasiões em que saíam de casa, os quatro garotos cercavam os pais de expressão fatigada, formando um paredão musculoso para mantê-los fora de vista.

Cecily viu a sra. Chin uma única vez, logo cedo, no armazém chinês. A mulher estava encarando um saco de petiscos de lula, com o rosto cheio de lágrimas. A tranquilidade impressionou Cecily — ela não soluçava nem tremia, só tinha os olhos marejados e as bochechas manchadas.

"Faz cinco minutos que ela está assim", disse tia Mui, a esposa do dono da loja, feliz por ter com quem dividir essa descoberta.

Depois de algumas semanas, na ausência de outras demonstrações públicas de angústia e de mais motivos para fofocas, as pessoas pararam de se preocupar com os irmãos Chin. Logo nem lembravam mais qual deles tinha sumido.

Os desaparecimentos seguintes se deram em uma rápida sucessão. O garoto magro que trabalhava como varredor no cemitério — Cecily estava convencida de que ele roubava as flores deixadas pelas famílias nos túmulos e as vendia no mercado. O garoto rechonchudo que sujava o rosto de terra e amarrava o pé da calça fingindo não ter uma perna para pedir moedas a quem passava atrás do armazém chinês. O garoto de olhar mórbido que tinha sido pego tentando espiar o banheiro da escola para meninas. *Garotos encrenqueiros*, Cecily e os vizinhos murmuravam. Talvez tivessem recebido o que mereciam.

Entretanto, no meio do ano, filhos de pessoas que Cecily conhecia começaram a desaparecer também. O sobrinho do casal que morava na casa ao lado, um garoto com um barítono invejável que vencia todos os concursos de oratória na escola. O filho do médico da cidade, um garoto tranquilo que carregava um pequeno tabuleiro de xadrez aonde quer que fosse e jogava com quem quer que se oferecesse. O menino da lavadeira, um adolescente diligente que cuidava de todos os uniformes dos soldados japoneses, cujo lugar a mãe teve que ocupar, porque os japoneses não perdiam tempo com luto.

Com apenas uma rua principal, uma farmácia, um armazém, uma escola para meninos e outra para meninas, Bintang era uma cidade pequena a ponto de ser transformada pela preocupação. Os sussurros recomeçaram, bem como os olhares para as famílias dos sumidos e as vozes baixas se perguntando o que havia acontecido com eles. Na verdade, os desaparecimentos foram discretos, como se os garotos tivessem escapulido, com medo de dar trabalho. Aquilo incomodava Cecily, porque era se movimentando que os adolescentes faziam mais barulho — eles trombavam em tudo, tinham passos pesados, ficavam inquietos mesmo parados, incapazes de controlar o recém-adquirido poder do próprio físico e o novo comprimento dos membros.

"Não basta que nos matem de fome, nos batam e nos tirem a escola e a vida? Ainda por cima precisam levar nossos filhos?", sibilou o velho tio Chong, que era dono do armazém Chong Sin Kee. O estabelecimento no meio de Bintang era onde todos compravam suprimentos, desde temperos e ervas até arroz e sabão. Sua esposa, tia Mui, deu um tapa na boca dele. Aquelas palavras eram uma traição, e os Chong tinham um filho também.

Nem sempre foi daquele jeito. Quando os japoneses chegaram, cerca de três anos antes, Cecily, o marido e os três filhos tinham sido uma das famílias enfileiradas diante de casa para acenar ao comboio militar, dando boas-vindas. Cecily se lembrava do ardor no peito ao apontar para Shigeru Fujiwara, o general careca e atarracado à frente do desfile. "É o Tigre da Malásia", ela disse aos filhos.

O general Fujiwara fez as forças britânicas se ajoelharem em menos de sete semanas, orquestrando uma brilhante e inesperada invasão. Os homens chegaram de bicicleta do norte, na fronteira com a Tailândia, e atravessaram a selva quente e densa enquanto a Marinha britânica, prevendo um ataque marítimo, apontava os canhões e as armas para o sul e para o leste, na direção de Singapura e do mar da China Meridional. Parecia o amanhecer de uma nova era aos olhos de Cecily. No entanto, a esperança de que fossem colonizadores melhores não durou muito. Meses depois da chegada dos japoneses, as escolas foram fechadas e os soldados dominaram as ruas. Os japoneses já tinham matado mais pessoas em três anos do que os britânicos em cinquenta. A brutalidade chocava a população pacata da Malásia, àquela altura acostumada com a frieza e o desinteresse dos britânicos, que na maior parte do tempo se mantinham longe dos malaios desde que as metas de mineração de estanho e de extração de borracha fossem atingidas.

Com medo do que estava por vir, Cecily começou a fazer uma chamada toda noite para se certificar de que os três filhos tivessem voltado para casa. "Jujube", ela chamava em meio aos ruídos dos preparativos para o jantar. "Jasmin! Abel!"

Toda noite, eles respondiam — Jujube irritadiça, com o rosto contorcido pela seriedade de uma filha mais velha, Jasmin animada, deslizando os pezinhos pelo chão como um filhote de cachorro. E o filho do meio, Abel, o que mais a deixava preocupada, gritando "Claro que estou aqui, mãe!" e se virando para receber um abraço forte.

Por um tempo, o sistema pareceu funcionar. Noite após noite, quando o sol se punha e os mosquitos começavam o coro, ela chamava os filhos, e assim eles respondiam. A família se reunia à mesa de jantar arranhada e contava sobre o dia. Por alguns minutos, ouvindo Jasmin rir alto de uma das piadas elaboradas de Abel, vendo Jujube puxar os próprios cachinhos, tão parecidos com os dela, Cecily esquecia a severidade das circunstâncias, o terror da guerra e a aridez de suas vidas.

Até que, no dia 15 de fevereiro, aniversário de quinze anos de Abel — que tinha o cabelo castanho-claro e muito diferente do das irmãs, Abel, que estava sempre com fome por causa do racionamento de comida, Abel, que tinha crescido quinze centímetros no ano anterior e agora era o mais alto da família — não respondeu à chamada; não voltou da loja. E, enquanto a vela de cera derretia sobre o bolo seco de aniversário, Cecily soube. Coisas ruins aconteciam com pessoas ruins; e ela era exatamente aquilo: uma pessoa ruim.

A verdade era que, já fazia alguns anos, Cecily tinha descoberto que era incapaz de esconder o medo nítido que controlava sua existência, diante da consciência de que pagaria por tudo o que havia feito — as consequências estavam sempre a um dia de distância. Esse medo se manifestava na inquietude dos seus dedos ansiosos, na maneira como seus olhos corriam para as crianças, na desconfiança com que cumprimentava qualquer pessoa que não parecesse familiar. Agora que a catástrofe tinha acontecido, Cecily sentia cada gota de energia tensa no corpo entregar os pontos. Jujube depois contou que ela soltou um longo uivo, baixo e angustiado, então se afundou na cadeira de vime sem produzir mais ruídos, com a expressão calma e o corpo imóvel.

À sua volta, a família era como uma colmeia em atividade. O marido, Gordon, andava de um lado para o outro, gritando para si mesmo ou talvez para ela, a plenos pulmões: "Talvez ele tenha ido à loja; talvez ele tenha sido detido no posto da polícia; talvez, talvez, talvez". Jasmin se segurou no dedão da irmã mais velha, com o rosto estoico demais para alguém de sete anos. Jujube, sempre prática, entrou em ação. Soltou-se de Jasmin e correu para os fundos da casa, gritando por cima da cerca aos vizinhos dos dois lados: "Vocês viram meu irmão? Podem ajudar a encontrar meu irmão?". No entanto, já havia passado das oito, horário do toque de recolher, e os vizinhos nem ousaram responder, por mais que fosse de partir o coração ouvir os gritos de Jujube.

Cecily não disse nada. Por alguns minutos antes que a culpa tomasse conta dela, foi um alívio ver o seu terror concretizado. Finalmente havia acontecido, e era tudo sua culpa.

Ela tinha causado aquilo, tudo aquilo.

Na manhã seguinte ao desaparecimento de Abel, os vizinhos de Cecily entraram em ação. Os Alcantara eram uma família respeitável, e famílias respeitáveis não mereciam tragédias tão monumentais. Os homens organizaram grupos de busca, que circulariam durante o dia portando cartazes e gritando o nome de Abel. Eles procuraram nos depósitos atrás das casas, nos cantos das lojas preferidas de Abel, nos parquinhos e nas fábricas abandonadas. Embora não tivessem chegado a entrar, deram uma olhada inclusive na antiga escola, onde os japoneses passaram a conduzir interrogatórios. Mantinham-se em pequenos grupos e baixavam a cabeça quando os Kempeitai, em seus uniformes verde-amarronzados, olhavam para eles, mas secretamente se sentiam presunçosos, porque a união faz a força, e a busca pelo garoto era uma espécie de revolta, um pequeno levante contra os japoneses. As mulheres tratavam o incidente como um nascimento ou uma morte, levando uma quantidade gigantesca de comida e consolo à casa dos Alcantara. Elas garantiam a Cecily que tudo ficaria bem — que Abel era só um garoto descuidado que devia ter pegado no sono em um lugar qualquer e encontraria seu caminho de volta, que tinha perdido a noção do tempo e passado a noite na casa de um amigo, que garotos como Abel, tão bonitos, charmosos e promissores, não sumiam do nada.

As mulheres achavam que Cecily estava sendo ingrata. Não agradecia pela comida, não se oferecia para preparar um chá quando elas ficavam à porta esperando ser convidadas a entrar, não chorava, não confidenciava nada e, como seria compreensível, não desmoronava. Tudo o que fazia era parecer terrivelmente alerta, olhando de um lado para o outro, como se estivesse pronta para atacar. *Quem?* Elas não sabiam. Claro que sentiam muito por Cecily, sussurravam umas às outras, mas às vezes ela levava as coisas longe demais. Não se lembravam das histórias horríveis que ela contava para as crianças?

"Aquela do homem que foi forçado a tomar água com sabão até pôr o estômago para fora, de um jeito que soldados japoneses pudessem apoiar uma viga de madeira nele e pular um de cada lado, como uma gangorra, até que ele rasgasse?", perguntou a sra. Chua.

"*Aiya*, você precisava mesmo repetir essa história terrível? Sim, essa mesma!", disse a sra. Tan. "Meus filhos tiveram pesadelos por semanas!"

Elas costumavam pensar que Cecily não sabia se comportar direito. Todas eram mães; sabiam como mães deveriam se comportar. E, quando uma mãe perdia o filho, tinha que chorar, desfalecer, procurar conforto em outras mães. Não deveria empunhar a dor como um escudo e agir de maneira tão irritadiça a ponto de deixar todos receosos de se aproximar.

Ainda assim, elas se lembravam de que precisavam ser boas vizinhas. A sra. Tan continuou mandando tigelas fumegantes de sopa com macarrão para a casa dos Alcantara e tentava não se ofender quando via os recipientes na frente do portão, exatamente onde foram deixados, quando passava no dia seguinte. A sra. Chua se ofereceu para cuidar de Jujube e Jasmin para que Cecily pudesse descansar. Puan Azreen, que adorava um drama, contava histórias sobre todos os desaparecidos de que soube, mas não conseguia evitar acrescentar um toque de horror, descrevendo como alguns tinham voltado com membros faltando ou com o rosto desfigurado.

As vizinhas achavam que pelo menos o marido de Cecily, Gordon, parecia grato. Ele perambulava pela cidade com os homens, chamando pelo filho, dava tapinhas nas costas dos outros maridos e agradecia a todos pelo tempo gasto. *Acabou se tornando um homem muito mais gentil*, as vizinhas comentavam. Claro que não queriam que aquilo acontecesse com ninguém, *tsctsc*, mas preferiam a nova versão de Gordon Alcantara, cabisbaixa e sem a afetação incômoda de antes, quando os britânicos estavam no comando e Gordon era um burocrata que se julgava melhor do que os demais.

Os dias de ausência de Abel se transformaram em semanas. As buscas dos homens se tornaram esporádicas, e as visitas das mulheres à casa começaram a minguar. Conforme mais e mais garotos desapareciam, os vizinhos preferiram se manter em casa e esconder os próprios filhos da carranca dos Kempeitai. A breve alegria da revolta morreu, e a população voltou a se lembrar de que, durante a guerra, a única prioridade era a família. Não podiam desperdiçar tempo com os filhos perdidos dos outros.

Uma semana antes de desaparecer, Abel tinha chegado em casa com um maço de flores feias, parecidas com ervas daninhas, que claramente foram arrancadas da beira da estrada. Ele parecia tão orgulhoso que Cecily as pôs em um vaso e fingiu que eram as flores mais lindas que já tinha visto. Nas semanas que se seguiram ao desaparecimento, os ramos secaram e ficaram quebradiços, mas Cecily não conseguia jogá-los fora. Até que, certa tarde, ela se esqueceu de fechar a janela do quarto durante uma das barulhentas tempestades tropicais de chacoalhar as paredes pelas quais a Malásia era conhecida. A chuva entrou no quarto e o vento derrubou tudo, estilhaçando o vaso de ervas daninhas secas. Naquela noite, depois que a tempestade arrefeceu, Gordon encontrou Cecily com os dedos sangrando na tentativa de colar os cacos e rearranjar os pedaços de plantas para que ficassem tão altas quanto um garoto. No entanto, como no caso do quebra-cabeças que começou a montar dez anos antes, não havia conserto. Não haveria volta.

2
CECILY

Bintang, Kuala Lumpur
1935
Malásia ocupada pelos britânicos

A família de Cecily era eurasiática, descendente de portugueses, os primeiros de uma série de colonizadores brancos a chegar à costa malaia no século XVI, em posse de armas, navios e a ambição de controlar os vastos recursos naturais e as rotas do comércio de especiarias que passavam pela região. A mãe de Cecily apreciava o toque europeu no nome e no sangue da família, e olhava de cima os outros à sua volta. Ela sempre dizia: "Não chegamos aqui como mão de obra, diferente dos chineses e indianos, que vieram trabalhar no campo e nas minas, tampouco fomos conquistados, como os malaios. Descendemos de homens brancos, somos cristãos, veneramos os mesmos deuses e recebemos os nomes deles, Rozario, Oliveiro, Sequiera".

Quando pequena, Cecily ficava confusa com o fato de que seus amigos e familiares eurasiáticos vinham em todas as cores — parda, preta, amarela —, mas ela não conseguia pensar em nenhuma pessoa com a pele branca e manchas rosadas além dos britânicos.

"Ah, mas somos quase brancos, como eles", a mãe de Cecily insistia, olhando com adoração para o britânico mais próximo — um professor, um burocrata, um pastor —, em geral suando no calor pouco familiar.

Cecily nunca sentiu que tinha direito ao que havia de mais bonito e sublime. Quando pequena, era uma menina simpática, mas pouco notável, cuja beleza não era chamativa o suficiente. Aquilo ficava claro quando a mãe demonstrava indiferença, e em alguns dias até decepção, em relação ao tom castanho do seu cabelo, seus olhos e sua pele. A irmã Catherine, quatro anos mais nova, era sua inspiração. De pele parda bem clara e olhos verde-acinzentados, ela acabou se casando com um oficial inglês chamado Abbott, que a levou para a Inglaterra e reivindicou seu título de nobreza. Assim, Catherine se tornou Lady Abbott. Mesmo sendo eurasiáticas, meninas sem graça como Cecily — nascidas em casinhas com telhado de palha em colônias britânicas sufocantes do início do século xx — deviam levar uma vida discreta ao cumprir seus papéis: como garotinhas, adquirindo todas as habilidades que conquistariam um bom marido; como esposas, mantendo a casa organizada e se dando bem com os vizinhos; como mães, gestando e criando um número apropriado de filhos para provar seu valor.

Cecily tirou tudo isso de letra. Aos trinta anos, tinha dois filhos, Jujube e Abel, e um marido, Gordon — se no passado fora um garoto eurasiático gorducho que morava a duas ruas de distância, havia se transformado em um homem que proporcionava uma vida de razoável conforto. Eles moravam numa casinha com telhado laranja que não chegava a ser bonita, mas era muito funcional. Ainda assim, Cecily vivia insuportavelmente insatisfeita. Toda manhã, ela se via na cozinha abafada, preparando ovos para a família. Servia café preto em canequinhas de metal e punha um sorriso no rosto, às vezes até entoava uma música. Ao cozinhar, cumpria as tarefas e cantava, simulando um mundinho tranquilo de felicidade doméstica, mesmo que fantasiasse quebrar os ovos na cabeça do marido e jogar o café quente no rosto das crianças. Aquilo a envergonhava profundamente. Cecily não sabia quando, por que ou como a mudança havia ocorrido dentro dela; e não sabia como dar um jeito em si mesma. Às vezes, fora de casa ao passear no mercado, tentando negociar o preço de um pescado ou da berinjela, ela sentia um ímpeto repentino de gritar e virar as bancas cheias de peixes e carne de porco sangrentas em cima dos comerciantes.

Na última terça-feira de novembro de 1935, Cecily olhou para o céu desconfiada. Estava prestes a chover, nuvens cinza se reuniam como numa congregação. De pé em uma pilha de lixo fedorento na altura dos joelhos, ela precisava fazer tanta força para se manter estável sobre os chinelos que as juntas dos dedos ficaram brancas. O ar estava úmido, como acontecia no fim de tarde tropical da Malásia, e ainda mais porque nuvens carregadas espreitavam ameaçadoras. Cecily ficou preocupada com a possibilidade de não conseguir concluir a tarefa antes da chuva. Ela revirou a pilha, passando por folhas de repolho, espinhas de peixe e algo que parecia muito um testículo animal. O calor levava o cheiro podre direto para as narinas. Ela controlou a ânsia de vômito, amaldiçoou aquele trabalho e, preparada para desistir, acabou avistando o documento que procurava, uma folha de caderno em cima do saco de lixo que tinha acabado de rasgar. Manchada, mas não amassada, como se esperasse ser reivindicada ali. Cecily pegou o papel e sacudiu um pouco, então se arrependeu, porque o que quer que fosse o líquido respingou no rosto dela. Pelo menos os rabiscos, diagramas, manchas e linhas feitos pelo marido permaneciam intactos.

"Bom trabalho, Cecily."

A voz trêmula a assustou, fazendo seus pés escorregarem. Ela abriu mais as pernas para se equilibrar e não cair de cabeça na pilha de lixo, o que teria sido repugnante. Então se virou, com os braços esticados para afastar o respingo do chorume nas roupas.

"O que está fazendo aqui?"

Fujiwara se manteve a três passos de distância. As mãos dele, claras e limpas, contrastavam nitidamente com as de Cecily, que eram pardas e estavam nojentas. Os vincos no terno de linho indicavam que tinha caminhado pela cidade. Fujiwara se aproximou de Cecily, com o braço estendido apontando para a folha. Ela franziu a testa. Aquele não era o protocolo, e ele sabia que Cecily não gostava que agisse de maneira imprevisível. Desestabilizava a natureza cuidadosamente construída do relacionamento deles, o que por sua vez desestabilizava Cecily.

O homem pegou a folha por uma ponta limpa, tirando das mãos dela e sacudindo no ar para secá-la. Não funcionou. O líquido só se espalhava mais.

"Guarde isso, ou vamos ser pegos", Cecily disse. Ela tentou disfarçar o estômago revolto ao evocar uma voz tão fria quanto possível. As palavras saíram agudas e esganiçadas. Um nó de frustração subiu pela garganta.

Naquele dia, como em todos os outros, Cecily deveria deixar a folha de papel no armazém chinês. Ela passava os dedos entre a parede cheia de farpas e a prateleira frágil onde ficavam as toalhas sanitárias e tateava até encontrar um compartimento minúsculo, depósito de quaisquer documentos que tivesse encontrado na semana. Era um ponto de entrega engenhoso — escondido à plena vista em um dos estabelecimentos mais movimentados da cidade —, uma vez que os homens evitavam tanto o corredor como a prateleira, com medo de qualquer coisa relacionada a menstruação, e as mulheres chegavam e partiam rapidamente, sem querer ser vistas ali. A cozinheira de confiança de Fujiwara recolhia o que houvesse no compartimento quando ia às compras e entregava a ele. Aquilo ocorria há meses; não havia motivo para Fujiwara alterar o protocolo.

"Não gosto disso", Cecily sibilou. "Posso ser pega falando com você."

Ela olhou rapidamente para a rua principal, perpendicular ao beco onde estavam, que em geral tinha bastante tráfego. Um automóvel passou, depois um riquixá e uma bicicleta, sem que aparentemente ninguém prestasse atenção neles.

"Cecily", Fujiwara murmurou.

Das muitas coisas que a frustravam em relação a ele, uma das principais era a voz, que nunca passava de um sussurro. Cecily se perguntou se Fujiwara tinha consciência do próprio poder — seu tenor comedido era por si só uma agressão, forçando os outros a parar o que estivessem fazendo e chegar mais perto para ouvir.

Então deu as costas a ele e ao nariz alto e esculpido que sempre provocava um friozinho na barriga dela. Fujiwara não era um homem bonito, porém o asseio e o rosto simétrico conferiam a ele um ar aristocrático. Cecily se concentrou em pegar a mangueira ali perto para lavar o cheiro de escamas de peixe das mãos. Enquanto a água fria lavava a palma esquerda, uma pontada de dor subiu pelo braço, e bolhas rosadas de sangue escorreram.

"Cecily, você está sangrando."

Quando ele se aproximou para verificar, o perfume de creme de hortelã se espalhou do cabelo dele por toda a volta, lembrando Cecily de que ela estava sempre em suas garras.

"Não foi nada, só um arranhão", Cecily disse. *Porque você me fez revirar o lixo*, ela apenas pensou. Em vez disso, arranjou as feições num sorriso tranquilo, quase afetado, torcendo para que escondesse a vontade de agarrá-lo pelo pulso e comunicar o desejo que sentia por ele. Havia meses que vinha sendo assim — um buraco se abria no estômago dela sempre que se encontravam, fazendo com que se sentisse ao mesmo tempo faminta e embriagada.

"Desculpe, sei que você não gosta de mudanças."

Cecily passou a mão na água e se encolheu ao sentir o corte arder.

"Mas tenho algo a dizer. Não aguentei esperar", Fujiwara disse.

Ali estava o delicioso peso no estômago outra vez. Ele nunca tinha dado nenhuma pista de que sentia o mesmo. Na verdade, nunca tinha dado pista nenhuma de como se sentia.

Fujiwara ergueu a mão direita e pressionou os dedos na folha de caderno manchada, alisando-a contra a coxa. Cecily tirou a mão da água e enxugou na saia florida, com o corte já estancado. O coágulo escureceu as pétalas de uma flor do tecido, embora mal pudesse ser vista, como um monstro escondido à plena vista.

"O que tem a me dizer?", ela odiou o tom de súplica.

"Estes números vão ser úteis para nós." Ele olhava para a folha, ignorando a pergunta e franzindo as sobrancelhas escuras.

Cecily estudou Fujiwara como ele estudava o documento. Havia uma gotinha de suor na sua sobrancelha, o que era incomum, já que ele costumava exalar frescor pós-banho. Cecily queria lambê-la e sentir o gostinho quente e salgado.

"Vou ter que levar isso para análise." Como Fujiwara tinha dado um passo se distanciando dela, Cecily mal conseguia ouvi-lo. "Mas parece parte de um registro que seu marido mantém, hora a hora, das marés e da profundidade da água no porto. Ele deve ter incluído as descobertas num relatório e jogado as anotações fora."

Cecily assentiu, sem ouvir tudo, enquanto tentava desesperadamente tirar os olhos da gota de suor. O machucado ardeu pela vergonha.

"Bem, se não vai me dizer o que está acontecendo, eu já vou embora. É perigoso ficarmos os dois aqui, e preciso voltar para as crianças." Cecily deu as costas, arfando. *Sou uma mulher que pode simplesmente partir*, disse a si mesma.

"Espere, espere." O ar que escapou por entre os dentes de Fujiwara provocou um assovio. Ali perto, um mainá cacarejou como se zombasse daquele impasse. "Ouvi falar de um alemão que é ao mesmo tempo um homem bom e mau. Ele vai ganhar a guerra com os britânicos por nós." A voz de Fujiwara tremulou de entusiasmo, o que tornava ainda mais difícil de ouvi-lo.

Cecily recuou e se virou para encará-lo. Aquilo era incomum. A natureza da relação deles era transacional: Fujiwara era seu superior; Cecily, a informante, e as informações reunidas eram na maioria do marido — fossem de papéis descartados ou das conversas que ela entreouvia. Gordon não levantava suspeitas, era um funcionário de médio escalão do departamento de obras públicas do governo britânico, cujo foco era geologia e uso do solo. Não se tratava de um trabalho que ele amasse, apenas tolerava, porque o cargo "superintendente de gestão do solo" inspirava respeito suficiente entre seus amigos. Fujiwara levava aos superiores os fragmentos de Cecily — pecinhas de um quebra-cabeças complexo que os japoneses tentavam montar para vencer os britânicos na Malásia há mais de cem anos. Era raro que Fujiwara *fornecesse* informações; tudo o que Cecily sabia era deduzido a partir de transmissões crepitantes sobre invasões alemãs e japonesas em lugares tão distantes que nem pareciam reais. Às vezes, nas noites em que se sentia perdida, ela se perguntava se a Malásia seria mesmo libertada um dia, como esperava que fosse.

"Todo homem não é ao mesmo tempo bom e mau? Parece um enigma desnecessário."

"Cecily." Os cantos da boca fina de Fujiwara se curvaram para cima. "É disso que mais gosto em você. Eu sou um sonhador. Você é sempre prática."

Ela sentiu uma onda de calor percorrer o corpo e colorir as pontas das orelhas. Talvez tivesse sido o elogio mais direto que ele já tinha feito a ela. *Gosto*, Fujiwara disse, *mais gosto*. Cecily alisou os cabelinhos arrepiados contra a orelha e torceu para que ele considerasse o rubor uma reação ao calor sufocante da tarde.

"É bom que você saiba. Quero que saiba. Há uma aliança... entre Alemanha, Itália e Japão que se tornará muito poderosa. Moldará o futuro." A voz saiu trêmula, porém energética. Cecily sentiu aquilo. Desde o começo, ela e Fujiwara falavam sobre um mundo em que os asiáticos poderiam determinar o próprio futuro, um mundo em que o status na sociedade não envolveria a quantos graus de separação uma pessoa estava de um europeu. Uma aliança daquelas, entre alemães e italianos, que vinham fazendo imenso progresso na tentativa de superar suas contrapartes britânicas e japonesas, e cujos líderes tinham prometido libertar a Ásia do flagelo britânico, faria com que tudo aquilo se tornasse uma possibilidade real. Ela expirou aliviada. Apesar das poucas palavras de Fujiwara, ela se sentiu motivada, como se a mudança estivesse a uma onda de distância, e a crista já fosse visível da costa. E talvez, por ora, aquilo fosse o bastante.

Fujiwara tinha entrado na vida de Cecily durante as monções de 1934, tal qual as rajadas de vento das tempestades tropicais que sacudiam as árvores e tiravam tudo do lugar. Foi na semana anterior ao Natal. O ar estava carregado da promessa de um novo ano e as festas celebrando o fim do antigo tomavam conta das noites. Aquela noite em particular estava fresca, porque havia chovido a tarde toda — um alívio para Cecily, já que assim ela não suaria no vestido. Pela primeira vez, eles tinham sido convidados à casa do representante do governo britânico, para comemorar a nomeação de um novo assistente em Bintang. Gordon já tinha feito a esposa mudar de roupa três vezes, contentando-se por fim com uma peça creme com uma listra rosa nas laterais, nem justa nem solta demais, o que, além de ser apropriado, a fazia parecer amigável.

O representante sênior, um homem sorumbático chamado Frank Lewisham, era o responsável local por manter a paz e se certificar de que Bintang cumprisse as cotas de mineração de estanho e de extração de borracha. Cecily avaliou o novo assistente dele, um homem magro de aparência tola chamado William Ommaney — os lábios dele eram os mais rachados que ela já tinha visto, talvez porque os lambesse quando estava nervoso. Gordon ficara satisfeito com a nomeação. Era legalista e esperançoso; conjecturava que a indicação de Ommaney poderia sinalizar que Kuala Lumpur, a cidade maior que englobava a modesta Bintang, estava a caminho de se tornar uma estação administrativa chave para a Malásia britânica, como as ilhas vizinhas de Singapura e Penang.

"A Coroa está finalmente vendo todo o nosso potencial!", ele tinha exclamado para Cecily quando soube da notícia.

As pessoas circulavam pela festa, o ar preenchido pela orquestra de conversas, pontuada pelos ocasionais gritinhos agudos das mulheres britânicas, que ecoavam pelas paredes brancas. A casa do representante era uma estrutura imponente no meio de um gramado bem aparado, cercada de paus-rosas birmaneses cujas folhas sacudiam na brisa pós-tempestade. O gramofone enviava acordes de Billie Holiday casa afora, e a noite tinha um ar lânguido abrandado pela névoa recente. Cecily se surpreendeu dando alguns passinhos para um lado e para o outro, o mais próximo de dançar que já tinha chegado. Aquilo não era do feitio dela; sempre sentiu que a dança era um passatempo de moças bonitas. Mulheres simples como ela não podiam usufruir das alegrias proporcionadas pela beleza física.

Em meio ao turbilhão de apresentações e aos rápidos apertos de mãos, Cecily viu Fujiwara pela primeira vez. No entanto, ele não atendia por esse nome na época. E seu sotaque era britânico, mas ela descobriu depois que não era nativo.

"Bingley Chan", ele pronunciou o "ley" com tanta força a ponto de produzir um estalo. Ao esticar o braço para cumprimentar alguém, foi apresentado como um comerciante de Hong Kong especializado em mercadorias do Oriente.

Cecily avaliou aquele homem asiático que parecia ser respeitado de um jeito peculiar pelos britânicos. Seu rosto não era do tipo arredondado que ela tinha aprendido a reconhecer nos chineses do sul que eram levados à Malásia para trabalhar nas minas. Na verdade, ela não conhecia muitos asiáticos que não fossem malaios.

"O senhor faz negócio com os alemães ou se atém à Coroa e ao país?", Gordon perguntou, estufando o peito e caprichando no sotaque que simulava na frente dos britânicos, porque acreditava que o fazia parecer mais refinado. Cecily se esforçou para não contrair o rosto.

"Os alemães não veem utilidade num comerciante que vende especiarias e tapetes", Bingley Chan respondeu, com um tom astuto e a sobrancelha arqueada.

"Malditos alemães!", alguém gritou, e todos os homens da roda rugiram como os homens fazem, mais em solidariedade masculina do que como forma de demonstrar que compreenderam a piada. Os lábios do senhor então conhecido como Bingley Chan se levantaram, quase formando um sorriso. Porém, Cecily notou que, como ela, ele não riu.

Depois da festa na casa do representante do governo britânico, Bingley começou a aparecer na casa dos Alcantara depois do jantar, quando as crianças já estavam na cama. Gordon, entusiasmado com a ideia de que um homem britânico bem relacionado — mesmo que de ascendência asiática — pretendesse entrar para o círculo de amizades do casal, ficava encantado em recebê-lo e deleitado com a perspectiva de elevar o próprio status. Os dois homens se recostavam nas cadeiras de vime com almofadas no cômodo da frente da casa. Giravam o uísque marrom no copo e depois bebericavam; Gordon se maravilhando com a qualidade, Bingley negando que tinha adquirido no mercado paralelo. Uma hora se passava, então duas, então três; os homens riam alto subitamente e Cecily ficava sentada diante deles, com um sorriso indulgente, segurando o mesmo copo durante toda a noite.

Logo vieram noites em que Gordon cochilava sentado — os dedos ainda envolvendo o copo suado, as coxas bem abertas tocando os braços da cadeira de vime, o semblante frouxo por conta do sono induzido pelo uísque. A princípio, Cecily ficava constrangida e se justificava por ele. "Ah, foi um longo dia no trabalho", ela se preocupava que Bingley visse aquilo como pouco-caso, e o acompanhava até a porta. Enfim, depois de três noites arrastando o marido para a cama com dificuldade, Cecily aceitou a ajuda de Bingley. Foi assim que os dois passaram a levar Gordon até o quarto noite após a noite — às vezes de maneira delicada (pelos ombros), às vezes, bruta (pelos braços) —, derrubando-o na cama todo vestido e dando risadinhas como crianças dos roncos. *Ele só estava sendo simpático*, Cecily dizia a si mesma. Era um homem gentil e apenas a ajudava a acomodar o marido depois de uma noite agradável.

No entanto, como sempre acontece, tudo mudou. Bingley começou a demorar depois do ritual. A princípio, eram apenas alguns minutos à porta, conversando sobre os acontecimentos da vizinhança, revirando os olhos ao mencionar os mais recentes disparates da sra. Carvalho, a mulher intrometida da casa ao lado, ou se queixando juntos da umidade do ar, que aquela noite não parecia dar trégua. Muito rapidamente, os assuntos prosaicos deram lugar a confidências que exigiam que Bingley se sentasse para ouvir.

Havia o desencanto cada vez maior de Cecily em relação aos britânicos, uma visão que divergia da reverência da mãe e do marido. Quanto mais velha ficava, mais ela notava o fracasso dos brancos à sua volta — terceiros ou quartos filhos deserdados, soldados malsucedidos, alcoólatras, homens expulsos pela família ou pelo regimento e enviados a lugares tão distantes do Reino Unido como a península malaia, a fim de recuperar uma dignidade mínima para sua linhagem. Durante a estada, eles marchavam por ali em ternos de lã totalmente inapropriados para o clima, fedendo e com um ar de superioridade injustificado, até que se atraíam por um belo par de seios locais que fazia seus olhos lacrimejarem e reluzirem.

Havia a pontada de vergonha no peito quando ela era deixada de lado nos estabelecimentos comerciais para uma esposa britânica ser atendida, ou toda vez que o marido chegava em casa entusiasmado com uma migalha de validação vinda de um colega europeu que mal se lembrava do nome dele.

E havia momentos que embaçavam as esperanças em relação ao futuro dos filhos. Foi o caso do dia em que Jujube, aos seis anos, chegou em casa com as bochechas coradas e os olhos arregalados, pôs no colo o irmão mais novo, Abel, e gritou "sel-va-gens" no ouvido dele, que começou a gritar também, depois chorar, à medida que os olhos cinza brilhavam como a superfície de um pântano.

"Jujube!", Cecily berrou, horrorizada. "Onde foi que você aprendeu isso?" Ouvir uma palavra tão feia saindo de uma boca tão jovem fez uma onda de choque percorrer o corpo dela.

"Os professores da escola disseram que isso é o que somos! Esse é o motivo de terem vindo até aqui de navio, para nos ajudar! E é por isso que precisamos ir à igreja, para que Deus veja que nos... convertemos!", meio cantarolando, meio gritando, Jujube tinha pronunciado "convertemos" como "*conveitemos*" e contraindo o rosto em concentração para regurgitar tudo o que aprendera. Cecily estremeceu, mas apenas pediu silêncio à filha e consolou o confuso Abel, porque não sabia como explicar a ela que, por mais que dissessem a si mesmos que eram quase brancos, mesmo que se agarrassem ao pingo de sangue europeu em suas veias, aquilo não significava nada.

Gordon e a mãe de Cecily tinham torcido para que a branquitude em seu sangue superasse a pele parda, acreditando que, se aguardassem e servissem aos senhores britânicos com paciência o bastante, sua linhagem europeia — por mais tênue que fosse — seria reconhecida e eles ficariam acima dos malaios de outras raças. Porém, não importava o quanto esfregassem a pele para chegar à camada mais clara, não importava quão bem pronunciassem as vogais da língua inglesa, não importava quão alto dissessem o próprio sobrenome, não importava o quanto tentassem ser o tipo certo de "civilizados", continuavam inferiores aos olhos dos imperialistas europeus.

Bingley também se confidenciava com ela. Suave e resignadamente, ele contou sobre as constantes reprimendas que sofreu nas mãos dos britânicos, sobre os nomes de que o chamavam, o modo como zombavam dos seus olhos. Ele contou sobre o filho, que tinha morrido semanas depois de nascer, e como um relacionamento — o relacionamento *dele* — não tinha como sobreviver àquele tipo de dor. Cecily ouviu como sua voz em geral constante falhou e como ele engoliu em seco. Passado muito tempo, ela perceberia que aquele momento marcou a derrota de qualquer resistência da sua parte. A vulnerabilidade parecia algo roubado, como se tudo o que Cecily pudesse fazer a partir de então fosse desencadeado pelo instante de imperfeição que ele a deixara ver.

Anos depois, Cecily tentou recordar os detalhes da noite em que ele tinha revelado a própria identidade. Havia mosquitos zumbindo? A lua estava cheia ou crescente? Fazia calor ou estava fresco? Ela não conseguia lembrar. Tudo o que sabia era que ele devia ter notado que tinha conseguido que ela expusesse suas camadas mais tenras e a si mesma, e havia preparado Cecily para o que viria. Enquanto o marido dela dormia na cama de casal, Bingley revelou-se como Fujiwara. Ele passou a falar inglês com sotaque japonês, e ela ficou sabendo da sua lealdade ao Exército Imperial e do seu sonho de uma Ásia para os asiáticos e um mundo em que os homens brancos nem sempre venciam.

Tudo de que ela se lembrava era que, depois disso, prendeu o fôlego e ficou ouvindo extasiada a Fujiwara e seus ideais, que conseguiam ser lógicos e românticos. Ele falava sobre um mundo em que as pessoas parecidas com eles não seriam mais súditos imperiais; uma Ásia que defenderia e comandaria a si mesma; uma sociedade que desmantelaria as estruturas dos europeus — Cecily tinha ouvido por tanto tempo que essas eram as únicas coisas que importavam, apesar de nunca ter se sentido confortável com elas na prática. Conforme as noites clandestinas se seguiram, Cecily descobriu que também era capaz de ver um mundo que seria recuperado dos britânicos, além de um futuro em que ela, seus filhos e os filhos deles poderiam ser mais do que apenas ornamentos insignificantes.

3

ABEL

Campo de trabalho de Kanchanaburi, na fronteira entre Birmânia e Tailândia
16 de agosto de 1945
Malásia ocupada pelos japoneses

Quando Abel voltou a si, estava num galinheiro, com a cabeça zunindo em meio ao barulho dos pés espalmados ciscando à sua volta. Uma galinha marrom com penas brancas na lateral parou sobre o nariz dele para encará-lo. Ele se manteve imóvel — não queria ser bicado. Quando terminou a inspeção, ela foi embora e Abel se sentou para tocar o rosto, que estava incrustado de sangue seco. Ele olhou em volta. O cercado de arame do galinheiro delimitava uma área que não devia ter muito mais que dois metros e meio de comprimento e um e meio de altura. Havia quatro aves ali: aquela galinha marrom, duas brancas trocando bicadas e um galo deitado de lado. Morrendo, Abel concluiu pelo fedor.

Ainda que já fizesse seis meses da sua chegada ao campo de trabalho, era a primeira vez dele no galinheiro. Abel percebeu que não conseguiria ficar de pé e assumiu uma posição de cócoras. Com os joelhos dobrados tocando o peito, ele sentia uma dor lancinante no abdômen. Voltando a se deitar de costas na terra, levantou a camisa marrom rasgada para investigar e viu uma série de hematomas roxos e azuis por cima de manchas rosadas, amarelas e verdes. Abel sentia a língua seca e enorme, como se estivesse cheia de farpas. Tentou pigarrear para reencontrar a própria voz, e se ouviu coaxar um pouco. A galinha marrom se virou para olhar feio para ele outra vez.

Abel tinha ouvido falar na ferrovia pela primeira vez no dia anterior ao seu aniversário. Completaria quinze anos em 15 de fevereiro, o que parecia particularmente importante, apesar de não poder comemorar muito por causa da guerra. Abel estava voltando do armazém chinês — seu amigo Yao Chun, que trabalhava lá, tinha dado a ele um cigarro e um dos cartazes velhos da Lucky Strike estampado por uma garota bonita fumando. Com uma piscadinha e o cartaz enrolado, Yao Chun havia dito: "Faça bom uso, meu amigo". Abel tinha morrido de vergonha. No entanto, aceitara o presente; fotos de garotas bonitas eram difíceis de encontrar. Enquanto caminhava pra casa, inalando o alcatrão defumado do cigarro, ele pensou no que ter quinze anos significava — em um ano, poderia se alistar para mandar os japoneses de volta ao seu lugar.

Incomodava-o ver seu pai, que costumava ser corpulento, ficar mais magro e pálido a cada dia, com as mãos cheias das cascas de ferida que se multiplicavam devido ao trabalho que era obrigado a fazer na fábrica de chapas de metal. Incomodava-o ainda mais ver a ruga de preocupação entre as sobrancelhas da mãe ficar cada vez mais profunda enquanto ela olhava para os poucos mantimentos que o pai trazia para casa depois do trabalho. Na semana anterior, o pai tinha passado quatro horas na fila para conseguir apenas um pacote de uma carne ensanguentada que não passava de testículos de boi. Achando hilário, Abel irrompera em gargalhadas, aos gritos "Saco de boi! Saco de boi!", quando o pai revelara envergonhado o conteúdo do pacote para a mãe. Até mesmo Jujube, sempre séria, permitira-se um sorriso. Em vez de se juntar à alegria da família, a mãe gritara: "DESISTO!". Abel se lembrava de como o lábio inferior dela tremia a caminho do quartinho do casal, de onde se recusou a sair naquela noite. A família jantara os testículos de boi cozidos com molho de soja, todos fingindo não ouvir os soluços abafados da mãe. Abel ainda podia sentir o gosto da carne.

"Você!", uma voz estrondosa gritara, interrompendo a caminhada do futuro aniversariante. Ele ficou surpreso em ver que era o irmão Luke. Antes da chegada dos japoneses, o irmão Luke era seu professor de história. Com exceção dos padres, que atendiam por essa alcunha, os missionários britânicos que viviam entre eles atribuíam a si mesmos o título honorário de "irmão", que implicava tanto solidariedade com os outros britânicos como superioridade em relação aos pardos. O irmão Luke tinha sido enviado à Malásia para trabalhar como professor, além de ter ajudado a fundar a St. Joseph's, a escola para meninos onde Abel estudava. Membro da ordem dos jesuítas, era um professor rigoroso. O que não era bom para Abel, um péssimo aluno.

"Diga o nome de três invenções da Revolução Industrial, menino!", o irmão Luke tinha gritado uma vez, com as costeletas suadas. Ele chamava todos os alunos de "menino", para não precisar descobrir como pronunciar seus nomes.

"O motor a vapor. O descaroçador de algodão", Abel falou depressa, antes que a mente ficasse em branco. De olhos bem fechados, ele desejou que sua memória o presenteasse com a terceira invenção, mas foi em vão. E, sabendo o que viria a seguir, ele estendeu a mão, preparando-se para a dor aguda e desviando o rosto enquanto a régua de madeira do irmão Luke fazia contato com a parte mais macia da palma.

Porém, o irmão Luke que se encontrava na frente de Abel na véspera do seu aniversário de quinze anos parecia uma sombra do professor robusto, de rosto vermelho e ombros largos de quem ele se lembrava. Aquela versão era esquelética, tinha as bochechas encovadas e um olho inchado maior do que o outro.

"Você se importa, menino?" Algumas coisas não mudavam, Abel supunha. O irmão Luke ainda não sabia seu nome.

"Sim, irmão Luke?" Ele segurou o cigarro ao lado do corpo, tentando escondê-lo de vista.

"Posso, menino?" O homem gesticulou para o tentáculo de fumaça que Abel fora incapaz de disfarçar. Resignado, ele entregou seu cigarro de aniversário.

Dando uma longa tragada, as bochechas afundaram ainda mais no rosto. "Que bem você me faz, menino." Ele se sentou no meio-fio, ainda com o cigarro. "Sente-se aqui comigo."

"É bom ver o senhor de novo", Abel disse, nervoso. Era chocante olhá-lo; Abel supunha que, como a maior parte dos burocratas e missionários britânicos, o irmão Luke tivesse sido levado para o campo de prisioneiros de Changi, ao sul, depois da chegada dos japoneses.

"Os japoneses o soltaram, senhor?"

Ignorando a pergunta, o irmão Luke protegeu o olho bom do sol da tarde, que despejava calor diretamente nele. "Escute, já ouviu falar da ferrovia da Birmânia?"

Abel balançou a cabeça. "O senhor foi solto?", insistiu.

"Você sempre foi um péssimo aluno, menino. É uma estrada de ferro que os japoneses estão construindo. Para transportar suprimentos."

Abel franziu a testa para o irmão Luke, sem saber ao certo o que uma estrada de ferro tinha a ver com ele e irritado por não estar conseguindo a resposta que buscava.

"Veja, menino, quer ajudar sua família? Estão procurando por mão de obra oriental. É trabalho fácil, paga bem e até providenciam um lugar onde ficar."

Yao Chun e outros amigos de Abel tinham ouvido falar de pessoas recrutando meninos para trabalhar para os japoneses, com a mesma promessa. Alguns tinham aceitado a oferta, posto seus poucos pertences em baús e subido na carroceria de caminhões, com destino supostamente a um bom emprego. Nunca mais voltaram.

Ainda assim, Abel não tinha ouvido falar de recrutadores britânicos; os outros costumavam ser locais atrás de suprimentos para alimentar a própria família. Abel se afastou um pouco do irmão Luke e tentou se levantar.

"Aonde vai?" O antigo professor estendeu a mão livre e segurou o antebraço direito de Abel com uma força surpreendente.

"Tenho que ir. Minha mãe vai ficar preocupada."

"Olhe, menino, venha comigo, faça isso por mim." Abel notou que o canto do olho bom do irmão Luke começava a tremer descontroladamente. "Preciso que venha."

"Não, eu preciso ir." Abel soltou o braço e se levantou tão depressa que quase caiu.

"Vão me pôr de volta na prisão, menino. Por favor." O olho bom do irmão Luke lacrimejava; embaçado de desespero de tal modo que Abel teve que desviar o rosto.

Ele correu para casa, deixando o homem naquele estado deplorável no meio-fio.

Foram buscá-lo na tarde seguinte — o dia 15 —, seu aniversário. A mãe havia acariciado seu cabelo pela manhã e prometido uma surpresa.

Ele sabia que não seria grande coisa, porque não tinham muito ultimamente, mas talvez ela preparasse um doce; a mãe era criativa com as rações fracionadas.

Abel também estava com vontade de *telur mata kerbau*, um ovo frito com a gema perfeitamente amarela no centro, como a parte mais profunda do olho de um búfalo. Mais cedo, o pai de Yao Chun, dono do armazém chinês, tinha dado cinco ovos vermelhos, perfeitamente bons, de graça ao garoto.

"Não podemos pagar, tio."

"Pode levar, aniversariante. É das nossas galinhas."

Abel estava sonhando acordado com o gosto das beiradas queimadinhas e crocantes de um ovo frio quando alguém gritou: "Ali está ele!".

Ao se virar na direção da voz, Abel viu o irmão Luke, parecendo ainda pior do que no dia anterior. Com o braço bom, apontou para ele. O esquerdo pendia inútil ao lado do corpo, retorcido num ângulo estranho. O olho bom do dia anterior tinha sangue seco na pálpebra inferior; o outro estava tão inchado que mal abria. Ele claramente tinha levado uma surra.

"Irmão Luke!", Abel gritou.

"Menino."

Antes que Abel pudesse reagir, dois soldados japoneses de farda verde o cercaram. Um era parrudo e tinha uns cinco centímetros a menos do que ele; o outro mancava e era incomumente alto. Pareciam os capangas malvados e caricatos dos gibis que Abel costumava ler.

"Venha conosco!", o mais alto disse. O mais baixo puxou com força o ombro de Abel, que segurou firme o saco com os cinco ovos, recusando-se a desistir deles.

O mais alto soltou um ruído impaciente do fundo da garganta que soou como um motor falhando. Então levou a bota pesada à parte de trás dos joelhos de Abel, que ouviu o barulho repugnante de algo se quebrando. Só não sabia se tinha sido os ovos ou os joelhos contra o cascalho quente e duro.

Enquanto os dois o puxavam pelos ombros, Abel olhou para o irmão Luke, debruçado para lamber a gema de ovo crua antes que fosse absorvida pelo solo.

* * *

Agachado no galinheiro, Abel ouviu passos de botas pesadas. O cheiro pungente e familiar de odor corporal e fumaça de cigarro velho inundou suas narinas. Ele se encolheu nos fundos, afastando-se tanto quanto possível do portão. Mais cedo aquele dia, enquanto trabalhava, Abel tinha notado os joelhos e os dedos fracos ao deixar escapar as bordas da caixa de madeira que segurava. Ele parou por um momento para apoiar a caixa e, de cócoras, levou a cabeça aos joelhos numa tentativa de controlar a tontura, depois de dois dias sem comer nada. A fila de meninos atrás dele também parou abruptamente.

"Vamos, cara, você precisa se levantar." Rama cutucou os dedos dos pés de Abel. "Ele está vindo."

"Branquelo", o supervisor Akiro gritou em malaio. "Ande!"

Abel sentiu a garganta se fechar.

"LIXO BRANCO!" O supervisor avançou na direção dele, à medida que as manchas de suor debaixo das axilas escureciam, com os lábios curvados e os dentes arreganhados.

Ao se levantar, Abel manteve as costas eretas o máximo que seu corpo magro permitia. Então olhou feio para o supervisor Akiro. "Lixo japonês", murmurara.

Havia sido assim que acabou ali, no galinheiro, sangrando ao lado do galo moribundo.

Abel sempre foi mais alto e de pele mais clara do que os outros, e seus olhos eram de um tom de cinza tão leve que a mãe dizia que podia ver as estrelas refletidas neles. Ele era a exceção. Seus pais tinham pele cor de café forte, assim como suas irmãs, sendo que a de Jujube era a mais escura de todas, um fato que ela às vezes lamentava.

Ele sempre adorou ter a pele clara. Quando era pequeno, agarrado ao braço da mãe, as senhoras na rua paravam, faziam um agrado e discretamente entregavam a ele doce de ameixa azeda, seu preferido. Já mais crescido, as meninas da vizinhança — até mesmo as mais velhas — davam risadinhas e se empurravam quando ele passava. A tez clara, a aparência e o sorriso de Abel eram capazes de desarmar quem quer que fosse, garantindo que ele sempre conseguisse o que queria. Assim, compreendera o conceito de charme muito antes de conhecer a palavra.

No entanto, sua pele clara era uma maldição no campo. O supervisor do seu quadrante, Akiro, tinha uma aversão especial a Abel, talvez porque ele fosse o mais semelhante ao inimigo europeu. O homem era mais magro e esguio que Abel, o que deixava o menino furioso por ter tanto medo dele. Toda vez que os olhinhos afiados do supervisor se voltavam em sua direção, Abel sentia o estômago se revirar, e a pouquíssima comida que tivesse consumido subia e se acumulava no fundo da garganta, ameaçando escapar.

Desde os primeiros dias depois da chegada de Abel, o supervisor Akiro tinha sido simplesmente cruel. Ele passava pela fileira de meninos cavando ou transportando cargas pesadas e, na vez de Abel, arrastava o rifle no chão para que pegasse os tornozelos dele e o derrubasse na terra. Conforme os dias se transformavam em semanas e as semanas se transformavam em meses, os castigos que o supervisor Akiro infligia se tornaram mais complexos. Como quando ele fez Abel e Rama ficarem lado a lado; Abel com a pele clara queimada do sol e suja de terra; Rama, de ombros largos e pele escura, com as pontas dos dedos manchadas de branco onde os cortes e os calos se acumulavam.

"Será que o sangue é da cor da pele? Preto e branco?", o supervisor Akiro disse para si mesmo. Então ergueu a voz para que todos os meninos e homens do quadrante olhassem. "Vamos ver!"

Abel preferiria ter desmaiado como Rama enquanto a lâmina cega da faca ia e voltava em seu braço, frustrando o supervisor Akiro pela demora de tirar o sangue deles. Ele fez questão de não gritar, mordendo a língua até que o sangue escorresse da boca também.

"É igual! O sangue dos dois é igual!", o supervisor Akiro gritou, segurando os braços de Abel e de Rama no ar, como se fossem lutadores vitoriosos, enquanto o fluido escorria abundante dos cotovelos.

Do galinheiro, Abel viu a ponta das botas do supervisor Akiro, enlameadas e puídas, abrirem o portão com um chute. O sol estava quase se pondo. Os outros meninos já deviam estar se dirigindo ao refeitório para o jantar. Abel notou que seu corpo castigado projetava uma sombra torta no chão; não havia vento, e os mosquitos zumbiam à sua volta numa harmonia furiosa. Os sapatos sujos pararam diante dele.

"De pé", disse a voz grossa do supervisor Akiro.

Abel levantou os olhos e ficou encarando aquele nariz. Uma gota de suor do homem pingou no lábio dele, forçando-o a sentir o sal e a sujeira do corpo do seu algoz.

"Levante. De pé." O supervisor Akiro passou uma rasteira em Abel com a bota e o obrigou a ficar de quatro. Parecia que os mosquitos zumbiam mais alto, sufocando a terrível constatação que percorreu Abel quando o som da fivela do cinto batendo no coldre ecoou na noite silenciosa. Abel sentiu a mais leve brisa à medida que a calça do supervisor Akiro caiu no chão de terra. Ele tentou engatinhar até o portão, rumo ao galo moribundo, disposto a tudo para escapar do que sabia que estava por vir, porém foi puxado de volta pela camisa. As duas galinhas brancas cacarejaram e a marrom ficou apenas encarando, com os olhos vazios de quem também sabia. Enquanto o pênis do supervisor Akiro esfolava Abel por dentro, ele o ouviu murmurar: "Igual moça branca, igual moça branca". Através de uma abertura no portão, o garoto ficou olhando para a bola laranja que era o sol se pondo à distância, tentando fazer com que seus joelhos não fraquejassem.

4
JUJUBE

Bintang, Kuala Lumpur
16 de agosto de 1945
Malásia ocupada pelos japoneses

Jujube estava tendo um dia difícil na casa de chá. Não era novidade; trabalhava lá fazia quase um ano e tinha se acostumado a um certo nível de grosseria por parte dos soldados que frequentavam o lugar, com olhares maliciosos, mãos ásperas e um modo específico de cuspir as palavras. Entretanto, havia algo diferente nas últimas semanas — uma tensão ameaçando rachar como uma represa.

Três soldados se reuniam na mesa no centro do estabelecimento, com os ombros caídos e os olhos vidrados.

"Vão nos deixar morrer neste lugar esquecido por Deus", disse um deles, um homem corpulento com cabelo desgrenhado. Os soldados deviam achar que ela não sabia japonês.

"Podem nos bombardear, mas os americanos não são páreo para os nossos homens", disse outro soldado, mais jovem e esperançoso.

"De qualquer maneira, vamos beber", o terceiro murmurou, pegando uma garrafa com um líquido escuro e passando para os outros.

Jujube lançou um olhar impotente para o gerente da casa de chá, Doraisamy. Eram apenas onze horas, e álcool não era permitido. Ela supunha que tinham conseguido a bebida de aroma pungente no mercado paralelo, pois seria difícil obtê-lo de outra maneira. Doraisamy balançou a cabeça. *Deixe*, articulou com os lábios. Jujube assentiu. Ele tinha razão; nada de bom viria de repreendê-los.

Na semana anterior, na noite de 9 de agosto, logo que a família se sentou para jantar, o pai de Jujube gritou entusiasmado ao ouvir um estalo em meio à estática do rádio ilegal que mantinha escondido dentro de um vaso de planta. A estática deu lugar ao anúncio de que os americanos tinham lançado uma bomba nuclear em Nagasaki. O vizinho, Andrew Carvalho, um homenzinho que trabalhava com o pai de Jujube na fábrica de chapas de metal, surgiu na casa sacudindo o telegrama na mão.

"Estão dizendo que se formou uma nuvem parecida com um cogumelo. As cidades não vão sobreviver!" O sr. Carvalho fez o colega se levantar.

"OS AMERICANOS!", ele disse, levantando-se trêmulo do chão. "Se ganharem a guerra, vou até os Estados Unidos apertar a mão do presidente Truman."

Os dois colegas se reuniram em volta do rádio, esquecendo a comida. Com uma piscadinha para a irmã, Jasmin passou o restante da porção do pai para o próprio prato.

"O que acha, mãe? Devo tirar a mesa?", Jujube perguntou.

Porém, a mãe tinha desaparecido. Jujube ouviu passos ecoarem pelo corredor e, em seguida, a porta do quarto bater. A menina suspirou enquanto começava a empilhar os pratos. Cuidaria de tudo, como sempre.

Ao se dirigir à cozinha da casa de chá, Jujube desviou os olhos da mesa dos soldados e ouviu alguém murmurar: "Desculpo por perturbação deles". Era o cliente assíduo preferido dela, o sr. Takahashi, se atrapalhando com os verbos.

O sr. Takahashi adentrou a casa de chá pela primeira vez em um dia de chuva de dezembro, quando fazia cerca de três meses que ela trabalhava ali. Diferente dos soldados que a puxavam pela cordinha do avental ou cuspiam aos seus pés, ele tinha encarado a mesa timidamente e dito: "Meu nome é Takahashi", em inglês com forte sotaque japonês. Então apontou para a rua. "Eu ensino. Na escola lá."

Ao longo dos dias seguintes, Jujube o observou pela janela de vidro que separava a cozinha do salão. Ela notou que Takahashi evitava as mesas baixas e instáveis de madeira onde os soldados se reuniam, preferindo a verde no canto esquerdo, a certa distância dos arruaceiros. Ele vestia o mesmo paletó marrom todos os dias, com as mangas puídas e o tecido da axila manchado e escurecido de suor. Sempre sozinho, folheava o jornal local distraidamente, limpando a tinta dos dedos na calça cinza e deixando ali marcas que Jujube duvidava que ele sabia como limpar. O professor era apenas uns cinco centímetros mais alto do que ela, e seu bigode ralo era ligeiramente grisalho. Em conjunto com sobrancelhas grossas e altas demais, as orelhas apontavam um pouco para a frente e o faziam parecer uma coruja, como ela contaria a Jasmin depois. Ele sempre dizia "por favor" e "obrigado" em inglês quando ela servia o chá.

Certo dia, enquanto ela passava pela mesa, ele a viu por cima da borda da xícara e disse um tanto tímido em malaio: "*Apa koh-bar?*".

"*KHA-bar*", Jujube não pôde evitar corrigi-lo.

Toda manhã desde então, ele entrava e a cumprimentava com "*Apa khabar*", numa cadência suave, ao que Jujube se pegava assentindo. Até que um dia, feita a saudação, ela se surpreendeu respondendo: "*Khabar baik*".

Os olhos deles se iluminaram como os de uma criança. "Também estou bem!"

Cerca de duas semanas depois da primeira visita à casa de chá, ele chamou Jujube a sua mesa.

"Mais chá, senhor?" Ela apontou para a chaleira azul ornamentada que segurava, de onde saía vapor pelo bico.

"Posso dar coisa?" Quando os olhos dela encontraram os seus, Takahashi os baixou, convidando Jujube a notar o pires branco sob a xícara, no qual ela identificou a ponta rasgada de um cupom vermelho que podia ser trocado por rações.

"Para você." Ele sorriu. "Presente de Natal."

A família de Jujube, como todas as famílias malaias nos dois anos anteriores, recebia apenas um cupom que dava direito a um saco de arroz por semana. Era difícil; às vezes, o estômago dos irmãos roncava tão alto que dava para ouvir do outro quarto. A mãe de Jujube pegara o costume de misturar mandioca com o arroz, o que criava uma textura grudenta e grossa que a menina odiava. Enchia a barriga, impedindo que o ácido abrisse um buraco nela, ainda que deixasse tudo com gosto de cola.

Antes de desaparecer, Abel reclamava sem parar da mandioca, cada dia surgindo com um novo motivo para convencer a mãe a deixar de fazer aquela mistureba. "Mãe", ele se queixava, "sabia que mandioca crua é perigosa?"

"Acha que eu nasci ontem, menino?" A mãe revirava os olhos e puxava Abel para seus braços.

"Mãe!", ele gritava, soltando-se, "tem cianeto! Vai matar a gente, não sabia?" Ele botava a língua de fora, pendendo para o lado, e entortava os olhos como se fosse um desenho. "Mortinho!"

"Isso só acontece quando não se deixa a mandioca direitinho de molho, seu bobo. Agora vem me ajudar a enxaguar."

O cupom vermelho do sr. Takahashi dobraria as rações deles; Jujube ficou com água na boca só de pensar em arroz soltinho, arroz capaz de absorver curry e temperos, arroz que não engrossava e não entalava na garganta. Ela pegou o papelzinho, amassou-o na palma da mão e foi em direção à cozinha. Então parou. "Obrigada", disse, e sentiu o sorriso do sr. Takahashi às suas costas.

A partir dali, ele levava um presente para ela periodicamente. Às vezes, livros — títulos infantis, que Jasmin adorava, ou romances, clássicos de bolso como A família Robinson e Jane Eyre, que Jujube devorava. Às vezes, ele trazia metros e metros de tecido de algodão, que a mãe de Jujube usava para fazer camisas novas para a família; às vezes, chegava com um enfeite lindo e inútil, como uma tartaruga de madeira ou um cinzeiro de porcelana. As quartas-feiras, por sua vez, eram o melhor dia. Toda manhã de quarta-feira, o sr. Takahashi entrava na casa de chá com um único cupom vermelho esfarrapado, e toda quarta-feira à noite a família de Jujube comia como se fossem da realeza. Jasmin ria, o que enrugava sua pele empalidecida, e o sorriso da mãe ia até os olhos.

A princípio, ela achou que ele queria sexo, como os outros. Chegou a perguntar à mãe o que fazer caso ele a levasse para os fundos da casa de chá, jogasse-a sobre a pilha de lixo e segurasse uma faca contra seu pescoço. O conselho da mãe foi muito simples: "Não se mexa". Durante as primeiras semanas, Jujube aguardou de mãos trêmulas que o sr. Takahashi reivindicasse uma recompensa. Porém, tudo o que ele fazia era conversar. Tomava seu chá fumegante e falava sobre qualquer coisa. Às vezes, eles discutiam o relacionamento entre Jane Eyre e o sr. Rochester (Jujube considerava romântico e o sr. Takahashi, inapropriado); às vezes, ele contava histórias sobre sua família em Nagasaki (empregados em fábricas da Mitsubishi, produzindo navios e munição — eram todos metalúrgicos, acostumados a trabalhar com as mãos, com exceção do sr. Takahashi, de quem zombavam por sempre estar lendo). Então, exatamente às dez e vinte da manhã, ele se levantava abruptamente e dizia: "O recreio acabou!". Daí virava o chá e voltava para a escola.

Os soldados rugiam e a discussão de bêbado deles ecoava pela casa de chá.
"Não preocupe", o sr. Takahashi disse ao se levantar.
"O senhor vai voltar para a escola?", ela perguntou.
"Sim. Vejo você amanhã."

A verdade era que ela não gostava de como estava se apegando ao sr. Takahashi. Tinha ouvido falar dos bonzinhos, claro. O sargento que, instruído a saquear uma casa e matar todo mundo, deixou o bebê mais novo vivo, escondido atrás de uma pá de lixo. Ou o médico que injetava vírus inofensivos nas pacientes que eram mulheres de conforto para provocar erupções na pele, de modo que elas ficassem indesejáveis e não fossem enviadas de volta para servir aos soldados. E agora o sr. Takahashi. No entanto, a bondade não desculpava a violência em massa, não trazia Abel de volta, não a mantinha em segurança. Jujube se consolava dizendo a si mesma que ganhava algo com isso: o cupom vermelho que mantinha sua família viva.

O sr. Takahashi também podia ser pedante às vezes, com modos professorais fora de hora. Quando a curiosa amizade entre os dois já durava seis meses, ele perguntou a Jujube o que ela pretendia fazer depois que a guerra terminasse. Jujube tinha sido pega de surpresa; não gastara muito tempo pensando no que aquilo representaria para si. Sabia que queria que Jasmin voltasse para a escola; sabia que, antes de Abel desaparecer, a mãe gostaria que ele entrasse para o serviço público — o que resultaria em um emprego estável na segurança de um escritório, e ainda garantiria um terreno pequeno onde ele poderia construir uma casa para sua futura família. Mas e quanto a ela mesma? Jujube deu de ombros à pergunta do sr. Takahashi. Talvez fosse estar velha demais para retomar os estudos e não conseguia se ver casada. Não importava, ela não importava, e de qualquer maneira ninguém sabia quando a guerra ia acabar.

Os olhos do sr. Takahashi se inflamaram diante da reação. "Tem que olhar mais para Jujube." Isso a pegou de surpresa. "Pode ser cientista, jornalista, só precisa de... de..." Quando não encontrou a palavra, recorreu ao japonês: "Diploma".

Então arrastou a cadeira para trás, levantando-se e erguendo a voz: "Não pode sobreviver a isso e viver uma vida morta". Gotas de suor pontuavam sua testa.

Jujube sentiu que a mão que segurava a chaleira ficou úmida. Parecia que ia escorregar, mas não deixaria que acontecesse. "Não quis aborrecer o senhor. Desculpe", ela murmurou.

O ar no estabelecimento já abafado ficou ainda mais denso. Outros clientes, na maioria soldados, deixaram o chá de lado e se viraram para encarar. Um soldado alto com um bigode torto levou a mão à arma.

"Sinto muito, senhor, eu não... O que posso fazer para me corrigir?", Jujube já sentia o soldado se aproximar.

Doraisamy acenava freneticamente da janela da cozinha. *Não crie problemas*, seus olhos diziam.

O sr. Takahashi se sentou pesadamente e balançou a cabeça para o soldado que se aproximava. "Não precisa." Então ele se voltou para Jujube, com os olhos sombrios de remorso. "Desculpa. Minha filha está em Nagasaki. Somos só dois. A mãe não existe mais. Minha filha... você e ela são... Qual é a palavra em inglês? *Parecidas*."

Ao longo dos meses, as conversas entre ambos permaneceram frequentes. Às vezes, ele a convidada para se sentar e os dois liam peças de Shakespeare juntos, fazendo as vozes, e o sr. Takahashi empacava em termos como "deveras". Às vezes, ele escrevia cartas para a filha em Nagasaki, em inglês ("Quero que ela aprenda!"). Estava preocupado, porque as respostas vinham minguando. Talvez as cartas não estivessem chegando. Ou os carteiros andassem sendo detidos. Ainda assim, ele escrevia fielmente, chamando Jujube por cima do ruído dos ventiladores para fazer perguntas. "Qual é a palavra para quando a criança cresce e vira adulto?" ("Amadurece", Jujube respondia.) Às vezes, ele pedia que ela lesse os escritos.

"Deixe mais amorosa, como um pai falando com a filha. Afeto não é algo que eu aprenda ensinando."

Ela respondia: "Escreva assim: 'Sinto saudade sua o tempo todo'".

As coisas em casa não andavam bem. Cerca de dois meses depois do desaparecimento de Abel, um par de soldados tinha batido à porta furiosamente. O pai atendera, com o rosto cinza.

"*Ada guniang kah?*", um dos soldados japoneses disse em malaio, empunhando o rifle no chão.

Na cozinha, Jasmin parou de picar as cebolas e se virou para Jujube. "O que é *guniang*?"

"Para o porão. Agora", Jujube sussurrou, agarrando o braço da irmã e descendo às pressas os degraus de madeira frágeis até o pequeno cômodo construído pelo pai para esconder itens de valor e comida na eventualidade da casa ser saqueada. Jujube ouviu a mãe fechar o alçapão acima delas e, um minuto depois, passos pesados de coturnos.

"Você tem meninas?"

Jasmin abriu a boca como se fosse chorar, mas Jujube a tapou com a mão.

"Não, senhor, temos apenas meninos aqui. Quer tentar a outra porta?" A voz do pai ecoava acima delas. Jujube admirava quão tranquilo e impassível ele soava. A força no tom a lembrava de como ele era antes da guerra — convincente e destemido. Depois, na maior parte dos dias, o pai passou a perambular pela casa tossindo, com o rosto contraído de preocupação. Ele dizia à família que tinham sorte; a maior parte dos seus colegas britânicos foi levada ao campo de prisioneiros de Changi, fora os que tinham sido mortos no caminho. Contudo, o pai não parecia grato ao dizer aquilo, e sim dominado pela tristeza.

Jujube sabia das mulheres de conforto. Depois do Estupro de Nanquim, os japoneses tentaram impedir o crime do estupro nas regiões ocupadas. Em vez de permitir que os soldados fossem às cidades e aos vilarejos, as mulheres eram levadas até eles e reunidas em "postos de conforto", onde os soldados tinham permissão para satisfazer suas vontades. Jujube tinha passado a usar dois sutiãs para esconder os seios tanto quanto possível. No entanto, logo percebeu que os recrutadores preferiam meninas mais novas, que não tinham nem entrado na puberdade ainda, porque elas ficavam mais imóveis e não engravidavam. Os recrutadores, soldados casca-grossa, entravam nos bairros e saíam batendo às portas. "*Guniang*", diziam. "Tragam suas meninas."

Os minutos pareceram horas, porém Jujube logo ouviu a porta da frente se fechar. Assim que elas rastejaram para fora do porão, a mãe agarrou Jasmin pelo ombro com agressividade e a fez se sentar sobre um balde.

"Cecily, pare", o pai pediu.

"Não vou perder outro filho." A mãe pegou uma tesoura e cortou o lindo cabelo preto da menina. Jasmin, corajosa e madura para a idade, piscou para conter as lágrimas em silêncio, enquanto segurava a mão de Jujube. A partir daquele dia, ela teria que usar as roupas de Abel — calças encardidas e camisas brancas largas — e não poderia mais sair de casa.

Naquela noite, Jujube abraçou Jasmin no colchão que as duas dividiam, passando os dedos pelo cabelo curto e desigual da irmã. Jasmin chorou tão baixo que só seria perceptível caso tocassem suas bochechas molhadas. Jujube entrelaçou os dedos da mão esquerda da irmã com os seus e apontou as mãos de ambas para o céu, pontilhado de estrelas do outro lado da janela.

"Tem gente lá fora lutando por nós." Ela passou a mão livre pelo couro cabeludo tosado.

"Onde?", Jasmin sussurrou. "Onde estão lutando?"

"Na Normandia", Jujube disse, incerta. "Em Dunkirk. Na Antuérpia."

"Ant...", Jasmin sussurrou. "Como é que é? Anta..."

"An-tu-érpia. Sabe o que é uma anta?"

Jasmin fez que não com a cabeça.

"Uma pessoa bobinha. Como você!" Jujube cutucou a lateral da barriga de Jasmin com dois dedos, e a menina deu uma risadinha em meio às lágrimas.

Talvez tenham nos esquecido, Jujube pensou, esses fronts ocidentais, lugares cujo nome saía com dificuldade, lugares que ela só encontrava no atlas e nem conseguia imaginar. Talvez pessoas como ela, Jasmin e Abel não importassem — sendo brutalizadas ali, num cantinho tropical da Ásia, por pessoas bastante parecidas com elas.

Conforme a tarde cedia espaço ao anoitecer, os soldados na casa de chá ficaram cada vez mais barulhentos, e ao fim vários vomitaram no chão. O cheiro de bile se espalhou no ar quente. Doraisamy ajudou os soldados cambaleantes a sair, depois entregou um esfregão cinza a Jujube.

"Você sabe o que fazer", ele acenou com a cabeça para o chão imundo. "Lembre-se de trancar a porta quando for embora."

A garganta de Jujube se fechou de pânico ao olhar primeiro para o relógio, depois para a bola laranja do sol se pondo, que ocupava toda a janela. Os olhos arderam, porém ela não tinha tempo para dar vazão às emoções; precisava terminar a limpeza e ir embora. Era uma linha reta até em casa, uma caminhada de vinte minutos no máximo, mas, quando a noite caía, soldados japoneses patrulhavam as ruas, tentando abordar qualquer um que violasse o toque de recolher às oito.

Jujube encheu um balde e mergulhou o velho esfregão na água. Enquanto limpava, com os braços doendo pelo trabalho acelerado, uma voz baixa e familiar cortou o ar. "Eu vem depois da aula. Pensei que você precise de ajuda para não atrasar. Por causa toque de recolher", ela ouviu o sr. Takahashi dizer.

"Como o senhor entrou?"

Ele apontou para a porta dos fundos destrancada. "Na próxima, feche porta, Jujube. Por segurança."

"Não posso...", ela começou a protestar, porque Doraisamy ia mandá-la embora se soubesse que um cliente — e, pior ainda, um cliente assíduo — tinha pegado o esfregão.

"Não vou contar. Segredo", o sr. Takahashi levou um dedo aos lábios.

Estava totalmente escuro quando eles terminaram de limpar. Jujube olhou para o seu relógio com pulseira de couro vermelho — eram dez para as oito. Havia sido um presente dos pais por tirar nota máxima na prova geral alguns anos antes. Agora ela não estudava mais, claro. Os japoneses fecharam a escola que Jujube frequentava, assim como muitas outras abertas na cidade pelos britânicos, para conduzir interrogatórios nela. Os vidros antes transparentes das janelas foram tapados, e ao passar Jujube podia sentir o cheiro azedo do sangue e do suor que escapava pelas frestas. O general Fujiwara pôs seus soldados para patrulhar as ruas. Qualquer pessoa minimamente suspeita — que não se curvasse o bastante ou olhasse de uma maneira percebida como insolente — era jogada em uma das muitas salas úmidas da antiga instituição de ensino e apanhava até que qualquer confissão fosse obtida.

Quando os japoneses chegaram, o pai, um legalista devotado, disse que os britânicos voltariam e os varreriam dali como o lixo que eram. No entanto, a esperança pareceu se extinguir ao passo que, seis meses depois, o pai foi mandado para trabalhar na fábrica de chapas de metal, carregando pilhas de chapas afiadas recém-cortadas de um lado para o outro. Desde então, ele tinha as mãos cheias de cicatrizes e uma tosse constante, e sua rebeldia se tornou uma lembrança distante. Com uma foto do imperador Hirohito na carteira, como prova de lealdade aos japoneses, ele se curvava sempre que via um soldado, de modo que a própria cabeça quase tocava o chão. Aos olhos de Jujube, aquilo parecia uma traição.

Ela tinha se recusado a ir às poucas escolas que haviam sido inauguradas para ensinar japonês. Odiava a ideia de aprender o idioma e, sempre que cumprimentava alguém em japonês, sentia bile subir até o fundo da garganta. Algumas pessoas se arriscavam com uma rebeldia sutil. Em vez de dizer "*Ohayo gozaimasu*" aos soldados japoneses, Abel costumava se curvar e sussurrar: "*Ohayo gosok* meu cu" ("gosok" significa "lavar"). A brincadeira sempre fazia Jasmin rir, porém a insolência de Abel deixava Jujube com vontade de torcer o braço magrelo dele — por acaso valia a pena morrer por um trocadilho idiota? Pensar em Abel provocava tamanha dor no coração dela que precisou fechar os olhos por um segundo.

"Jujube?", o sr. Takahashi a chamou. "Trabalho acabou?"

Ela tirou o avental. "Preciso trancar tudo."

"Vem. Ando com você. Mais seguro."

"Não precisa", ela protestou. O sr. Takahashi era velho. Ia fazê-la demorar mais.

"Vamos", ele insistiu.

Ela cedeu. Era tarde demais para discutir.

Cinco dias antes, o sr. Takahashi tinha chegado à casa de chá com o rosto no mesmo tom de cinza que Jujube notara em sua mãe na noite em que Abel não voltara para casa. O sr. Takahashi se sentou na mesa de sempre, porém, em vez de acenar para que ela se aproximasse, ficou olhando para uma mancha na superfície de madeira áspera, piscando muito e sacudindo o ombro esquerdo.

"O senhor quer um chá?", Jujube perguntou.

Ele ergueu o braço como se fosse mandá-la embora, então o deixou cair, como se tivesse perdido a vontade de se mover. "Eles... eles pegaram, Jujube. Minha filha. A bomba... disseram que ninguém..."

A angústia do sr. Takahashi despertou o interesse de Jujube. Enquanto a luz havia se apagado nos olhos da mãe, os olhos dele pareciam descontrolados, girando sem parar nas órbitas. O sr. Takahashi começou a andar. Ela notou que, sem sapatos, ele calçava chinelos azuis e apenas uma meia.

"Como os americanos fizeram isso? Eram pessoas inocentes, INOCENTES!" A voz dele falhou. Apesar de tudo, Jujube sentiu uma pontada de pena. "Escreverei para o general. Existe uma chance, uma chance pequena. Talvez ela estivesse em outro lugar. Talvez..."

Então Jujube se deu conta da diferença entre eles. Os olhos da mãe não demonstravam nenhuma esperança. O sr. Takahashi ainda não estava derrotado como ela; podia acreditar que a filha continuava viva.

"Vai ficar tudo bem", ela serviu um pouco de chá. "Tenha fé."

Afinal, o povo dele ainda podia se dar ao luxo de ter fé.

O sr. Takahashi continuou indo ao estabelecimento todo dia. Ele escrevia cartas para todos os conhecidos: embaixadores, generais, amigos, familiares. Escrevia cartas em inglês e japonês, e Jujube lia as que eram em inglês.

Escrevo ao senhor sobre um assunto de baita *urgência*, ele escrevia.

"De *extrema* urgência", ela o corrigia, dando uma olhada enquanto servia mais chá.

Extrema, ele pôs a palavra no papel antes de oferecer um olhar agradecido. *Você é minha esperança.*

Os dois caminhavam em silêncio, Jujube o mais rápido possível sem atrair atenção, com os olhos treinados buscando soldados. De repente, ela começou a sentir o chão estremecer. Instintivamente, jogou-se de bruços na mesma hora.

"No chão", ela exclamou. "O senhor precisa ficar no chão!"

Jujube viu que ele a imitava, de bruços na via de terra, ambos preparados para um ataque aéreo. Se ela estivesse em casa, toda a família correria para fora assim que ouvisse os aviões se aproximando, para evitar morrer esmagada. A mãe tinha ensinado que o maior perigo dos aviões de guerra não era estarem diretamente acima, lançando uma sombra sobre sua cabeça. Na verdade, o maior perigo era quando estavam diagonalmente à frente, porque as bombas caíam em certo ângulo e destruíam tudo no caminho.

A terra continuou tremendo sob o queixo de Jujube, porém logo parou. O céu noturno continuava escuro.

"Era só um avião voando baixo", ela espanou a terra do corpo e ajudou o sr. Takahashi a se levantar também. Os ombros dele se sacudiam. "Não se preocupe. Não era um ataque aéreo."

"Obrigado." Ele se limpou. "Como saber o que fazer?"

Ela não sabia como responder. Como explicar que, depois de explosões, Jujube e a família se levantavam e olhavam além para descobrir quais das casas vizinhas haviam sobrevivido e quais haviam sido destruídas? Eles reviravam os escombros atrás do que tivesse restado de amigos e familiares, qualquer lembrança que pudesse ser enterrada com alguma dignidade.

"Acha que... foi assim... em Nagasaki?", a voz do sr. Takahashi saiu trêmula.

Jujube se sentiu vazia. Palavras de consolo correram à ponta da língua, mas ela sabia que seriam inúteis. Devia ter sido muito pior em Nagasaki.

"Vamos em frente", ela disse.

Luzes piscavam adiante. Havia um posto de controle. Estava lotado de soldados revistando pessoas em longas filas em busca de munição, facas, remédios adquiridos no mercado paralelo e comida. Quando se aproximaram da barreira, um soldado puxou Jujube pelo braço com tanta brutalidade que ela sentiu uma torção no ombro. Isso doeria no dia seguinte.

"Você está atrasada! Sabe o que acontece com meninas que ficam na rua depois do toque de recolher?" Um soldado apontou a lanterna no peito de Jujube e percorreu seu corpo de cima a baixo com os olhos.

Ela mordeu o lábio inferior com força. Não ia ficar abalada na presença daquele homem pálido e raivoso que buscava em suas roupas soltas qualquer curva em que pudesse pôr a mão nojenta.

"Não há necessidade disso, senhor", Jujube ouviu o sr. Takahashi dizer em japonês. "Ela está comigo."

"Não sabe demonstrar respeito pelos mais velhos? Curve-se", o soldado disse a Jujube. Então se dirigiu ao sr. Takahashi: "O que essa ralé está fazendo com você, velho?".

Jujube sentiu o ardor da fúria. Sabia o que precisava fazer, porém o corpo não a obedecia; endireitou as costas, desafiadora, com os membros se enrijecendo.

"Curve-se", o sr. Takahashi sibilou em japonês, levando os dedos compridos e ossudos às costas dela. Era a primeira vez que a tocava. Então suplicou suavemente: "Por favor. Por favor, curve-se".

Ele estava certo. A família de Jujube precisava dela. Já tinham perdido demais. Rangendo os dentes, ela curvou tanto a cabeça que chegou a roçar o chão. Enquanto a lanterna apontava para outra coisa, Jujube estreitou os olhos e cuspiu em silêncio perto da bota do soldado.

Ele a puxou pelo cabelo para colocá-la de pé. "Fora daqui." Então a empurrou para o lado oposto da barricada.

Ao olhar para trás, Jujube viu o sr. Takahashi acenando. Ele se virou e foi embora, caminhando devagar.

5

JASMIN

Bintang, Kuala Lumpur
16 de agosto de 1945
Malásia ocupada pelos japoneses

"Mini! Miiiiiiini!" Jasmin ouviu o familiar assovio estridente da menina japonesa entrando pela janela aberta, sob a qual ela e Jujube estavam deitadas juntas.

"Vem aqui fora", a voz sussurrou.

Em uma série de movimentos ensaiados, Jasmin soltou primeiro o tornozelo esquerdo, depois o direito, do emaranhado de pernas em que ela e a irmã costumavam dormir. Naquela noite, a lua escondida pelas nuvens oferecia apenas um feixe de luz, mas Jasmin tinha o hábito de ficar no escuro. Tão furtiva quanto um gato, ela se esgueirou até o portão da frente, levantou a bainha da camisola e passou por cima.

"Yuki! Xiu! Você faz barulho demais, vamos ser pegas!", Jasmin a repreendeu.

"Não consigo dormir. Tia Woon não quer ligar o ventilador, e está quente demais." Yuki se abanou com exagero. A camisola amarela, grande demais para ela, sobrava debaixo dos braços.

Jasmin revirou os olhos para Yuki, porém nunca conseguia ficar brava com a amiga.

As duas tinham se conhecido em janeiro, semanas antes do sumiço de Abel, quando ele fora com Jasmin à farmácia atrás de alguma coisa que melhorasse a tosse do pai. Jasmin lembrava que a tarde estava muito quente, com um raro céu sem nuvens. Enquanto caminhavam, ela mantinha o nariz empinado, inspirando o vapor do ar, doce por conta das flores que levavam seu nome, azedo devido à água parada no estuário lamacento onde os rios Talim e Merbok se encontravam. Abel a viu fungando e deu risada.

"Minha irmã bobinha." Então beliscou a ponta do nariz de Jasmin.

"Abe! Pare!" Ela afastou o nariz dos dedos do irmão.

"Bem, é melhor parar de farejar como um cachorro, *Langsat*." Ele usou seu apelido para ela — uma referência à fruta que os dois costumavam dividir. Fora Abel quem a ensinara a mordiscar a casca para empurrar a polpa translúcida para fora. Os dois comiam uma pilha de *langsats* até suas mãos ficarem grudentas. Isso *antes*, claro.

Quando chegaram à farmácia, Abel se demorou muito mais do que o necessário no balcão. Jasmin notou que isso sempre acontecia quando Peik Lum, a atendente de seios grandes, estava trabalhando. O pai deles, fã de trocadilhos, chamava a menina de Peito Lum.

"Você prendeu o cabelo hoje", Jasmin ouviu a voz nervosamente trêmula de Abel dizer a Peik Lum.

Jasmin conteve uma risada. Ainda que aquilo fosse um pouco bobo, gostava de ver o irmão sorrindo. Ninguém mais sorria muito. Jujube estava sempre com os lábios tão franzidos que Jasmin se perguntava se ela ainda se lembrava de como sorrir. Ela sentia saudade da irmã, da irmã de antes — sentia saudade de como Jujube dobrava o corpo no meio e enfiava a cabeça e as pontas dos dedos na barriga de Jasmin, até que a caçula caísse nas almofadas, rindo das cócegas. Agora tudo o que a irmã fazia era segurar a mão de Jasmin com tanta força que suas unhas deixavam marcas.

"Ele é meio *bodoh*, né?"

Jasmin se virou para ver quem ousava chamar seu irmão de tolo. Isso era um privilégio reservado a ela e Jujube. Sim, ele era um pouco bobo, mas suas piadas e sua imitação de Leher, a girafa do gibi preferido de Jasmin, eram as únicas coisas ainda capazes de fazer a mãe deles dar risada.

Quando se virou, Jasmin deu de cara com a menina cuja aparência era a mais estranha que já tinha visto. O lado direito do rosto era claro, do tom branco-papel que ela aprendera a reconhecer nas raras mulheres japonesas na rua, e a sobrancelha consistia numa linha fina de pelos ralos acima do olho com pálpebra única. No entanto, o lado esquerdo parecia ter sido amassado por uma espátula — a pele, mais escura e áspera; a bochecha, encovada; o olho; muito mais alongado. Não havia sobrancelha ali, fina ou grossa. Jasmin sentiu que começava a se encolher, porém procurou se reprimir e se manter imóvel, com receio de que pudesse chatear a menina.

"Está pronta para ir para casa, Jasmin?", Abel perguntou, e ela correu ao encontro dele.

A menina estranha e insolente os seguiu no caminho de volta. Jasmin a notou atrás dos dois, parando ocasionalmente nas esquinas. A conversa com Peik Lum deixava Abel distraído, de modo que ele não percebeu nada, e Jasmin tampouco disse qualquer coisa. Quando chegaram em casa, Jasmin se virou para confrontá-la, mas ela tinha desaparecido.

Então, três meses depois do sumiço de Abel, em maio, a menina apareceu na casa. Aninhada na irmã sob a janela, Jasmin ouviu um sussurro: "Acorde!".

Ela se soltou do abraço de Jujube, levantou-se para olhar e deu de cara com a estranha menina ali, com a cabeça quase roçando a parte inferior do peitoril de madeira.

"Vem. Vamos brincar."

Jasmin a olhou com desconfiança. A noite estava fresca e deliciosa; a lua crescente, um pouco torta, brilhava forte no céu. O que ela mais queria era correr descalça e sentir a grama úmida nos dedos. Porém, não conhecia aquela menina estranha de cara amassada.

"O que tem de errado com o seu rosto?", Jasmin perguntou.

"O que tem de errado com o seu cabelo?", a menina japonesa respondeu, mostrando a língua para ela.

Jasmin puxou as mechas irregulares. Depois que os recrutadores tinham ido embora, Jujube garantiu que ela não precisaria temer nada caso ficasse em casa e usasse as roupas velhas de Abel. Porém, os recrutadores retornaram, uma vez na semana seguinte e três vezes na outra. A princípio, quem atendia a porta era o pai, enquanto Jujube e Jasmin corriam para se esconder no porão. Então eles começaram a ficar preocupados com a possibilidade de que as meninas não conseguissem se esconder a tempo, ou de que os recrutadores passassem direto pelo pai, cada vez mais cansado e doente, e vissem Jujube escondendo Jasmin. Portanto, toda manhã as duas acordavam antes do nascer do sol, Jasmin se despedia da irmã com um beijo e ia direto para o porão, onde ficava até o toque de recolher. Depois que escurecia, os homens paravam de bater de porta em porta.

 A família tentou deixar confortável o espaço confinado. O pai levou uma mesinha e uma cadeira com almofada. Às vezes, quando ficava entediada, Jasmin desenhava os padrões da almofada de cabeça — pequenos círculos amarelos no fundo vermelho e rosa. Como o cômodo era muito escuro, o vermelho parecia ferrugem e sangue. Para que não escapasse luz por entre as tábuas do piso, Jasmin muitas vezes permanecia no escuro, observando as sombras da família se movimentando na casa acima dela. Às vezes, a menina imaginava uma família diferente vivendo ali — uma família com superpoderes, um irmão forte o bastante para erguer uma árvore ou lançar um milhão de soldados por cima do ombro, uma irmã capaz de correr tão rápido quanto a luz, ela mesma com o poder da invisibilidade, para observar as pessoas.

 Jujube levava para Jasmin todos os livros em que conseguia botar as mãos, alguns deles eram do professor japonês que frequentava a casa de chá e era seu amigo, porém frequentemente a escuridão tornava impossível ler, de modo que a menina apertava tanto os olhos que doíam. O pai costumava enfiar o nariz por entre as tábuas do piso e farejar como um cachorro, o que fazia Jasmin rir, ainda que ela ficasse triste logo em seguida, quando ele voltava a tossir. Jasmin sabia que eles estavam tentando — amava tanto a família que seu peito chegava a doer. A mãe levava comida, e as duas comiam juntas em silêncio. Desde que Abel tinha desaparecido, a mãe, antes habituada a falar e resmungar incessantemente sobre tudo — o clima, a preguiça dos filhos, a dificuldade de criar uma família em tempos de guerra, o vizinho que a irritava por deixar o cachorro sarnento solto, e o que quer que fosse —, parara de falar. Ao olhar para ela, Jasmin sentia uma tristeza tão profunda que parecia irradiar da mãe, como alfinetes que espetavam qualquer um que a encontrasse. Uma vez por semana, de maxilar cerrado, ela pegava a tesoura para cortar o cabelo de Jasmin. A menina sempre chorava.

 Entretanto, a pior parte era que Jasmin se preocupava com a possibilidade de esquecer o irmão. Quando tinha começado a usar as roupas de Abel, sentia-se envolta pelo cheiro dele, como se eles nunca mais fossem se afastar. Apesar disso, as roupas passaram a cheirar mais como Jasmin, e, tentando recuperar as lembranças de Abel, ela sentia que o rosto dele estava esvanecendo. Jasmin fechava os olhos com força para recordar qualquer coisa, uma piada contada no café da manhã ou como ele costumava tirar apenas uma meia ao chegar da escola, perambulando com uma meia e um pé descalço fedidos. Porém, ainda que se lembrasse do pé cheio de veias, dos contornos do rosto, do modo como as bochechas saltavam quando ele falava, do buraquinho no queixo — que a mãe chamava de "covinha" —, as recordações ficavam cada vez mais embaçadas e difíceis de invocar.

E, não importava o quanto a família limpasse, o porão estava sempre empoeirado e o ar estava sempre carregado de uma umidade da qual ela não podia escapar — como se algo rastejasse na garganta sempre que ela inspirava. Jasmin tinha se acostumado a manter a respiração o mais rasa possível, tentando ao máximo recusar o ar. Não era fácil controlar a tosse; ela sabia que, com um único ruído no momento errado, poderia ser levada embora.

Uma vez, ela perguntara a Jujube o que os recrutadores queriam.

"Você ouviu, Jas. Eles querem meninas."

"Mas para quê?", ela insistira.

Uma sombra recaíra sobre o rosto de Jujube, deixando os olhos castanhos sombrios. "Para fazer coisas ruins. Eles machucariam você" — Jujube apontara para as partes íntimas de Jasmin — "aí."

Na tarde seguinte, quando estava sozinha no porão, Jasmin tirou a calcinha e sentiu os lábios da vulva no escuro. "O que eles podem querer?" Ela levou os dedos ao nariz. "Tem cheiro de xixi."

"Vem! Vem brincar!", a menina japonesa insistiu naquela primeira noite.

"Não." Jasmin balançou a cabeça. "Minha irmã vai ouvir."

A menina estendeu o braço para a janela. "Tenho bolinhas de gude." Ela tinha três bolinhas na palma da mão, que brilhavam ao luar. Lascas coloridas de luz, rosa, azul, branca, verde e amarela se misturavam dentro das esferas de vidro, numa paleta de cores que hipnotizava Jasmin. Fora Abel quem ensinara a ela como jogar bolinha de gude; segurar o vidro frio entre o dedão e o indicador e fazê-lo rolar com um leve movimento do primeiro, aplicando apenas pressão suficiente para afastar as outras bolinhas, mas não a ponto de mandar a sua própria embora.

Ele tinha perdido a paciência com Jasmin apenas uma vez, quando ela estava treinando com a bolinha preferida dele, uma preta com listras amarelas, que chamava de sua *guli harimau*. Tendo lançado o brinquedo com força demais na grama, ela rolou até a fossa do lado de fora da casa; os dois tinham ouvido o barulho na água rasa, lodosa e amarronzada.

"Desculpa, Abe", ela começou a falar, mas ele a empurrou e foi embora.

Nos dias que se seguiram, Jasmin viu que ele estava se equilibrando com dificuldade na beirada da fossa, fazendo uma careta enquanto mergulhava a mão na água fedida e tateava em busca da bolinha de gude. Ela tinha oferecido ajuda, porém Abel a dispensou movimentando a mão livre, sem dizer nada, com o nariz franzido por conta do cheiro de cocô de cachorro, lixo molhado e vegetais podres que cobriam a superfície.

Na véspera do aniversário de Abel, havia chovido torrencialmente no fim do dia, o tipo de tempestade que a mãe sempre atribuía a um deus raivoso. "Deus está chorando, meus bebês, porque alguém o chateou", ela murmurava enquanto os filhos se encolhiam por causa do estrondo alto de um trovão. Abel observou com tristeza a água rugindo feroz pela fossa e a corrente abrindo caminho e levando tudo consigo para o rio: lixo, fezes de animais, comida podre e provavelmente a bolinha de gude.

"Sinto muito mesmo", Jasmin disse, abraçando a cintura do irmão com os bracinhos que mal davam a volta, por mais magro que ele fosse.

"Era só uma bolinha de gude idiota", Abel dirigiu as primeiras palavras a ela em dias, num tom baixo. Os dois ficaram vendo a chuva cair pela janela.

Quando ele não voltou para casa no dia seguinte, Jasmin achou que pudesse estar procurando pela bolinha. Talvez tivesse seguido a corrente até a margem do rio, revirando tudo de cara feia pelo mau cheiro.

Meses haviam se passado. Os olhos de Jujube se endureceram, o pai mal falava e a mãe não dizia uma mísera palavra.

Jasmin e Yuki agora tinham uma rotina. Elas se sentavam, uma diante da outra, no trecho de grama ao lado da casa da família, fora de vista da janela sob a qual Jujube dormia e da via onde a patrulha de soldado passava. Jasmin pegava o tabuleiro de mancala escondido atrás da primavera e o estendia entre as duas. Tratava-se de um artefato de madeira em forma de bote com sete buracos de cada lado, e dois buracos maiores nas extremidades, que funcionavam como "casas".

Mancala era um jogo matemático: duas pessoas moviam bolinhas de gude pelos buracos de um tabuleiro oblongo e tentavam acumular a maior quantidade daqueles belos espectros coloridos de luz. No entanto, em vez de ver o jogo em termos de ganhar ou perder, Jasmin pensava em "salvar", como se guiasse cada bolinha de volta para casa.

Certa noite, Jasmin estava brincando de faz de conta sozinha, permitindo-se fantasiar sobre quem levaria caso ela tivesse um bote para sete pessoas. Sua família tinha cinco membros, assim restariam dois lugares imaginários. Quem escolheria? Talvez Peik Lum, a menina corpulenta que trabalhava na farmácia. Isso deixaria Abel muito feliz, e Jasmin imaginava que assim eles sempre teriam remédios. Talvez o velho japonês que parecia uma coruja, de quem Jujube sempre falava, aquele cliente da casa de chá de quem ela parecia gostar muito. Por um tempo, ele conseguia cupons, mas também mandava outras coisas, como o próprio tabuleiro de mancala. Seria bom ter por perto um homem simpático que distribuía presentes. E quanto a Yuki? Yuki, de olhos brilhantes e rosto esburacado, que devia ter a idade de Jasmin, mas parecia muito mais velha. Yuki, que tentava esconder os cortes entre os dedos e que às vezes mancava, como se tivesse levado um soco entre as pernas. Yuki, que sempre começava a contar histórias sobre seu dia, sua vida e as pessoas que moravam com ela, sem nunca terminar. Então Jasmin se lembrou de que, na verdade, haveria três lugares sobrando, e não dois, porque Abel tinha sumido e agora eram apenas quatro em casa. Ele não precisaria de espaço no bote. A lembrança fez o estômago dela doer.

Jasmin e Yuki se acomodaram como sempre, com o tabuleiro entre elas e a grama arranhando a parte de trás dos joelhos. Jasmin ajeitou a camisola para se proteger, porque às vezes ficava com vergões nas coxas. Yuki estava distraída, arrancando a grama e jogando no vestido.

"Você está sangrando." Jasmin apontou para a parte interna da perna da amiga.

Yuki puxou o vestido. "Não dói mais."

"O que tem de errado com você? Não quer brincar?" Jasmin estava acostumada a ver Yuki com cortes aqui e ali, porém o sangue que escorria parecia fresco e seus olhos, marejados.

"Teve um tio hoje. Ele foi bruto."

"Como assim, um tio?"

Yuki balançou a cabeça e pegou um punhado de bolinhas de gude. "Eu começo."

Alguns dias antes, quando Jasmin tinha perguntado a Yuki onde ela morava, a menina olhou para o tabuleiro e disse: "Em um lugar diferente e fedido".

"Meu porão também fede às vezes", Jasmin comentou. "Jujube diz que é cocô de rato."

Ela achou que essa vulgaridade faria Yuki rir, já que quase tudo fazia. No entanto, ela só desviou os olhos. Era sempre igual. Jasmin sabia que Yuki morava em uma casa com um monte de outras meninas e uma mulher mais velha, tia Woon. Yuki reclamava das outras meninas, que roubavam suas coisas ou eram más com ela. Certa ocasião, Yuki contou a Jasmin sobre como tinha jogado o pente de uma delas no lixo e depois despejou óleo quente por cima, só para se certificar de que nunca mais poderia ser usado. Jasmin ficou horrorizada; ninguém era assim malvado na sua família. Ela achava que Yuki devia ser mais grata. Adorava se deitar com a irmã à noite, no cantinho das duas. Ao luar, ela quase conseguia ver a Jujube de antes — que lia histórias e queria ser alguém importante, como uma médica ou a diretora de uma escola. Jasmin achava que ter mais irmãs, como Jujube, devia ser maravilhoso.

Depois de pôr as bolas de gude nos buracos do tabuleiro, Yuki perguntou: "Sabe a sensação quando alguém entra aí?". Ela apontou para a vulva de Jasmin.

Ela pensou na vez em que tinha levado os dedos ali e sentido cheiro de xixi. Não queria contar a Yuki a respeito. "Não. O que tem? Coça?" Quando não se limpava direito, ou quando a cota de papel higiênico da família acabava, Jasmin chegava a ficar com marcas vermelhas e ardidas. Jujube ajudava a passar gelo para melhorar.

"É como vomitar ao contrário. Que nem alguém socando você por dentro até sair pela sua boca."

Jasmin sentiu a bile subir pela garganta e os olhos arderem. Nunca tinha ouvido a voz de Yuki trêmula daquele jeito. Pensou na irmã, séria e forte, que sempre sabia o que fazer. Mesmo quando a mãe gritava, bastava Jasmin sentir os dedos de Jujube na própria mão para saber que estava a salvo.

"Yuki, você quer falar com a minha irmã? Ela não vai contar."

"Ela vai ficar brava porque você saiu. Bem, não quero mais brincar." Yuki derrubou o tabuleiro e observou as bolinhas de gude rolarem pela grama. Jasmin ficou chocada. Abriu a boca para protestar, mas não foi rápida o bastante. "Esse jogo é chato. Vem, vou mostrar uma coisa." Yuki se levantou e esfregou o sangue da perna. Jasmin não conseguia tirar os olhos da mancha marrom na camisola amarela.

"Vem! Vamos!" Yuki pôs Jasmin de pé e, com sua mão branca e áspera, pegou a mão parda dela.

Enquanto Jasmin corria ao lado de Yuki, a lua se derramava a seus pés. As camisolas delas farfalhavam juntas, amarela e branca, quase uma só, uma apariçãozinha saltitante. Jasmin sentia a cabeça girar, como se muitas coisas tivessem se passado na conversa das duas, mas algumas peças estivessem faltando, muito embora ela soubesse que tinha compreendido as poucas palavras trocadas.

"Aonde vamos?" A menina arfava e se esforçava para acompanhar Yuki. Ficar confinada no porão a tinha deixado fora de forma, e ela tinha dificuldade de correr tão rápido quanto antes. As pernas pareciam borracha, incapazes de se mover com a mesma firmeza.

"Quero mostrar meu lugar preferido no mundo todo." A lua havia se escondido atrás de uma nuvem, e Yuki estava toda na sombra, a não ser pelo brilho dos olhos. "É um lugar secreto. Onde não podem me encontrar."

A grama molhada ensopou os chinelos finos de Jasmin. Yuki sempre fazia aquilo, sempre falava em enigmas. Onde ficava o tal lugar? Quem não podia encontrá-la ali?

"Yuki, estou cansada. Estamos chegando?" Jasmin ofegava entre dentes, e suor se acumulava e escorria em uma linha fina nas costas dela. Elas já tinham subido um morro pequeno e passado o rio. O cheiro de lama inundava suas narinas, além do fedor do suor das duas, o que a deixava tonta e irritada. Ela estava começando a ficar preocupada. E se Jujube acordasse e não a encontrasse?

"Quase. Você corre devagar demais. Tem sorte de não morar com tia Woon, ou não escaparia da bengala dela!"

Jasmin sentiu a garganta se fechar. "Pare de tirar sarro de mim!" Ela se engasgou com o esforço de gritar enquanto não conseguia respirar direito.

A expressão de Yuki se desfez. A porção do lábio que ficava do lado desigual e grosseiro do rosto tremeu. Iluminadas pelo luar espreitando por entre as nuvens, as rugas no rosto de Yuki pareceram ainda mais profundas. Jasmin se arrependeu no mesmo instante. Tinha aprendido a identificar humores. Se uma voz era levantada, se os olhos de alguém se enchiam de lágrimas, se a tensão tomava conta de um cômodo, ela sabia que se sorrisse, arregalasse os olhos e fosse para o colo da pessoa, o clima mudava.

Jasmin abriu bem a boca e entortou os olhos. Um pouco de saliva escorreu até o queixo. Ela se jogou no chão com exagero. "Morriiii", gemeu teatralmente.

Yuki irrompeu em risadinhas, e o ruído delas ecoou pela noite silenciosa como sinos de vento. Jasmin sentiu o corpo relaxar. As duas voltaram à trilha.

Alguns minutos depois, Yuki parou. "Chegamos! Silêncio!"

Uma placa dizia: SEJA BEM-VINDO. Alguns passos à frente havia uma fileira de barracos de madeira com cobertura de folhas de palmeira nipa, cada uma com uma janela e uma porta estreita de madeira. A maioria das portas estava fechada. Jasmin ergueu o indicador e contou catorze delas. Pegadas profundas de botas cobriam o chão enlameado até os barracos, e seus caminhos se entrecruzavam, iluminados pelo luar. O ar cheirava a corpo suado, sangue e uma rancidez com a qual Jasmin não estava familiarizada. Yuki levou um dedo aos lábios e gesticulou para Jasmin. Ao correrem pelo caminho que ladeava os barracos, Jasmin tentava espiar dentro das portas abertas. Estava escuro, mas dentro de uma ela viu uma menina que devia ter uns doze anos, deitada de lado. Um homem fardado fazia pressão sobre ela, de costas para a porta. Enquanto Jasmin e Yuki passaram correndo, o homem fechou a porta, mas não antes que os olhos de Jasmin encontrassem os olhos vazios e pretos da menina no chão.

"Yuki, estou com medo." Jasmin chegou mais perto a ponto de sentir o azedume das axilas da amiga.

"Por que você é assim assustada?" Yuki a puxou para uma curva no caminho. "Venha comigo. Vou mostrar meu esconderijo."

Jasmin protestou. "Quero voltar. Jujube pode acordar."

"Mas já estamos aqui, Mini! Sobe!" Yuki apontou para um carrinho de mão azul-vívido no gramado. Deviam estar a uns dez passos de distância dos barracos, porém ele ficava isolado e fora de vista devido à curva no caminho. O carrinho de mão estava quase novo e surpreendentemente limpo.

"A roda está frouxa." Yuki apontou para a parte da frente. "Ninguém usa."

"E o que você faz com ele?"

Erguendo a camisola rosa, Yuki subiu na geringonça, então estendeu a mão a Jasmin. "Vem! Vamos brincar aqui. Este é meu castelo. Fica longe de tudo. Ninguém vai nos encontrar."

"É um carrinho de mão, Yuki. Meu pai tem um."

"Aqui estamos a salvo. Os adultos não conseguem ver, porque é mágico."

Yuki ostentava um sorriso brilhante e cheio de dentes que, segundo Jasmin, se assemelhava a olhar para o sol. Ela subiu e se sentou diante de Yuki, de pernas cruzadas, e seus joelhos se tocaram. Yuki abriu uma espécie de lençol que estava embaixo dela, para cobri-las, permitindo que apenas o luar penetrasse pelas partes mais finas do tecido. Jasmin não conseguia ver muito além dos olhos de Yuki. Quando os olhares se cruzaram, elas deram risadinhas.

"Xiu!", fez Yuki, tentando segurar uma gargalhada. "Não quero que ninguém ouça a gente."

Jasmin não sabia do que riam ou por que tinha sido tomada de alegria, mas ali, no castelo de Yuki, naquele carrinho de mão azul, encolhidas juntas sob o lençol quente, sentiu que haviam construído um mundo particular, e que ninguém poderia alcançá-las; ninguém poderia tirá-lo delas.

6

CECILY

Bintang, Kuala Lumpur
1935
Malásia ocupada pelos britânicos

A espionagem combinava com Cecily. Ela tinha facilidade em passar despercebida, além de um "instinto para o que era importante", segundo Fujiwara. Isso, em conjunto com a ascensão de Gordon a terceiro no comando do departamento de obras públicas, permitiu que Cecily deixasse de revirar o lixo em busca de documentos e passasse a transmitir informações ouvidas em reuniões importantes — obtidas não só do marido, mas de seus superiores.

Cecily se perguntava frequentemente se Fujiwara tinha transformado seus sentimentos e ela própria em uma arma. A ideia de que ele percebia o desejo a fazia se sentir um pouco humilhada. Às vezes bastava ele dizer o nome dela para que seus poros começassem a extravasar — suor, atração, sede, tudo de mais degradante, e sua integridade simplesmente se esvaía. No entanto, era como se o interesse a transformasse em uma espiã melhor e a necessidade de superar o pânico que crescia dentro dela fizesse seus neurônios funcionarem na capacidade máxima, e o cérebro exatamente como deveria.

Porém, a idolatria não era cega. Ela acreditava que, a bem da verdade, os homens perdiam o interesse quando o véu caía e se davam conta da normalidade de uma mulher — que ela urinava, sangrava, chorava e roncava como qualquer um. As mulheres, por outro lado, só se afeiçoavam a um homem que estava a seu alcance. Mulheres não veneram deuses; elas anseiam por brinquedos quebrados que possam moldar e neles estampar sua marca. Era idiota, e fazia com que Cecily se odiasse. Ainda assim, talvez o idealismo de uma mulher fosse isto: não a busca de uma utopia — todo mundo que vivia tempo bastante sabia que a perfeição estava além do alcance —, mas a necessidade de transformar uma coisa em outra melhor.

Fujiwara apareceu na casa pouco mais de um ano depois do início da colaboração entre os dois. Da janela da cozinha, Cecily observou que ele andava ao mesmo tempo ágil e lento. As passadas eram discretamente largas e velozes, mas também lânguidas e relaxadas. A rua estava tranquila, porque era aquele horário intermediário e desconfortável do fim da manhã, quando os homens já tinham ido trabalhar e fazia calor demais para que as mulheres cumprissem as tarefas. Cecily levou uma mão a um cacho particularmente teimoso que havia escapado de trás da orelha. Fazia algumas semanas desde que tinham conversado no lixo, e mais de um ano desde a última visita dele à casa. A comunicação havia se reduzido a bilhetes cheios de afetação anexados às informações que ela deixava atrás das toalhas sanitárias do armazém chinês. Ainda assim, Cecily não ficou surpresa ao vê-lo. No dia seguinte, realizaria a missão mais importante até então.

Fujiwara bateu no portão dos fundos. O estrondo fez cessar a cacofonia das crianças na frente da casa. Jujube gritou: "Quem é, mãe?".

"Só alguém que veio me ver. Podem voltar a brincar."

A barulheira recomeçou, e as crianças da vizinhança estavam envolvidas no que parecia ser um torneio incrivelmente competitivo de peões. Mesmo sem olhar, Cecily podia visualizá-los: Abel com os olhos grandes e cinza focados em girar o peão colorido e largo; Jujube, sempre responsável, ficando de olho nele enquanto devorava qualquer que fosse o livro que tivesse emprestado da biblioteca britânica.

"O que está fazendo aqui?", Cecily abriu o portão enferrujado de ferro, se pondo no caminho de Fujiwara.

"Precisamos discutir a missão de amanhã. Na casa do representante do governo britânico."

"É perigoso nos encontrarmos assim...", ela desistiu de prosseguir. Sempre desistia. Então deixou que ele entrasse e foi lavar as mãos na pia da cozinha. Cecily o posicionou atrás do armário de temperos, de modo que poderia escapar rapidamente pelo portão dos fundos se um dos filhos entrasse.

Um grito ecoou de alguma criança brincando do lado de fora.

"Eles são animados."

Cecily assentiu. No ano anterior, ela tinha se tornado uma mãe melhor para eles, e era grata a Fujiwara por isso. Os impulsos que afloravam e o desejo de que os filhos desaparecessem — de que ela mesma desaparecesse — pareciam ter se aplacado. Também vinha sendo uma esposa melhor — ouvia Gordon, importava-se com ele, comandava a casa, não ignorava mais os vizinhos, nem mesmo a intrometida sra. Carvalho. Ela passou a ser educada com tia Mui, do armazém chinês, mesmo que a mulher nunca tivesse exatamente aquilo de que Cecily precisava. Ensinara os filhos a ler e escrever. Jujube tinha puxado a ela, consumindo livros tão rápido que Cecily tinha dificuldade de acompanhar sua pilha. Ela se surpreendera ao se pegar rindo muito mais vezes. Ria das histórias incongruentes dos filhos, ria quando um rato e uma barata se perseguiam pela casa, ria quando Abel e o marido pulavam de medo na mesa enquanto Jujube espantava as pragas. Gordon estava adorando, claro. "Você está feliz agora", ele dizia, relaxando os ombros de prazer.

"Fale de novo sobre o jantar de amanhã", Fujiwara pediu, exatamente enquanto Cecily perguntou: "Quer um chá?".

Os dois trocaram um olhar desconfortável, e Cecily impediu que um suspiro frustrado escapasse. O que havia acontecido com as duas pessoas que conversavam e davam risadas sem esforço, a noite toda, sobre família, ideologia e o futuro? Ficaram travados, como se fossem desconhecidos.

Gordon tinha se tornado superintendente sênior do departamento de obras públicas, só "três, talvez quatro degraus abaixo do chefe", ele disse orgulhosamente a Cecily ao ser promovido. Possuía experiência com areia e marés, e o mais importante: uma compreensão da capacidade dos barcos — fossem da Marinha ou de carga — de ancorar no porto. Gordon passou muitas horas debruçado sobre amostras do solo do porto Lewisham, que levava o nome do representante britânico de maneira pouco original, construído no antes pantanoso rio Talim. Algumas noites, Gordon chegava com os braços cobertos de mordidas vermelhas e inflamadas, pois tinha servido de refeição aos mosquitos enquanto se mantinha agachado fazendo anotações no porto. Cecily se preocupava com a possibilidade de que pegasse malária.

Ela entregou uma xícara fumegante de chá. "Cuidado, está quente." Então se arrependeu de ter soado como sua mãe.

Os dedos de Fujiwara envolveram a xícara como se ele não tivesse ouvido nada.

Cecily repetiu o que sabia. "O jantar será na casa do representante. Gordon diz que o representante-geral vai estar lá. Um tal de Sir Woodford."

O rosto de Fujiwara estava tenso e ele a ouvia com atenção. Por mais que ela soubesse da importância dessa informação, nada mais importava ao observá-lo. Deleitou-se com o momento e com o olhar sem piscar e penetrante dele. "Lewisham quer que Gordon apresente suas descobertas relacionadas ao porto, caso seja um local adequado para trazer aeronaves dos Aliados precisando de conserto. Ou seja, para a Força Aérea Real."

Quando mencionou o jantar, Gordon praticamente tinha vibrado de empolgação ao citar o representante-geral. "Sir Algernon Woodford. Algernon. Woodford. Woodford." O nome se demorava na língua dele.

"Isso é importante. Muito importante", Fujiwara disse, soprando o chá.

Cecily assentiu, e o nervosismo a fazia olhar por toda a parte. Essa informação era muito mais importante do que qualquer folha de papel encontrada no lixo de Gordon. Se a Força Aérea britânica planejava levar aviões dos Aliados ao porto, aquele se tornaria um ponto vulnerável. No jantar e na próxima reunião, abundariam diagramas, mapas e coordenadas; um verdadeiro baú do tesouro de segredos de Estado. Ainda assim, era muita audácia da parte de Fujiwara aparecer na casa dela no meio da manhã. Cecily sentiu o estômago se revirar de medo, porém manteve a boca fechada.

"Pode ser o ponto de virada para o Japão", ele disse.

Um berro soou na rua. Um dos dois times devia ter vencido a brincadeira. Cecily notou um sorriso se insinuando no canto da boca de Fujiwara.

"Desculpe. Eles estão animados."

"Não, Cecily. Eu que peço desculpas por ter vindo. Apenas me pareceu... eu queria... Achei importante discutir a questão pessoalmente." Uma linha de expressão surgiu entre seus olhos, formando a menor das carrancas. Distraído, ele pegou uma cabeça de alho da cesta de vime na bancada e a jogou de uma mão para a outra, como se fosse uma bola.

Ela foi pega de surpresa ao rir. "Pare com isso. Nunca vai conseguir tirar o cheiro dos dedos."

Ele tentou jogar o alho de volta à cesta, mas errou o alvo. Uma onda de carinho atravessou Cecily.

"Estou cheirando mal?" Fujiwara levou a mão até o nariz dela.

"Péssimo." Os dois riram.

Ela se manteve imóvel e muito consciente dos próprios membros. Cruzou e descruzou os braços. Mas não falou nada. Se tinha aprendido uma coisa nas poucas conversas com Fujiwara, era que ela precisava existir no silêncio. Muitas vezes, as informações estavam a um segundo de silêncio de distância. Portanto, esperou diante do ar denso com o cheiro de alho e o sol da manhã. As crianças ficaram em silêncio também, como se todos prendessem o ar.

"Sou muito grato por tudo o que faz", Fujiwara disse.

Cecily, nervosa, engoliu em seco.

"Vejo você no jantar", ele prosseguiu.

"Estou preocupada. Talvez eu deva ir sozinha e ouvir tudo o que puder. Não devemos ser vistos juntos."

"Há muitíssimo em jogo. Conseguiremos bem mais em dois. E não quero que faça isso sozinha. Você é... isso é... importante demais."

Você é importante. Sangue inundou o coração dela. Era o bastante por ora. Precisava ser.

Quando eles chegaram à casa do representante para o jantar, as coisas já estavam movimentadas. O lugar ficou lotado e abafado, mesmo com todas as janelas abertas. Mais de uma vez, Cecily se viu espantando um mosquito que zumbia perto demais do ouvido. O entusiasmo de Gordon se manifestava por causa da necessidade incontrolável de esvaziar a bexiga, de modo que Cecily era deixada sozinha com frequência enquanto ele ia ao banheiro, depois de tentar segurar por tempo demais, dando passinhos mínimos para conter escapes. As outras esposas presentes eram espelhos dela: vestidos floridos, risadinhas sufocadas e a capa da invisibilidade feminina.

Havia uma divisão entre as mulheres — as brancas ficavam a certa distância, de costas para Cecily, numa rodinha de braços pálidos. Cecily parou entre as outras asiáticas casadas com subordinados aos europeus, incluindo a sra. Lingam, cujo marido trabalhava na Guthrie, uma companhia britânica que exportava borracha e óleo de palma; e a sra. Low, cujo marido tinha passado de mineiro a supervisor comercial da Jardines, que vendia algodão, chá, seda e ópio. Quem se encontrava na posição mais elevada era a sra. Yap, cujo marido, Yap Loy San, era o *kapitan cina*, chefe do crime organizado, da cidade; ele era proprietário de um terço das terras de Bintang e atuava no controle de grande parte do negócio de mineração de estanho, a qual dependia dos trabalhadores chineses. Havia uma trégua incômoda entre Yap Loy San e o representante britânico — Yap pagava uma taxa para manter o próprio negócio, e, em troca, os britânicos o reconheciam como líder dos clãs chineses, legitimando-o e permitindo que esmagasse revoltas iniciadas por outros líderes. A liderança do *kapitan* Yap mantinha uma paz instável entre os clãs e alimentava os cofres britânicos.

    Cecily considerava a sra. Yap insuportável. A seus ouvidos, a mulher falava uma oitava e muitos decibéis acima do que deveria, e tudo o que saía da sua boca reverberava pelas paredes e pelos tímpanos, que tiniam a contragosto. Ela devia ser poucos anos mais velha que Cecily, mas era como uma tia irritante, sempre atrás de fofoca.

    A sra. Yap estava bem à vontade naquela noite, com o cabelo penteado para trás num coque cheio, cheirando a suor e algum perfume caro e forte demais obtido no mercado paralelo. Na rodinha de mulheres, a sra. Yap deu as costas para a sra. Lingam, com quem estava fofocando, e se inclinou na direção de Cecily. "Ê, Cecily, sabe quem é aquele homem?" A mulher enfiou o dedo com tanta força na lateral do tronco de Cecily que ela sentiu praticamente na garganta.

    "Que homem?" Ela se fez de inocente.

    "Aquele ali." A sra. Yap apontou para Fujiwara. "Por que nunca o vi?", sibilou no ouvido de Cecily, tentando sussurrar e sinalizar ao mesmo tempo, sem qualquer sutileza.

    De tão parado, o ar parecia enclausurado no cômodo; Cecily sentiu uma linha de suor fazer cócegas na lombar. À sua volta, cotovelos se roçavam e as pessoas se cumprimentavam em meio a saias farfalhando e oficiais britânicos fardados. Cecily levantou os olhos para Fujiwara, que limpava algo da calça de linho, mas logo a encarou de volta, como se pressentisse o medo dela.

"Ih, ele está vindo para cá!", a sra. Yap sussurrou tão alto que até as inglesas se viraram. Todos os olhos femininos se concentravam no comerciante conhecido como Bingley Chan. Seu terno produzia leves ruídos conforme andava.

"Senhoras, ouvi dizer que há certo interesse em saber mais sobre o que está na moda atualmente na Europa. Acabei de retornar de uma breve visita a Paris e Londres."

O estômago de Cecily se revirou ao ouvi-lo usar sotaque britânico.

Em poucos minutos, passando-se por Bingley Chan, Fujiwara tinha à sua volta todas as mulheres — tanto as inglesas como as locais — engolindo cada uma das mentiras sobre o comprimento das luvas e a altura dos chapéus usados pelas nativas do continente que ele odiava. Cecily precisou controlar a vontade de revirar os olhos. Onde estava o homem impenetrável e indiferente, de sotaque japonês cadenciado, que ela conhecia? Como o afável comerciante Bingley Chan, ele sorria torto, contava histórias, preenchia silêncios com comentários espirituosos em um inglês bem articulado e flertava com mulheres, tocando cotovelos e olhando nos olhos. Ela não precisava ter se preocupado com ele.

Para Cecily, o jantar se passou numa névoa de irritação. Lady Lewisham, encantada com o novo conselheiro de moda, fez questão de trocar os lugares à mesa para que Fujiwara se sentasse perto da ponta ao seu lado. Cecily e Gordon ficaram relegados a uma mesa diferente, com os outros engenheiros locais e suas esposas. Em geral, aquilo não importaria. Não era novidade que os britânicos tratassem os malaios como a ralé com quem precisavam conviver até que pudessem descartá-los. Porém, um ciúme silencioso borbulhava sob a pele de Cecily, provocando coceira sob a manga do vestido. Gordon estava tão nervoso com a apresentação que faria depois do jantar que mal conseguiu comer. Em geral, ela fingiria se preocupar, agiria espalhafatosamente, colocaria mais comida no seu prato, encheria a colher de arroz e enfiaria na boca dele, tal qual fazia com as crianças. Naquela noite, no entanto, Cecily simplesmente não conseguiu. Precisava reunir todas as forças para esconder o fato de que fervia de raiva toda vez que via as mãos de uma mulher tocando

Fujiwara. A maneira como ele se sentia confortável com as brancas a desconcertava. Era um forte paradoxo da frustração furiosa nas noites ao luar em sua casa.

Cecily sabia que os dois desempenhavam um papel — ele, o de charmoso convidado estrangeiro; ela, o de esposa zelosa —, porém, o desmantelamento sistemático do pouco de igualdade que havia conseguido estabelecer entre eles, com aquela tênue parceria, fazia com que ela sentisse o corpo todo se transformar em algo amargo e podre.

À sua esquerda, a sra. Yap virou a cabeça para observar o que estava acontecendo ali atrás na mesa britânica. "Bingley é um nome engraçado, não acha, Cecily? Eu não sabia que em Hong Kong as pessoas liam Jane Austen." Ela riu sozinha, surpreendendo Cecily, que não tinha cogitado que a mulher pudesse ler qualquer coisa além dos catálogos de moda europeus que chegavam em Bintang com seis meses de atraso.

"Sim, é um nome engraçado", Cecily repetiu. Era uma das muitas coisas que Fujiwara tinha ensinado: para sustentar uma conversa sem muito esforço e sem ofender, bastava repetir o que a pessoa dissesse. Na época, aquilo fora uma revelação para ela, porém se deu conta de que fazia todo o sentido, uma vez que todos eram vaidosos e entediantes.

"Esses jantares às vezes são bastante cansativos", a sra. Yap comentou, deixando escapar um leve suspiro pela boca pintada de batom, que fez cócegas na orelha de Cecily. Seu hálito, não muito agradável, cheirava a cebola e leite.

"Sim, bastante cansativos", Cecily repetiu. A risada baixa de Fujiwara ecoou pelo cômodo.

Depois de tomarem o digestivo, as duas mesas se dividiram em três grupos, em meio ao barulho das cadeiras sendo afastadas e das criadas tirando os pratos. O primeiro reunia os homens que discutiriam as descobertas de Gordon e se o porto seria ou não apropriado para o reparo de aeronaves da Força Aérea Real; o segundo grupo, dos homens que não ocupavam cargos administrativos, iam fumar charutos e conversar sobre o que quer que os homens conversassem nas poltronas do fumoir; o terceiro grupo, das mulheres europeias e locais, seria forçado a socializar na sala de estar, tagarelando sobre o tamanho dos grampos e a importância do tempero na comida.

Gordon estufou o peito e marchou com determinação até o primeiro grupo, parando rapidamente para aliviar sua bexiga nervosa uma última vez antes de passar à grande sala de reunião com papel de parede azul mais adiante no corredor. Todos os homens daquele grupo saíram demonstrando urgência, de modo que restou uma mistura dos demais. Fujiwara ficou de lado com outros membros do segundo grupo. O cheiro inebriante de fumaça de charuto e do suor produzido pelas poltronas de couro já começava a contaminar a sala de jantar.

Cecily sentiu que ele tentava chamar sua atenção. Ela notou seu sapato lustrado batendo levemente contra a tábua do piso, um tique que surgia quando Fujiwara tentava disfarçar impaciência. A etapa seguinte da missão dependia de Cecily, contudo ela não conseguia deixar a irritação de lado. Desviou o rosto para o branco imaculado da parede por um momento e, com a mente girando, tentou se concentrar nos ventiladores de mesa e forçar a respiração para acompanhar suas voltas ritmadas. As mulheres começaram a passear pela sala de estar, de braços dados, movimentando as saias — à primeira vista unidas, porém naturalmente divididas pela cor da pele. Cecily podia sentir o ardor do olhar de Fujiwara nas suas costas. A multidão logo terminaria de se dispersar.

Ela engoliu em seco e cruzou o dedo mínimo da mão esquerda sob o anelar, pressionando até doer. Também tinha um tique — a dor física afogava outra menos tangível. Cecily virou o rosto para encarar Fujiwara e fez o mais leve aceno de cabeça. As narinas dele se dilataram; embora o homem exalasse de maneira controlada, ela gostou de ver o alívio passando por seu rosto e a mandíbula relaxando. Ter o destino de um homem nas mãos significava ter poder? Cecily não teve tempo de refletir a respeito. Quem daria um espetáculo agora seria ela. Respirou fundo, pegou a ponta da toalha da mesa, gemeu o mais alto possível e caiu ao chão.

Os minutos seguintes foram repletos de confusão. De olhos fechados e corpo imóvel, Cecily só contava com os ouvidos e o nariz para se situar. Ela ouviu os gritos das mulheres, e o mais alto de todos foi o da sra. Yap: "*Aiya*, ela DESMAIOU! Precisamos de água e sais!".

Os homens do segundo grupo voltaram para a sala, como ela e Fujiwara esperavam. A atenção estava toda em Cecily. A princípio, quando tinham discutido a estratégia, ela não ficou totalmente convencida. Segundo

Cecily, sua principal vantagem era a invisibilidade. Ninguém se importaria se desmaiasse. Ele chegou a abrir um raro sorriso e disse: "Você não é invisível. Ser subestimada e ser invisível são coisas diferentes".

De olhos fechados, Cecily visualizou Fujiwara se esgueirando em silêncio pelo corredor, enquanto todos se concentravam nela. Sua missão era simples: manter-se imóvel. No entanto, Cecily não tinha contado com as tentativas desajeitadas de ajuda — uns tentaram levantá-la pelas pernas, depois pelos braços. Preocupava-se que pudessem machucá-la, ou pior: fazer cócegas nela. Outros jogavam água no seu rosto e ofereciam sais de forte aroma floral. Todos gritavam num volume tão alto que dificultava identificar as vozes. Cecily resistiu à vontade de limpar os perdigotos que pousavam nela.

Pensou em Fujiwara agachado do lado de fora do cômodo com papel de parede azul, tentando ouvir a reunião da qual Gordon participava. Pensou nele ficando de pé com algum esforço, porque não era do tipo que está acostumado a se manter agachado. A inadequação a fez amolecer em relação a ele. Cecily sabia que Fujiwara estava prestes a invadir a sala de reunião, acenando os braços cômica e freneticamente, para dizer a Gordon que sua esposa tinha desmaiado e puxado tudo o que havia na mesa de jantar. Ele ficaria vermelho, depois roxo, e o seu momento de glória seria interrompido de forma grosseira por Cecily. Sir Woodford, Sir Lewisham, o sr. Ommaney e os outros sairiam de maneira decorosa, simulando uma preocupação educada com a asiática desmaiada. Fujiwara ficaria para trás e usaria o pequeno dispositivo alemão cujo nome ela não recordava para fazer imagens duplicadas dos mapas, diagramas e anotações que os homens apressados abandonassem.

Uma mulher jogou nela o que se assemelhava a um punhado de folhas cheirando a ervas. Sentindo o hálito de cebola e leite da sra. Yap, o nariz de Cecily se franziu. O coração acelerou, batendo indesejavelmente forte no peito. Ela mordeu a língua para se acalmar, voltando a invocar a dor física para silenciar os ruídos dentro de si. Ficou alarmada pela sensação de mãos calosas pegando seus tornozelos, numa tentativa de levá-la até o sofá ou uma cadeira. Uma farpa do piso cortou a pele macia da bochecha dela. Muito embora não visse nada, Cecily podia sentir a reprovação no rosto das europeias e os lábios franzidos de Lady Lewisham, frustrada com a injúria desse episódio na sua festa, ao sussurrar sobre a natureza *histérica* das mulheres locais. Cecily pensou nos homens tentando ver debaixo da sua saia. Tentou se lembrar do ângulo em que tinha deixado as pernas caírem.

"Cecily!" Ela ouviu a voz de Gordon, depois sentiu sua respiração, e então o cheiro azedo dele pairando enquanto as outras vozes se reduziam a murmúrios. Visualizou a multidão se abrindo para que o marido passasse. Essa era sua deixa.

"Ela está acordando!"

"Minha nossa, foi um longo desmaio!"

"Gordon. Não sei o que aconteceu. Só fiquei tonta. Desculpe se estraguei sua noite."

Seus olhos tinham dificuldade de focar, e ela piscava depressa. À sua volta, sapatos, barras de saias e calças se distanciavam conforme as pessoas davam espaço ao casal. Quando Cecily levantou o rosto, algumas desviaram os olhos educadamente, embora a maioria encarasse curiosa.

Ela esperava que Gordon estivesse furioso; afinal, ela tinha roubado seu momento ao sol e sua chance de brilhar por alguns minutos diante dos europeus que tanto admirava. Contudo, ele a surpreendeu, como às vezes fazia.

"Fiquei tão preocupado, meu amor. Não me assuste assim." Depois de um momento, ele sussurrou: "Talvez você esteja grávida".

Cecily viu Fujiwara se ajoelhar, a uma distância respeitosa, perto de onde Gordon apoiava a cabeça dela. O cheiro de hortelã do creme para cabelo a deixou tão tonta que ela pensou que ia mesmo desmaiar. Os dois homens a ajudaram a se levantar, e suas costas estalaram feio. Ela olhou em volta. Parte das pessoas baixaram os olhos, envergonhadas; o restante continuou a encará-la, de maneira insolente. Fujiwara uniu as mãos diante do peito e assentiu para ela. Estava em posse das informações.

Eles tinham realmente conseguido.

7
ABEL

Campo de trabalho de Kanchanaburi, na fronteira entre Birmânia e Tailândia
17 de agosto de 1945
Malásia ocupada pelos japoneses

A maior parte das recordações de Abel em relação à sua chegada no campo eram confusas. Ele se lembrava de estar deitado na carroceria de um caminhão. Lembrava-se dos muitos dias sacolejando na estrada e do cheiro de podridão, suor e sangue no ar. Lembrava-se de ter recebido uma pá e ser ordenado a cavar até o pôr do sol todos os dias. Lembrava-se do mesmo sol deixando uma vermelhidão dolorida nas suas costas e da chuva, cujo frescor a princípio parecia um alívio, mas logo ficava perigosa, tornando o solo escorregadio e provocando deslizamentos que arrastavam meninos gritando nas laterais da montanha. Ele se lembrava de voltar cambaleando para o alojamento à noite, com o dorso castigado e eczemas nos braços e nas pernas. Lembrava-se de se jogar no chão de cimento do quarto lotado e pensar que, não importava o quanto se encolhesse, não tinha como fazer seu mais de um metro e oitenta de altura caber nos sessenta centímetros de largura da área de dormir. Lembrava-se de esquecer que dia era, das longas noites olhando para o teto escuro enquanto a chuva batia no telhado de folhas de palmeira, envolto pelo fedor de pus e urina, e de se sentir tão cansado e destruído que não conseguia nem dormir nem chorar.

"Psiu."

Abel abriu os olhos sobressaltado. Ele sentia a lama endurecer nos tornozelos. O sol estava nascendo. Tinha passado quase o dia inteiro no galinheiro. Olhou em volta, procurando de onde vinha o sussurro. Deparou-se com a galinha marrom outra vez. Como de costume, ela o encarava. Ele devia ter desmaiado de novo. O supervisor Akiro tinha ido embora. Abel notou que, por sorte, sua calça cinza fina o cobria.

"Abe. Abel." Ao fazer força para abrir os próprios olhos, deu de cara com os azuis inconfundíveis de Freddie, agachado do lado de fora do galinheiro e com os joelhos nodosos chegando até o queixo.

"Eu trouxe água." Freddie passou um copo de metal pela cerca e derramou um pouco no galo deitado, que não reagiu. "Ih, esse carinha já foi."

Abel se arrastou para mais perto, sentindo a lama arranhar os joelhos. "Obrigado", ele crocitou, dando um gole que passou pela língua e encheu os buracos secos da sua boca.

"Acabaram mesmo com você." De olhos arregalados, Freddie o analisou de cima a baixo.

"Não tem problema." Os hematomas no estômago de Abel latejavam.

"Descobrimos que Vellu toca acordeão", Freddie falou. Vellu era um dos companheiros de campo.

"Perdi a cantoria de novo?"

Freddie balançou a cabeça, com o olhar nublado de preocupação. "Você tem perdido várias. É esse troço que você bebe."

A menção fez o desejo de Abel voltar — o redemoinho azedo no estômago, a queimação doce do início, conforme o líquido tocava o fundo da garganta, o relaxamento dos membros e a maneira como os machucados e o coração doíam um pouco menos.

"Você trouxe um pouco, Freddie? Deixei uma garrafa com você. Viria bem a calhar agora." Abel gesticulou vagamente para os ferimentos.

"Você não devia beber, Abe. Faz mal. Você cai. Diz idiotices."

Sentindo a poça de sangue na parte de trás das calças, Abel pensou em quão pouco Freddie sabia. "Bem, Akiro não manda em mim."

"Aqui." Com uma careta, Freddie entregou uma garrafa envolta num trapo sujo. Abel olhou ao redor para se certificar de que ninguém se aproximava, então tirou o pano, revelando o líquido escuro que girava na garrafa. Quando o cheiro doce demais entrou pelas narinas, ele teve uma sensação familiar e tomou um belo gole seguido de outro. O vinho de palma passou pelo fim ressecado da garganta e queimou ao atingir o estômago vazio. Abel sentiu a calma de sempre se espalhando pelo corpo.

Fazia poucos meses que o vinho de palma chegara ao campo. Diziam que um dos guardas tinha contatos no mercado paralelo, portanto os caminhões de suprimentos traziam os engradados, além de arroz e outros alimentos todo mês. De vez em quando, os meninos incumbidos do descarregamento conseguiam roubar algumas garrafas sem ser notados; controlar o estoque de suprimentos não era o ponto forte dos soldados.

Antes do campo, Abel conhecia o vinho de palma por diferentes nomes. Os jornais britânicos chamavam de "ópio do trabalhador", o que era irônico, porque costumava ser usado pelos britânicos que lucravam com a extração de borracha para controlar os imigrantes indianos que trabalhavam nela. O pai de Abel chamava de "bebida de empregado", com desdém, pois se tratava do que havia de mais barato no segmento de alcóolicos. Quando algum menino fazia aniversário, os amigos mais velhos de Abel levavam uma garrafa para comemorar. Isso *antes*, quando ele só provava aquilo e ficava satisfeito com o calorzinho momentâneo. O vinho de palma dos campos era mais potente, já que fermentava por mais tempo e era misturado com outras bebidas, tendo sua cor transformada de um branco embaçado a um bege escuro. Fora que Abel tinha passado a tomar de golada.

Muitos dos meninos do campo bebiam vinho de palma; porém só um pouco por vez, fazendo careta e engolindo de narinas tapadas para diminuir a queimação, diferente de Abel. Consumiam para passar o tempo e amenizar a dor dos machucados. A princípio, também havia sido assim no caso dele. Um gole aqui, outro ali, como uma maneira de seguir em frente. Então surgiu a necessidade — precisava de algo para apagar os horrores do dia antes de dormir. A necessidade passou de uma dor surda a uma dor aguda; tomava restos ao acordar suando e vasculhava o campo atrás de garrafas abandonadas que esconderia dos outros; quando isso não era possível, virava o conteúdo de uma vez. Deixava-o entorpecido, claro, mas principalmente ajudava a sufocar o desejo incessante de se levantar e gritar, de desafiar, de se fazer ouvir. Nem sempre funcionava, motivo pelo qual Abel tinha acabado no galinheiro, porém na maior parte dos dias o vinho de palma contribuía para que se importasse menos e aquiescesse, ajudando-o a sobreviver, e esse talvez fosse o motivo mais importante — Abel dizia isso a si mesmo.

"Você precisa ir embora, Freddie. Akiro pode aparecer." Freddie não precisava saber que Akiro já tinha aparecido.

Freddie pegou o copo de metal e encarou a garrafa que o amigo segurava. Abel a devolveu relutantemente através da cerca quase vazia. Balançando a cabeça, Freddie se pôs de pé sobre as pernas magras. "Fique longe do galo morto, irmão."

"Ele ainda não morreu, morreu?" Abel olhou para o galo. Tinha, sim, morrido.

Freddie chegara ao campo de trabalho dois meses depois de Abel. Do mesmo jeito, tinha sido jogado sujo, ensanguentado e de olhos arregalados na carroceria de um caminhão com um bando de outros meninos. Abel o notou justamente por causa dos olhos bem azuis, algo incomum para eurasiáticos. No entanto, os olhos azuis de Freddie e sua pele branca e rosada, mais branca até que a de Abel, eram a causa da maior parte dos problemas de Freddie no campo.

"Outro branquelo!", os supervisores chamavam antes de dar uma coronhada no rosto dele, deixando-o bastante machucado. "É isso que fazemos com a sua gente."

A princípio, foi um alívio para Abel. Era bom outra pessoa ser alvo da ira deles. Significava que podia parar e respirar nas pausas das surras quando estava cansado. Significava que podia tomar um gole de bebida e se concentrar no gosto e ardor fortes. Significava que, às vezes, podia atrair a atenção de Rama, Vellu, Azlan ou Ah Lam com bobeiras, tipo fingir socar alguém no saco ou simular um gesto de masturbação, e reprimir a risada ou revirar os olhos sem ser derrubado no chão e chutado até quase morrer.

No entanto, mesmo que os dias tivessem melhorado consideravelmente, as noites continuavam sendo uma luta. Abel não conseguia dormir por causa do cheiro de suor e do som dos roncos. Sua mente o levava com frequência de volta aos dias anteriores e ao seu aniversário de quinze anos. Ele se perguntava o que teria feito caso soubesse que seria a última vez que veria sua família e que teria acesso a qualquer tipo de felicidade. Teria contado a alguém sobre o irmão Luke, feito um caminho diferente, sido mais cauteloso? Ainda teria revirado os olhos diante da seriedade de Jujube? Ainda teria gritado com Jasmin pela bolinha de gude derrubada na fossa? Ainda teria se desligado das histórias nostálgicas em que o pai se atribuía grande importância nos "bons e velhos tempos" do domínio britânico? Teria reclamado menos com a mãe por ela misturar aquela massa nojenta de mandioca ao arroz? Ele salivava só de pensar em arroz. Passou a ficar sempre com fome. Parecia que um animal inquieto morava no seu estômago, porém as tigelas jogadas no campo, com mingau de grãos em água cinza, às vezes vinham com farpas, poeira e até pontas de unha, que chegavam a cortar a boca de Abel antes que ele conseguisse cuspi-la. O gosto de ferro e terra se acumulou no começo do esôfago ao engolir o sangue da própria língua.

Certa noite, cerca de uma semana depois da chegada de Freddie, Abel estava deitado, olhando para o teto, quando ouviu um barulho diferente dos roncos, dos chutes e do choro ocasional que tinha se acostumado a esperar dos demais meninos. No canto do alojamento, do outro lado de Rama, onde um pedaço da lua podia ser visto pelas aberturas no telhado, havia alguém sentado, pensativo e com a cabeça baixa. Abel se sentou também, recolhendo as pernas compridas e magras sob o corpo, para não chutar os vizinhos. Com dificuldade, ele conseguiu ver que era Freddie, parcialmente escondido pelo protuberante Rama. Com o nariz iluminado pelo luar, Freddie ora segurava um graveto pequeno na mão esquerda, ora o passava no chão, onde mantinha o olhar. Se notou Abel, não deu atenção. A sombra do corpo de Freddie obscurecia o que ele estava fazendo.

Abel voltou a se deitar. Sentiu-se tolo por ficar observando-o.

A cada poucas noites, Abel ouvia o barulho e se deparava com Freddie sentado e encarando o chão. Às vezes, parecia que apertava os olhos; era difícil saber. Uma noite especialmente clara, Abel viu de relance um enorme hematoma azul, preto e amarelo na bochecha do menino, como um caleidoscópio de dor na pele.

Freddie era pequeno para a idade e com frequência se atrapalhava no campo. Abel ficou surpreso ao descobrir que ele era apenas um ano mais novo; tinha catorze. Achava que devia ter onze, no máximo doze anos. Abel notou que Freddie muitas vezes ficava encarregado de tarefas que exigiam menos força bruta e mais habilidade motora refinada, como soldar ou encaixar peças; até com isso tinha dificuldade.

Depois de três noites observando, Abel foi vencido pela curiosidade.

"Ei, Rama, quer trocar de lugar comigo? Tem um buraco aqui em cima do teto. Fica mais fresco, porque entra mais ar."

Abel se preparou para perguntas de Rama que não saberia muito bem como responder. Mas o companheiro, sem grande interesse, só deu de ombros. Ele rolou até onde Abel costumava se deitar, fechou os olhos e logo estava roncando.

No lugar de Rama, Abel assumiu sua posição usual, deitado de costas no chão, com os olhos no teto, estudando a forma das folhas de palmeira entrelaçadas. Freddie ficou ao lado dele, com o rosto virado. De canto de olho, Abel viu que a camisa de Freddie estava rasgada, e o buraco expunha o desenho da coluna ao marcar a pele sob a carne fina. Abel fechou bem os olhos e se esforçou para dormir, tentando escapar da curiosidade tola.

Pouco depois, ouviu o ruído familiar. Abriu um olho. Freddie estava sentado. Ao seu lado, Abel conseguia enxergar que ele segurava um retângulo de papel higiênico menor do que a própria palma da mão. No campo, eles recebiam poucos centímetros de um papel marrom-amarelado todo dia para limpar a merda do cu. Depois que meninos tinham começado a morrer de cólera, os japoneses passaram a fazer algum esforço nesse sentido. Na outra mão, Freddie segurava um tipo de pincel tosco. As sombras dificultavam a visão, porém Abel notou que havia figuras no papelzinho.

"Você trocou de lugar." Freddie voltou os olhos azuis — de aço, imperturbáveis — para Abel.

Abel se surpreendeu. Ele não esperava ausência de medo no rosto de Freddie, e o menino tinha sussurrado calma e desinteressadamente. Com Freddie sentado, os dois estavam tão próximos que o rosto de Abel ficou a centímetros de distância do joelho alheio.

Ele se sentou também, de modo que os olhos se encontraram na mesma altura.

"O que está fazendo?"

"Estou desenhando."

"Por quê?"

"Para não esquecer as coisas aqui." Freddie pegou o pincel.

Abel não compreendia. Tudo o que que queria era esquecer o campo. O que aquele menino queria recordar?

"Onde conseguiu isso?" Abel apontou para o pincel. "Posso ver?"

"Eu que fiz." Seus olhos se inflamaram com algum sentimento. Seria raiva? Abel não sabia ao certo. "Não quebre." Freddie passou o pincel.

Era um simples graveto, mas uma ponta de fibras marrons haviam sido unidas por um barbante. Abel passou o dedo ali. "Isso é... cabelo?"

O menino apontou para o topo da cabeça. Abel percebeu que ele tinha falhas, pontos rosados e ralos, onde o cabelo fora arrancado.

"O quê...?"

"Faço o que posso."

À frente de Freddie, o chão estava cheio de retângulos de papel higiênico. Ao ver o questionamento nos olhos de Abel, ele sorriu. "Uso folhas de árvores quando preciso."

"E a tinta?"

Aí Abel notou os cortes nos braços. Alguns eram novos, outros já haviam fechado, deixando linhas marrons na pele branca. Sangue; ele pintava com sangue. Abel estremeceu. Machucar-se trabalhando no campo era uma coisa; naquele dia mesmo, um dos meninos teve o pé decepado por um pedaço enorme de metal que caíra. Por outro lado, aqueles ferimentos autoinfligidos — Abel imaginava que ele fazia isso para criar uma paleta — pareciam muito piores de alguma maneira. Aquilo o lembrava do dia seguinte ao episódio do saco de boi, quando o pai chegara em casa felicíssimo com um filhote de cabra numa coleira.

"Consegui no mercado paralelo. Hoje vamos comer bem!" Abel ainda conseguia ver o orgulho resplandecendo no rosto do pai quando ele olhou para a mãe, numa tentativa de compensar o desastre da noite anterior. "Abel! Jujube!", ele gritou. "Vamos matá-la."

Abel se lembrava de ter assistido horrorizado ao pai cortar o pescoço e abrir linhas retas e longas no peito do animal. Lembrava-se de ter mergulhado a mão no líquido quente, escorrendo suave e pegajoso em direção ao quintal lamacento, enquanto um cheiro de podridão e ferro se espalhava.

Ele desviou os olhos do braço de Freddie. "Dói?"

"Não muito." Ao notar desconforto, ele completou: "Olha, é só por causa da cor. Misturo com seiva." Freddie apontou para si. "Os cortes não são profundos."

"Mas por quê?" Fatiar-se apenas por um hobby parecia masoquismo.

"Para quando sairmos daqui. Para poder mostrar às pessoas. Para explicar." Freddie projetava o queixo obstinadamente, o que fazia o hematoma multicolorido na bochecha sair da sombra.

Abel olhou para os retângulos de papel higiênico no chão, todos com rostos desenhados num tom enferrujado. Apesar da natureza rudimentar das ferramentas e da falta de luz, Abel reconhecia as figuras. Os desenhos eram surpreendentemente detalhados, possuíam sombreados, sobrancelhas arqueadas, olhos de pálpebra única e narizes bem delineados. Os olhos pequenos e penetrantes do supervisor Akiro. O queixo redondo do general Fujiwara. Outros supervisores e oficiais japoneses que Abel tinha visto perambulando pelo campo, os olhos, narizes, orelhas e lábios desenhados com primazia nos papéis finos. Um deles voou quando uma leve brisa varreu o cômodo. Abel esticou a mão para segurá-lo. Ao erguer a palma, viu uma feição que despertou uma fúria ardente no seu peito.

"Você também o conhece? Foi ele que trouxe você?", Abel sussurrou com a voz trêmula à medida que o rosto vermelho do irmão Luke o encarava.

"Se eu vir esse homem de novo, vou matá-lo", Freddie falou com a voz baixa e firme.

Essa amizade surpreendeu Abel. Parecia quase ilícita. De dia, o máximo que faziam era assentir, reconhecendo a existência um do outro enquanto carregavam caixas pesadas de suprimentos ou metal para construir os trilhos da ferrovia. Mesmo no refeitório, Abel se sentava com outros meninos para virar o mingau pegajoso na boca, ao passo que Freddie ficava sozinho, em silêncio, sem parecer se importar com o isolamento. Seus olhos estavam sempre nublados, embora Abel não soubesse dizer se por raiva ou desinteresse. No entanto, eles passavam horas sussurrando no canto do alojamento toda noite. Abel ficou sabendo que Freddie era filho único de pai inglês e mãe eurasiática; depois da chegada dos japoneses, o pai o chamou em seu quarto, pediu que ele cuidasse da mãe e desapareceu na noite. Freddie não fazia ideia se tinha fugido ou sido capturado pelos soldados japoneses. Pouco depois, o irmão Luke levou os soldados até sua porta; um arrastou Freddie enquanto outro imobilizava a mãe e rasgava suas roupas. Abel se viu mordendo a bochecha para não tremer, e Freddie falava sem piscar, com a voz constante e inalterável.

Freddie tentou ensinar Abel a desenhar, porém isso estava fadado ao fracasso, porque lhe faltava talento. Assim, Abel ficava vendo o novo amigo pintar, enquanto o cheiro enferrujado de sangue entrava por suas narinas. Ele sussurrava suas lembranças para Freddie, que as ilustrava — lembranças do campo, dos outros meninos, da crueldade do supervisor Akiro e da traição do irmão Luke. Além dos rostos, Freddie passou a retratar cenas e recortes do campo nas telas de papel higiênico ensanguentado. O que eles estavam registrando parecia importante. Freddie tinha até começado a desenhar a família do companheiro de campo. Abel descreveu as curvas dos olhos e as narinas largas da irmã mais nova. Freddie pintou um retrato dela em carmesim. O nariz não estava certo e não havia como descrever a luz dos seus olhos e a inocência que fazia todo mundo à sua volta sorrir com o rosto todo. Contudo, Jasmin podia ser mesmo reconhecida ali. Abel sentiu as lágrimas se acumulando. Ficou grato pelas sombras da noite, que impediam Freddie de vê-las.

Quando a noite chegou, o coro de mosquitos no galinheiro atingiu o ápice. Os cacarejos e grasnidos cessaram, numa aparente trégua, já que as galinhas são criaturas diurnas. No entanto, quando a lua despontou de trás das nuvens, Abel viu que a marrom continuava olhando para ele. Seus braços expostos estavam cobertos de mordidas vermelhas coçando; não importava o quanto ele tentasse evitar, os mosquitos encontravam onde aterrissar para picá-lo. Talvez fosse melhor se ele ficasse parado e permitisse que fizessem a festa. Era possível morrer por excesso de picadas? Talvez fosse a melhor solução.

"Não, não, pare, me deixe ir! Vai valer a pena. Posso trazer mais meninos, como antes!" Do lado de fora do galinheiro, o sotaque inglês de um homem superava o zum-zum dos insetos, parados como se estivessem assistindo à comoção. A voz soava abafada, porém Abel sentiu o peito inflar ao reconhecê-la. Já a tinha ouvido. O cheiro de suor dos soldados entrou no galinheiro primeiro, sendo logo seguido pelas botas. Os gritos evoluíram a uma série de lamentos altos. O trinco pesado do galinheiro se abriu, e uma lanterna iluminou Abel, cegando-o por um momento.

"Entre!"

Houve um baque estrondoso.

"Podemos deixar os dois branquelos aqui até a manhã", disse o supervisor Akiro.

Abel se encolheu, evitando o forte brilho da lanterna. Antes que pudesse fazer qualquer coisa, a porta do galinheiro se fechou. Enquanto seus olhos voltavam a se ajustar à escuridão, um pedacinho de lua escapou de trás das nuvens e iluminou o lugar como um holofote. Um corpo familiar se amontoava perto do galo morto; olhos esbugalhados de um rosto vermelho retribuíam com medo o olhar de Abel. Os japoneses tinham jogado o irmão Luke ali.

Os mosquitos voltaram a zumbir.

8
JASMIN

Bintang, Kuala Lumpur
17 de agosto de 1945
Malásia ocupada pelos japoneses

Enquanto Jasmin voltava furtivamente ao quarto depois da noite com Yuki, os ponteiros apontados para o dois do pequeno relógio na mesa mostravam que já era o dia seguinte. Ela estava fedida e precisaria se trocar antes de deitar com Jujube. Tateando tão silenciosamente quanto possível, Jasmin encontrou uma camisola limpa cor de creme — a mais parecida com a da noite anterior — e se trocou. Na gaveta da cômoda que dividia com a irmã, ela enfiou a camisola que tinha ficado suja de terra e lama, além de visivelmente manchada de sangue, talvez de Yuki ou de alguma superfície dos barracos. Estava tão cansada que era como se alguém estivesse tentando fechar seus olhos. Jasmin engatinhou até o colchão, tomando cuidado para não acordar Jujube, que suspirou, mas permaneceu dormindo. Podia pensar no que fazer com a roupa suja quando acordasse.

"Jasmin!"
Ela abriu os olhos, ainda turvos, viu o rosto de Jujube pairando e sentiu a respiração quente dela na sua pele. Do lado de fora, o sol era uma vaga bola laranja despontando no horizonte. Ainda nem havia nascido por completo. O corpo todo dela gritava para que as pálpebras se fechassem; Jasmin sentia que mal havia dormido.

"Levante! Preciso te mostrar o que fazer."
"Quê...?" Os braços e pernas de Jasmin não queriam se mover. Ela se virou e tapou os olhos com a mão. O ar ainda estava fresco; Jasmin preferia desfrutar de mais algumas horas do frescor antes de precisar acordar e voltar para o alçapão mofado.

"É sério, acorde. Tenho que falar com você antes que mamãe veja."

"Vá embora", Jasmin murmurou.

"Encontrei isto." Jujube segurava a camisola suja da noite anterior. Desdobrou-se como uma cortina fedorenta, revelando a mancha de sangue nas costas.

Jasmin sentiu a garganta se fechar. Por que não lavou aquilo? Por que jogou na gaveta? Assim, a irmã sempre responsável em relação a tudo tinha descoberto.

Jujube se sentou ao lado de Jasmin no colchão cheio de calombos. Ela pôs Jasmin no colo e jogou a camisola no chão.

"Seu corpo está mudando", a voz dela ficou mais branda. "Encontrei sua camisola. O sangue deve ter te assustado."

Jasmin contemplou a irmã e esfregou os olhos sem compreender.

"Você..." Jujube retorcia os dedos, desconfortável. "Você começou a sangrar ontem à noite? Você é tão nova... Achei que eu teria mais tempo antes de precisar explicar tudo." As palavras da irmã saíram de uma vez só.

"Não, o sangue não é meu. É..."

Sua mente sonolenta girava. Ela olhou para uma rachadura no piso de cimento, encolhendo-se como uma minhoca. Não sabia mentir, tampouco tinha meios de contar a verdade. Jujube ficaria furiosa. Ultimamente, tudo havia se tornado muito mais difícil. Sempre que alguém falava, ela precisava se esforçar para compreender o sentido oculto das palavras. Jujube falou de sangue e corpos, mas aquele sangue não era seu, não era do seu corpo.

"Não precisa ter medo, Jas." Jujube apertou o ombro da irmã. "Acontece com todas as meninas. Vou ensinar como usar uma toalha sanitária. Aliás, sua calcinha deve ter manchado também." Jujube colocou Jasmin de pé. "Não quero que manche o colchão. Mamãe ficaria chateada."

Jasmin tinha visto as toalhas e os panos ensanguentados pela casa, que indicavam que uma das mulheres estava sangrando. Sentiu-se humilhada pelo fato de que a irmã estava sendo boazinha quando ela própria mentia.

"Não menstruei."

Jujube ficou chocada, como se Jasmin tivesse dito um palavrão. "Como sabe que é assim que se fala?"

"Não sou um bebê. Sei das coisas."

"Bem, então por que sua camisola está suja?" O tom gentil de Jujube havia mudado. Uma ruga surgiu entre seus olhos, o que Jasmin sabia que significava que estava confusa ou chateada.

"Eu... eu..."

"Você... você... foi lá fora?" A voz de Jujube soou suave e firme, mas perigosa. Jasmin quase preferiu que ela gritasse.

"Fui ver uma amiga", Jasmin explicou baixinho.

Se ela não conhecesse a irmã, nem desconfiaria que estava desconcertada. Jujube se manteve imóvel na beirada do colchão, com os pés firmes no chão. Jasmin notou que estavam secos e descascados, com partes brancas na superfície normalmente parda e lisa. A única coisa em Jujube que se movia era a garganta. Ondas desciam pelo pescoço, como se engolisse em seco. Jasmin queria alisar aquelas ondas e cortar a tensão.

Então, sem dizer nada, Jujube puxou um tufo de cabelo de Jasmin e a pôs de pé. Jasmin gritou, mais de medo do que de dor — a irmã nunca, *nunca* tinha sido bruta com ela. Jujube a pegou pelo braço e a enxotou para fora do quarto, com tanta força que Jasmin ouviu a costura da camisola fina esgarçar.

"Para, Jujube, desculpe! Não vou fazer de novo!"

Jasmin ouvia a irmã bufando pelo nariz.

"Ju, o que está fazendo, o que está acontecendo?" O pai saiu do quarto, com a calça do pijama caindo. "Por que sua irmã está gritando?"

"Não." Jujube lançou um olhar gelado para ele. Ainda mais assustador para Jasmin foi ouvir a voz completamente controlada outra vez, sem nuance ou emoção. O corpo todo de Jasmin tremeu. Ela sentiu o braço suando sob a camisola, onde foi agarrada.

"Me solta, Ju! Não vou fazer de novo!", Jasmin insistiu.

Jujube abriu o alçapão de madeira com um chute. "Entra." Ela olhou para a irmã pela primeira vez desde que a tirara da cama.

"Quero tomar banho. Estou fedida. Você vai me deixar sair para comer?", Jasmin reduziu a voz a um choramingo lastimável.

"Você perdeu sua chance quando fugiu. Agora vai ficar aqui até aprender a lição", Jujube falou alto para o que o resto da família, reunido ali de queixo caído, ouvisse também. O pai, com o cabelo todo espetado na nuca, deu um passo na direção das filhas, mas Jujube estendeu uma mão para impedi-lo. Ela procurou a pequena lâmpada no teto baixo e a desatarraxou.

"Jujube, o que está fazendo? Isso é crueldade. É sua irmã." Os olhos do pai se arregalaram.

"Ela tem saído. Talvez a tenham visto ontem à noite. Talvez a tenham seguido até aqui. Precisamos nos certificar de que não haverá meios de encontrá-la!" A voz constante e fria de Jujube falhou só um pouco. "Não temos escolha."

A mãe estendeu os braços, como se buscasse a filha, então os deixou cair. Jasmin sentiu os olhos arderem ao entrar no porão, então se agachou e levou a cabeça às mãos. A porta de madeira bateu acima dela, então Jasmin ouviu o trinco ser fechado e em seguida um som novo: o de um cadeado fechando e prendendo-a na escuridão.

Jasmin explodiu e os olhos extravasaram, as lágrimas escorriam pelas bochechas feito arroios gigantes, e a dor dos soluços incontroláveis subia pelo corpo. Ela produziu um som entre uma respiração pesada e um uivo que fez o fundo da garganta vibrar. Limpou o ranho escorrendo do nariz com a mão, só que não adiantou. Como podiam fazer isso? Trancá-la ali para sempre? Na completa escuridão? Ela ao menos comeria? Iam matá-la? Os pensamentos que passavam pela cabeça a chocavam. Mesmo nos momentos de maior tristeza e fúria, Jasmin nunca tinha sido tratada daquele jeito. Jujube *sabia* que ela tinha medo do escuro — por isso o colchão das duas ficava perto da janela, para que Jasmin pudesse perceber o luar apesar das pálpebras fechadas; era a única maneira de não sentir que alguém ou alguma coisa ia pegá-la à noite. A partir de então, ela ficaria presa naquele porão horrível para sempre. À noite, estaria no breu. Jasmin procurou controlar o medo. Quando os olhos se adaptaram, ela conseguiu ver os vagos contornos da cadeira e da mesa, mas se sentia congelada e com o corpo enraizado naquela posição agachada — parecia incapaz de se mover e de fazer o que quer que fosse além de chorar.

Ela ouviu os gritos abafados do pai e as andanças da mãe em círculos. Daí ouviu a Jujube, clara como um sino, autoritária e assustadora.

"Ela precisa aprender. É a única que não sabe como sobreviver. Não vou mais protegê-la se ela não quer escutar."

A princípio, Jasmin quis gritar: *Eu escuto, eu escuto, me deixa sair!* Porém, desafiadora, inundou-se de um sentimento ardente, furioso e irreconhecível. Manteve a cabeça erguida e mordeu a bochecha para impedir que arfasse. Se fosse chorar, não deixaria que a família — que a atirou no alçapão como um legume podre — ouvisse. Conforme as discussões se calaram, o choro de Jasmin também cessou. Ela não ia deixar que vencessem.

"Filha?"

Jasmin abriu os olhos; devia ter dormido. De boca aberta, sentiu poeira na garganta. Ao ouvir o barulho do trinco, viu a mãe mantendo a porta aberta em meio à poça de luz nos degraus que levavam ao porão.

Sua garganta coçava. "Quanto tempo faz que estou aqui?" Ela tentou fazer com que os olhos se ajustassem à luz.

"Tolinha, faz só alguns minutos. Sua irmã acabou de sair para a casa de chá. Foi uma briga sem sentido! Venha, vou fazer leite maltado para você." A mãe deixou o alçapão aberto.

O leite maltado era feito com Horlicks, extremamente caro e difícil de encontrar até no mercado paralelo — cada filha ganhava meio copo no aniversário e só. Jasmin tossiu. A umidade do porão dava a impressão de que alguém estava sentado em seu peito. Era como se tivessem passado muito mais do que alguns minutos desde que Jujube, a irmã que ela amara e que havia jurado mantê-la segura, a tinha trancado no escuro. Quando Jasmin passou pela mãe nos degraus, foi puxada para um abraço em que sentiu o cheiro de suor da mãe e as bochechas molhadas dela, se também de suor ou de lágrimas, não havia como ter certeza.

"Vamos falar com Jujube, está bem, filha? Vocês são irmãs. Vão se resolver. É a guerra que faz isso. A guerra faz coisas ruins conosco."

Jasmin se soltou da mãe. Em geral, gostava de abraços, suados ou não, mas aquele não era um dia normal. O choque da traição de Jujube havia provocado uma transformação no seu corpo — era como se ela tivesse uma pedra pesada sobre o peito, um lençol tivesse sido levantado, e Jasmin passasse a ver claramente pela primeira vez. Sua família, que ela amou a vida toda e pela qual tentava sorrir e se manter feliz, a havia trancafiado. Quando a mãe foi para a cozinha, Jasmin ouviu o borbulhar da água e o tilintar da colher misturando Horlicks com leite condensado.

"Uma bebida quente e gostosa vai fazer tudo melhorar", a mãe disse, virando o rosto para a janela.

Jasmin logo soube o que precisava fazer. Ela ergueu um pouco a camisola, atravessou a casa correndo em silêncio e saiu pela porta da frente. Ainda ouvia a mãe murmurando palavras de consolo enquanto mexia o leite maltado. Isso logo deu lugar a um grito alto quando ela percebeu que Jasmin tinha desaparecido. A menina correu o mais rápido possível pelo gramado. Sua respiração saía úmida e fumegante, e ela se deu conta de que calçara um pé de chinelo laranja e outro azul. Continuou correndo o mais rápido possível mesmo assim, ziguezagueando até a alameda que levava à cidade e encolhendo-se sempre que ouvia a mãe gritando seu nome.

Não ouvindo mais nada, ela parou ofegante, à medida que a respiração passava rápida e dolorosamente pela garganta. A camisola suada grudava nas costas e nas axilas. Era um dia com nuvens razoáveis e ar parado, sem brisas que compensassem a umidade. Jasmin tinha corrido mais ou menos na direção do centro da cidade, tentando seguir em zigue-zague e mantendo-se distante da via principal, caso a mãe convencesse os vizinhos a irem atrás dela de bicicleta. Uma ou duas vezes, Jasmin viu soldados à toa fumando debaixo das árvores, porém eles não a notaram. Seu pé esquerdo doía, porque a sola fina do chinelo laranja ficou desgastada, de modo que o calcanhar raspava direto no chão quente. Mancando e sentindo a adrenalina baixa, Jasmin olhou em volta e percebeu que estava perto da farmácia. Não tinha dinheiro, mas talvez Peik Lum oferecesse algo para proteger as bolhas recém-formadas.

O sininho da porta tilintou. Peik Lum deu a volta no balcão e foi ao encontrou de Jasmin.

"Você está toda suada. Venha se sentar." Ela puxou a menina pelo braço e a conduziu até a cadeira onde muitos clientes idosos costumavam aguardar seus remédios. "O que aconteceu?"

Jasmin baixou os olhos para o chão. Não sabia como explicar a traição da família. Então disse apenas: "Meu irmão se foi. Desapareceu".

"Fiquei sabendo. Sinto muito." Peik Lum levou a cabeça às mãos. "Meu primo também sumiu saindo do trabalho. Não tivemos mais nenhuma notícia dele, não recebemos cartas nem nada."

Ela puxou Jasmin para um abraço tão apertado que a menina deu um gritinho. Então a soltou e enxugou os olhos úmidos cuidadosamente antes de notar que Jasmin calçava um pé de cada chinelo. "*Aiya*, o que foi que você fez?" Ela foi para trás do balcão, depois voltou com um saco de papel. Agachando-se, disse: "Me dê seu pé".

Jasmin estendeu o pé esquerdo machucado, e Peik Lum o puxou para perto, muito atenta e sem contrair o rosto por causa do cheiro. A própria Jasmin franziu o nariz — o odor azedo e rançoso estava quase fazendo com que vomitasse. Peik Lum passou um pano úmido e macio na sola, depois unguento no arco de bolhas. Ardeu no início, mas Jasmin logo sentiu um frescor calmante. A atendente da farmácia ainda cobriu o que viria a ser outra bolha com um emplastro. Então procurou algo. "Ah, aqui." Com uma mão, Peik Lum afastou do rosto uma mecha de cabelo liso e oleoso que escapava do rabo de cavalo e jogou para Jasmin um par de chinelos novos azuis e brancos que foram vestidos prontamente.

"Obrigada", Jasmin murmurou, sem saber o que mais dizer.

O sino da porta soou de novo. Peik Lum se levantou para olhar naquela direção. Jasmin viu se desfazer o sorriso com que ela costumava receber os clientes.

"General." Peik Lum baixou os olhos e pressionou as mãos para que não tremessem.

À porta, havia um homem baixo, gordo e fardado. Diferente do que acontecia com os demais soldados que Jasmin tinha visto, a farda dele não estava manchada ou suja — fora bem passada, com vincos marcados nas pernas e o colarinho engomado. O homem podia ser baixo, mas mantinha a coluna ereta. Sua carranca parecia dividir o rosto em dois enquanto os olhos vasculhavam a farmácia. Jasmin notou que ele começava pela esquerda, passando por prateleiras de ervas, frascos brancos de remédios, garrafas de líquido colorido, o balcão onde ela encontrara Peik Lum, o calendário com caracteres chineses em vermelho (o que fez sua expressão se fechar ainda mais), e finalmente Peik Lum e ela própria. Jasmin puxou a camisola, sem jeito — era estranho que um homem que não era seu irmão nem seu pai a visse com roupa de dormir.

"E quem é você?" O sotaque japonês dele era suave.

"Ela não é ninguém, general. Só uma menina do bairro." Jasmin tinha quase se esquecido de Peik Lum, de tanto que aquele homem baixo chamava sua atenção. O general parecia sugar todo o ar do cômodo e forçá-la a olhar para ele.

"Quantos anos você tem?" Ele ignorou Peik Lum, que estava tremendo.

"Quase oito. Faço aniversário em janeiro."

O general inclinou a cabeça de lado ao ouvir isso. "Quem são seus pais?"

"Eu... eu...", Jasmin começou a gaguejar. O pescoço de Peik Lum ficou tão tenso que dava para ver suas clavículas. Ela balançou a cabeça para Jasmin o mais sutil que pôde.

"Você. Ao trabalho." O general fez um sinal mandando embora Peik Lum, que voltou para trás do balcão. A voz dele se abrandou ligeiramente. O general se apoiou em um joelho para ver melhor o rosto de Jasmin. "Não vou machucar você. Sou o general Fujiwara. Só quero saber quem são seus pais." Ele pronunciou "machucar" como "matchucar".

"Meu pai se chama Gordon", Jasmin começou. O general dispensou essa informação com um gesto como se estivesse espantando uma mosca. "Minha mãe se chama Cecily..."

Ele franziu tanto a testa que Jasmin achou que seu rosto não fosse mais voltar ao normal. "Qual é seu sobrenome?" O general ficou quase sem ar. Atrás dela, Jasmin ouviu Peik Lum respirar fundo. "É Alcantara?", ele perguntou.

Ela confirmou com a cabeça, sem dizer nada. Estava tão perto do general Fujiwara que conseguia fazer o que fazia de melhor: *ver*. Jasmin viu as rugas na testa do homem se suavizarem. Viu os primórdios de um sorriso distanciarem os pelos do bigode ralo, fazendo com que uma migalhinha caísse nos lábios. Viu que ele limpou os beiços, depois enxugou a testa com a mesma mão, embora não estivesse suado. Daí ouviu, antes de ver, a gargalhada estrondosa que se formou na barriga, subiu para o peito e saiu pela boca, fazendo todo o corpo fardado dele se sacudir.

"Procurei por você em toda parte! Venha!" Jasmin notou que ele se levantou com facilidade e sem se apoiar, diferente do pai, que em geral precisava da ajuda de um dos filhos para se pôr de pé.

"Essa menina não é ninguém, general. Não acho que esteja procurando por ela." A voz trêmula de Peik Lum ecoou pela farmácia.

"Está tudo bem. Conheço os pais dela." Ele estendeu a mão para Jasmin, que se encolheu toda. "Vamos, menina, me diga seu nome."

Ele a virou com uma gentileza surpreendente e puxou a etiqueta da camisola, onde a mãe de Jasmin sempre bordava seu nome. Ele leu o que os pontinhos azuis formavam. "Jasmin. Vamos, pequena Jasmin. Prometo que não farei mal a você. Está com fome? Posso pedir ao meu criado que faça o almoço."

Jasmin ficou confusa e se sentia tonta. O general, que poucos minutos antes parecia um homem assustador, tornou-se feito um tio ou um vizinho bondoso oferecendo comida. Ela estava mesmo com fome; não comia desde que tinha sido atirada por Jujube no porão. Fez bico por causa da lembrança amarga. Jasmin não queria ir para casa; preferia ficar longe da família que não a desejava. Seu estômago roncou. Ela pegou a mão do general e ficou surpresa com a maciez. A porta tilintou quando os dois saíram da farmácia.

Lá fora, um carro azul aguardava. Um motorista de quepe preto correu para abrir a porta para o general, então fez uma pergunta com os olhos e, em resposta, recebeu um aceno de cabeça que indicava que devia deixar Jasmin entrar. A menina hesitou. A mãe e a irmã tinham alertado inúmeras vezes para não pegar carona em nenhum tipo de veículo com um desconhecido. Seus pensamentos voltaram ao dia em que soldados tinham batido à porta perguntando por *guniang*. No entanto, ela nunca entrara num carro daqueles. O banco parecia confortável. Fora que o efeito refrescante do unguento estava passando, então o pé direito tinha voltado a doer.

"Venha." O general sorriu para ela de um modo que fez o bigode se curvar comicamente como uma minhoca. Jasmin reprimiu uma risada e entrou. O carro era luxuoso, e ela foi abraçada pelo banco marrom, mais confortável do que seu próprio colchão. Era como se o general não conseguisse parar de olhar para a garotinha. Os dois estavam lado a lado, e Jasmin sentia os olhos dele fitando a lateral do seu rosto. Ela se endireitou para a inspeção. Preferia estar usando alguma outra coisa que não fosse aquela camisola suja, e cruzou os braços sobre o peito. Um vento quente entrava pela janela aberta e batia na cabeça; a sensação era gostosa.

"Por que sua mãe corta seu cabelo assim?" O general apontou para o ponto careca onde a mãe tinha sido descuidada com a tesoura na semana anterior.

Jasmin mal abriu a boca. Não sabia como explicar sobre os homens que iam à casa, sobre como sua mãe a fazia se sentar no balde e usar as roupas de Abel, sobre toda a conversa de adulto em relação a machucar "lá embaixo". Sem esperar a resposta, ele murmurou sozinho: "Que estranho Cecily fazer isso".

"Conhece minha mãe?"

"De certa maneira." Ele olhou pela janela para o pau-rosa birmanês no caminho. Jasmin ficou com a impressão de que ele não queria tocar mais no assunto, portanto também se concentrou na janela. Cinco minutos se passaram sem que nenhum dos dois dissesse algo, porém ela não se sentiu desconfortável. Gostava de pensar que tinha uma boa intuição em relação a adultos e sabia dizer quando eram bonzinhos ou malvados. A mulher da barraca de *pisang goreng*, que vivia revirando os olhos, era malvada. Peik Lum, a atendente da farmácia, era boazinha. Os soldados que batiam à porta da sua casa eram malvados. Havia se equivocado apenas com Jujube, a primeira na lista de bonzinhos desde sempre — de repente, se tornara a mais malvada de todos. Mesmo sendo um pouco frio, o general Fujiwara parecia bonzinho. Satisfeita com sua avaliação, ela afundou no banco.

Uma mão a balançou com cuidado. "Acorde, já chegamos."

"Eu não estava dormindo!", Jasmin gritou. Antes que tivesse tempo de se constranger, o motorista abriu a porta e o general estendeu uma mão para ela, que aceitou e saiu do carro.

Tinham parado diante de uma casa branca bem grande, a maior que Jasmin já tinha visto, superando até a casa das pessoas mais ricas da sua vizinhança, Raja Zain e a esposa, tia Faridah, que ficava a duas ruas de distância. Raja Zain descendia da realeza malaia, e sua residência tinha dois andares e um cachorro grande e bravo, que metia medo em Jasmin. Ela notou que eles subiram uma estradinha longa e sinuosa para chegar à porta, num trecho de gramado verde e bonito. As paredes não ficavam coladas aos vizinhos, nem à esquerda, nem à direita; era uma construção isolada.

"O antigo representante britânico morava aqui. Fiquei com ela quando..." O general Fujiwara não concluiu a frase. "Não importa. Entre." Ele fez um gesto para Jasmin.

Lá dentro, usando as pantufas macias que o general oferecera, Jasmin se apoiou desconfortavelmente num pilar. Ele desapareceu e foi substituído por um criado japonês engomado e todo vestido de branco. O garoto, que parecia ter a idade de Abel, ficou inquieto. Ele fez uma mímica, desenhando um copo com as mãos e o levando aos lábios.

"Água?", Jasmin perguntou.

Ele confirmou e arranjou um copo de metal com água fresca para ela. Então, o criado a conduziu até uma cadeira de vime com as almofadas mais confortáveis em que Jasmin já tinha se sentado. Foi como ser envolvida num abraço macio e fresco. Logo ele reapareceu com uma grande tigela de arroz fumegante onde havia um pedaço de peixe coberto de alho e molho de soja. O aroma da comida se espalhou pelo cômodo e fez a cabeça de Jasmin girar. O criado passou a tigela debaixo do nariz dela. "Você", ele disse, entregando uma colher.

O general chegou do andar de cima quando Jasmin estava na última colherada de arroz e sua língua puxava um grão do lábio superior, sem desperdiçar nadinha da refeição saborosa, coisa que há tempos não provava. O general vestia uma calça larga de cor clara e uma regata que deixava as axilas expostas por ser cavada. Jasmin achou que aquilo o fazia parecer muito menor e mais velho, mais velho até do que o pai — a pessoa mais velha do convívio dela.

"Como conhece minha mãe?" Jasmin estava surpresa que ela tivesse contato com alguém além da família e dos vizinhos, porque desde sempre a mãe tinha medo de sair de casa. Durante as tempestades mais pesadas, quando raios cortavam o céu antes do barulho alto do trovão, o pavor do que estava por vir fazia Jasmin estremecer. Tinha a impressão de que a mãe vivia naquele estado intermediário — trêmula e à espera do trovão.

"Bem", o general disse, com a voz tranquila e gentil que deixava Jasmin igualmente calma. "Sua mãe mudou a mim mesmo e o mundo."

9

JUJUBE

Bintang, Kuala Lumpur
17 de agosto de 1945
Malásia ocupada pelos japoneses

A claridade entrava pelas persianas fechadas da casa de chá. Em geral, Jujube abria o lugar enquanto o sol nascia. No entanto, ela continuava repassando mentalmente o acesso de fúria que teve ao descobrir que Jasmin saía de casa escondida. Um nó de culpa se formou no seu peito. Jujube queria correr de volta para casa, tirar a irmã do porão e abraçá-la. Sabia que Jasmin só suportava poucas horas escondida por dia. Ela tentou se convencer de que abriria o alçapão ao fim do dia e tudo ficaria bem — Jasmin só precisava aprender a lição. A irmã podia ser muito inocente, e Jujube estava dividida entre o desejo de preservar a natureza da irmã e o de ensiná-la a cuidar de si mesma e pôr algum juízo naquela cabecinha. Sabia que a chance de não estar mais presente para a caçula sempre existiria, e a tola Jasmin precisava aprender a confiar menos nas pessoas, ou então... Jujube estremeceu e procurou afastar essa ideia.

Enquanto ela abria as frágeis persianas de madeira, o sr. Takahashi entrou animado. Ele pisou numa poça de sol e lançou uma longa sombra no piso de cimento.

"O senhor chegou cedo hoje!" Jujube notou que o homem não usava a calça cinza e o paletó marrom de sempre. Vestia regata branca, expondo a pele sem músculo dos braços. Ela desviou os olhos.

"Tenho novidades, Jujube! E queria que você fosse a primeira a saber!"

Ela notou que a luz refletia nos olhos dele de uma maneira que não havia ocorrido na semana anterior, uma semana repleta de cartas, uma energia ansiosa e sapatos com pares trocados.

"Sim?"

"Ela está viva! Minha filha não estava na cidade!"

A filha que supostamente tinha sido perdida para a guerra pela qual ambos passavam. A filha, o motivo de Jujube ter empatia por ele e a razão da sua proximidade.

"Ela visitando minha irmã em Osaka!"

A sensação era estranha, como se um vento lento e pesado batesse dentro do estômago dela. Seu cérebro, sempre acelerado e alerta, sabia que devia abrir um sorriso animado, que a boca devia proferir uma sucessão rápida de comentários animados. "Que notícia maravilhosa! Estou muito feliz pelo senhor!"

Jujube não via nem sentia nada — a mancha laranja no chão, onde outra atendente tinha derramado chá de açafrão; a dor no ombro onde o soldado do posto de controle a tinha agarrado na noite anterior; as partes acinzentadas da regata branca do sr. Takahashi, como se houvesse sido lavada em água suja. Ela deveria estar feliz e conseguir sorrir para aquele homem, seu amigo, uma pessoa bondosa cuja filha inocente recebera outra chance na vida, e ambos mereciam isso. Ele alegrava os dias de Jujube com sua literatura e suas ambições para ela, seus cuidados e seus cupons. Quando coisas boas aconteciam com pessoas boas, era seu dever se agarrar a essa pouca alegria, sabendo que talvez aquilo demorasse a acontecer de novo. A raiva que se espalhava pelo corpo de Jujube não deveria existir.

"Jujube! Jujube!"

O grito a tirou dos seus pensamentos. Ela ficou chocada ao ver a mãe parada à porta da casa de chá. A luz forte da manhã que caía sobre as costas da mulher fazia com que o corpo dela não passasse de uma sombra. "Mamãe? O que está fazendo aqui?"

"Sua... sua..." A mãe respirava com tanta dificuldade que perdigotos voaram no rosto da filha. O nariz escorria, e uma bolha de ranho estava quase estourando na narina esquerda. Pela segunda vez naquela manhã, Jujube desviou os olhos da expressão desesperada de um adulto.

"Sua irmã fugiu!", a mãe finalmente conseguiu dizer.

Jujube se surpreendeu consigo mesma. Pensou que uma pessoa normal encheria a mãe de perguntas — *como ela escapou? Você a deixou sair? Aonde ela foi?* Uma pessoa normal começaria a gritar ou chorar, ou ainda expressaria medo e afins. Uma pessoa normal *reagiria*. Jujube, no entanto, sentia-se enraizada no lugar, a cabeça tomada por ondas de algo que parecia subir pelo corpo, passar pelo peito e pela garganta a caminho da cabeça, uma raiva tão forte que quase a cegava, pressionando os ossos do crânio, sem o qual ela sentia que isso teria se espalhado por todo o chão da casa de chá, queimando tudo pela frente.

Ela nem percebeu que tinha fechado os olhos. Quando os abriu, o sr. Takahashi estava consolando sua mãe, soluçando aos prantos no chão do estabelecimento.

"Você precisa ir, Jujube", o sr. Takahashi disse, com a voz marcada pela tristeza. "Eu aviso o gerente que você teve que ir."

Doraisamy apareceu no mesmo instante, vindo da cozinha, e o coração de Jujube se preparou para o pior; ela achou que fosse ser repreendida e ordenada a parar de fazer escândalo e voltar ao trabalho.

"Desculpe, minha irmã... minha mãe acabou de me dizer...", ela gaguejou.

"Vá." Doraisamy a dispensou com um gesto. "Posso cuidar daqui hoje."

A bondade dele a chocou. Ela assentiu em silêncio e pegou a mãe pelo braço, com mais força do que pretendia. Então se virou para encarar o sr. Takahashi e abriu a boca para falar. Contudo, não conseguiu reunir gratidão suficiente para agradecer.

Tudo em que Jujube pensava era que aquelas pessoas — os invasores — eram recompensadas quando ousavam sonhar. O sr. Takahashi teria a filha de volta, e quem pagaria o preço aparentemente era *ela* — através de Jasmin. A dor no peito se espalhava, como um incêndio saindo de controle.

A casa estava abafada quando elas chegaram. Eram cerca de onze horas, e todas as paredes tinham ficado quentes ao toque. Uma fileira de formigas avançava pela bancada da cozinha até a canequinha favorita de Jasmin, feita de ágata verde e estampada com um rosto azul bem redondo. Algumas formigas haviam se afogado no leite maltado abandonado. Antes que Jujube pudesse jogar a bebida fora, a mãe desceu a mão como uma faca sobre a bancada, derrubando tudo no chão: uma espátula, uma garrafa de óleo, o wok, uma foto de família emoldurada, o leite maltado e as formigas. Os objetos foram ao chão numa cacofonia: o wok clangorou, a espátula retiniu, a garrafa aterrissou suavemente, sem fazer muito barulho; porém o óleo amarelo se espalhou por toda a parte, o porta-retratos se quebrou com um *crack* e a caneca verde se esvaziou, obrigando as formiguinhas a correrem atrás de abrigo entre líquidos e pés humanos. A caneca quicou umas duas vezes e parou aos pés de Jujube, como uma oferenda.

"Pare, mãe, a senhora está fazendo a maior bagunça", Jujube pediu, pisando em cima do leite maltado grudento e do óleo rançoso e escorregadio que já começavam a se solidificar sobre o piso de cimento.

"Eu fiz isso", a mãe murmurou.

"Não, mãe." Jujube levou o punho cerrado ao peito. Não era culpa da mãe, e sim dela. Tinha obrigado Jasmin a fugir, assustando-a de tal maneira que a irmã concluiu que essa era sua única opção. Jujube tentou abrir caminho até onde a mãe se encontrava de cócoras, os pés bem apoiados no chão, a cabeça enterrada nas mãos. Ela respirava pesada e freneticamente. Nem parecia sentir as formiguinhas pretas que usavam seus pés como passarela para escapar da bagunça.

"Vou chamar o papai na fábrica." Alguém precisava assumir o controle da situação.

Por um momento, a mãe parou de arquejar em pânico e disse: "Ele me deve uma. Ele há de saber".

"Quem sabe, mãe? Quem?"

A mulher ficou em silêncio, retorcendo tanto os dedos da mão esquerda que a filha achou que fossem quebrar. Jujube se agachou e engatinhou no óleo até a mãe, ciente de que, se não desse um jeito de chegar até ela, as coisas só iam piorar.

Diferente das outras mães eurasiáticas, a de Jujube nunca tinha se preocupado com a aparência da filha, com suas perspectivas de casamento ou com qualquer habilidade que atraísse pretendentes. Quando arranjou o trabalho na casa de chá, Jujube chegou a pensar que teria dificuldade de convencer a mãe de que precisavam do dinheiro. Entretanto, a mãe a surpreendera abrindo um raro sorriso e parecendo quase orgulhosa.

Mesmo assim, por um longo tempo, a mãe de Jujube continuou demonstrando uma ansiedade e um nervosismo que contaminava qualquer cômodo em que entrasse. Ela estava sempre retorcendo as mãos e franzindo a testa. Jujube sabia que a mãe não fora sempre tensa. Tinha idade suficiente para se lembrar de uma época em que a mãe sorria com vontade e jogava a cabeça para trás ao dar risada. No entanto, as vagas recordações possuíam bordas esfarrapadas, como um sapato que deixa na parede uma pegada, mas não uma marca. Jujube se lembrava de ir para seu esconderijo preferido, a fossa sob a janela da cozinha, e de lá ouvir a voz de um homem desconhecido e — o mais surpreendente — uma risada forte, sincera e familiar, porque era da mãe, e igualmente incomum, porque a mãe não costumava gargalhar daquele jeito. Jujube se lembrava de ter apelidado o homem de "tio Pasta de Dente", já que o cheiro dele era igual a hálito fresco. Ela o tinha visto uma vez, do lado de fora do armazém chinês. Reconheceu o aroma de hortelã de quando ficava escondida debaixo da janela e se deparou com um homem baixo de feições suaves olhando para elas. A mãe também devia ter notado, porque sua mão segurou mais forte a dela e ficou úmida e desagradável; ela fechou os olhos por um momento e produziu um ruído gutural com sua inspiração curta. Depois abriu os olhos e puxou Jujube para dentro do armazém, passando pelo tio Pasta de Dente como se nem o conhecesse.

Quando Jujube cresceu, tio Pasta de Dente se tornou um personagem das muitas histórias que ela contava a Jasmin à noite, quando as duas se deitavam juntas, olhando para a lua. Tio Pasta de Dente vai ajudar se os soldados vierem, tio Pasta de Dente vai trazer Abel de volta, tio Pasta de Dente vai acabar com a tosse do papai.

"Qual é a cara do tio Pasta de Dente?", Jasmin perguntou um dia, sentada no colo de Jujube e piscando os olhos grandes para ela. Por mais que se esforçasse, Jujube não se lembrava de nenhum traço do rosto do homem. Só do cheiro de hortelã, que fazia cócegas no fundo do seu nariz.

10
CECILY

Bintang, Kuala Lumpur
1936
Malásia ocupada pelos britânicos

Cecily era uma mulher que gostava de classificações e encontrava consolo na ordem. Mesmo sua vida dupla — de dona de casa e espiã — demandava caixas organizadas que podia abrir e fechar de acordo com as circunstâncias. Na maior parte dos dias, Cecily desempenhava o papel de esposa genérica e esquecível de um administrador local — tolerada, deixada quieta e indigna de nota. Era uma mãe impecável, dava-se bem com as outras mães, fofocava sobre pequenos escândalos na vizinhança, alimentava e vestia as crianças, lia para elas. Gordon costumava descrevê-la como tudo o que alguém precisava em uma esposa e em uma mãe, uma mulher que antecipava necessidades e as atendia, que levava uma vida comum, quase feliz.

Como informante do Exército Imperial Japonês, Cecily era aplicada na medida certa — sabia distinguir quais informações eram importantes, tinha um talento especial para entrar e sair das reuniões de Gordon e entreouvir o bastante para juntar as peças com Fujiwara. Era mesmo como um grande quebra-cabeças com peças espalhadas aqui e ali: um pedaço de uma anotação, um mapa rasgado, o fim de uma conversa murmurada. Quando ela e Fujiwara transformavam dados soltos em um relatório tangível para seus superiores, Cecily se sentia muito poderosa, capaz de fazer qualquer coisa no mundo.

A propensão à ordem significava que ela não era do tipo que desfrutava do anseio, e sim do tipo que se incomodava com a falta de rigidez. Algumas vezes, seu desejo por Fujiwara era esperançoso — nos dias em que ele sorria, nos dias em que dizia que tudo estava dando certo, nos dias em que desvendavam um mistério especialmente difícil.

Contudo, em outros dias, o desejo se transformava em pânico, como se cada coisa dependesse de Cecily ter ou não a aprovação dele, sem a qual ela não conseguiria funcionar. Em determinado momento de pânico, ela tinha beijado o pequeno trecho de pele acima do lábio superior de Fujiwara e do bigode ralo que ele vinha tentando deixar com o intuito de parecer mais nobre. Quando os lábios dela o tocaram, Fujiwara se manteve completamente imóvel, sem se inclinar nem recuar. Quando ela se afastou, sentindo gosto de sal e o cheiro de hortelã, ele só a olhou e disse: "Obrigado". Então continuaram decifrando o mapa de pântanos que tinham em mãos, como se ela tivesse simplesmente entregado um dossiê ou o cumprimentado.

Cecily descarregava aquele desejo em Gordon, para deleite do marido. "Você me deixa exausto", ele disse depois de uma noite particularmente vigorosa, à vista de lençóis cobertos de suor e da janela aberta, permitindo que uma brisa tépida entrasse. "Devo ser o homem mais sortudo do mundo." Cecily cerrou o maxilar insatisfeita e franziu a testa na escuridão.

No início de 1936, quando os ventos das monções começaram a transição de nordeste para sudoeste, o incêndio no porto era o assunto da cidade. Apenas cerca de dois meses haviam se passado desde o jantar na casa do representante britânico. Naquela manhã, o jornal chegou com a manchete em letras maiúsculas raivosas:

PORTO LEWISHAM ATINGIDO POR INCÊNDIO DE POSSÍVEL NATUREZA CRIMINOSA

Na noite anterior, todo mundo na vizinhança tinha saído às ruas para observar as chamas laranja se estenderem no céu noturno, como se tentassem tocar a lua. Para Cecily, o ar cheirava não só a cinzas, mas a vitória. O jornal falava sobre o duro golpe que isso representava para a Força Aérea britânica e o número de aviões que haviam sido perdidos, além de mencionar que apenas alguém *de dentro* poderia saber que o porto fora designado para o reparo de aeronaves militares. Um *informante*.

Ela viu fotos dos resquícios carbonizados das estruturas do hangar, feito um esqueleto trêmulo, com a água enlameada do rio ao fundo. Cecily pressionou as mãos sobre o jornal, manchando os dedos. Ela limpou com saliva quando Gordon não estava olhando. Tinha gosto de hóstia, ou seja, de nada. Os lábios se mantiveram numa linha fina e rígida, formando uma expressão séria e preocupada, porém sentiu internamente um calor provocado pelo próprio sucesso e pelo impacto direto que suas atividades causaram na façanha japonesa. Mais tarde, no armazém chinês, ela deixou uma folha de caderno com as informações recém-adquiridas: notas de Gordon sobre a vegetação em volta de um córrego próximo. No canto do papel amassado, Cecily rabiscou:

Extasiada. E agora?

Nas duas semanas seguintes, Bintang ficou mergulhada na agitação e na incansável especulação. Por toda a volta, homens eram levados a interrogatório pelos britânicos, que tentavam desesperadamente descobrir o informante. Boatos circulavam na vizinhança, as pessoas cochichavam por cima das cercas, maridos não voltavam para casa à noite, esposas desesperadas saíam batendo de porta em porta para implorar aos vizinhos por notícias. No entanto, as portas eram batidas na cara delas, porque ninguém queria ser visto de conluio com a esposa de um possível traidor.

A empolgação inicial de Cecily passou rápido. Gordon voltava todo dia com as sobrancelhas franzidas e rugas de preocupação. Ela o enchia de perguntas — *Quem estava sendo levado para interrogatório? De onde suspeitavam que vinha o vazamento? Como saberiam quando encontrassem o informante? Como tiravam informações das pessoas?* Gordon era paciente. Não tinha muitas respostas, mas fazia o seu melhor: *hoje interrogaram Lingam; é difícil apontar a origem do vazamento, porque não deram falta de nenhum documento, só há evidências de que áreas específicas de grande importância do porto foram atingidas pelo fogo; acham que só vão saber quem é o informante quando o pegarem.* Quando Cecily insistia em *como* conseguiriam arrancar o veredicto dos homens, uma sombra recaiu sobre o rosto dele. "Há maneiras. Nem queira saber."

Mas Cecily queria saber, sim. Na ausência de notícias, seu sono era povoado por fantasias de tortura, homens sem rosto batendo nela, enquanto seus filhos assistiam e gritavam, até que quase perdesse a vida. Ela começou a se preocupar com o fato de que havia maneiras ilimitadas de morrer.

"Gordon", Cecily perguntou uma noite, depois de pôr as crianças na cama, "você acha que seria melhor morrer enforcado ou afogado?" Ela se arrependeu no mesmo instante, quando o maxilar do marido começou a tremer e seus olhos ficaram úmidos e brilhantes. "Desculpe. Só estou com medo."

Ele a abraçou. "Não corremos risco", Gordon murmurou no cabelo dela. "Nunca dei nenhum motivo para que duvidassem da minha lealdade."

Cecily sabia que deveria se sentir culpada porque o pobre e ignorante Gordon se esforçava tanto para reconfortá-la e protegê-la do pior. No entanto, o desprezo eriçava seus pelos, e a sua pele queimava de aversão. Fujiwara nunca agiria dessa maneira, nunca tinha demonstrado uma fraqueza assim.

Porém, onde Fujiwara poderia estar? Ela tinha passado os primeiros quinze dias depois do incêndio aguardando por um sinal dele, por instruções, mesmo que fossem para não fazer nada. Os dois nunca tinham ficado tanto tempo sem se comunicar nos dois anos em que Cecily vinha trabalhando como informante. Ela se sobressaltava com qualquer ruído, revirava cada canto da cidade atrás de uma pista de Fujiwara. Porém, não tinha como encontrá-lo. Era sempre ele que entrava em contato, que dizia o que fazer, onde iam se ver. Sem aquela âncora, Cecily ficou perdida. Como era repugnante depender de um homem dessa maneira! O silêncio de Fujiwara a lançara numa espiral de sentimentos confusos — às vezes raiva, às vezes vergonha, às vezes medo. Emoções incômodas se instalaram feito uma pedra dura na base do seu estômago, que fazia com que tudo — comer, cagar, dormir, existir — demandasse um esforço gigantesco. Cecily precisava de cada grama da sua energia para manter a normalidade: dar comida aos filhos, recepcionar o marido, ir ao mercado, fofocar com as outras esposas, cumprimentar as pessoas na rua, fazer o jantar e aparentar simplicidade, tudo isso enquanto o corpo clamava por um homem que supostamente a tinha abandonado quando ela mais precisava dele.

Depois de uma série de tentativas fracassadas, o governo britânico começou a concentrar esforços na população chinesa, convencido de que Zhou Enlai tinha infiltrado agentes comunistas nos seus escalões. O *kapitan* Yap, marido da sra. Yap, era o principal suspeito; não demorou muito para que os líderes dos clãs rivais entregassem onde ele estava escondido: na casa de uma nora viúva. Os oficiais britânicos encarregados de prendê-lo passaram uma corrente no seu pescoço e o jogaram num caminhão. *Kapitan* Yap nunca mais foi visto.

Essa prisão deu início a uma onda de violência em Bintang. Com o chefão fora do caminho, os clãs chineses começaram a lutar entre si para que os próprios líderes assumissem seu lugar, e assim começaram os boatos de guerra civil. A sra. Lingam, cujo marido, Arun Lingam, era supervisor de plantações de palmeiras e seringueiras para o extrativismo, ficou furiosa com os ingleses. "Somos os únicos suspeitos! E quanto aos próprios *gweilo*? Eles não desconfiam da sua gente?"

Nos dias seguintes à prisão, as esposas se reuniram na casa da sra. Yap para demonstrar apoio, murmurar palavras de consolo e levar chá quente. Cecily sempre tinha odiado falsas demonstrações de preocupação, quando na verdade ninguém se importava. Todas apenas buscavam informações, cavoucando pequenas pepitas que poderiam discutir entre si depois, pedras preciosas a serem exibidas para os maridos — por mais que fingissem não dar importância às fofocas da vizinhança, eles também queriam saber de tudo.

Quase catatônica, a sra. Yap se balançava para a frente e para trás no chão, com o rosto inchado e bulboso, uma visão digna de pena. De certa forma, todo amor era uma humilhação, supunha Cecily. Todo amor envolvia alguém tendo a alma estilhaçada em pedacinhos e oferecendo esses pedacinhos como um quebra-cabeça a outra pessoa, como se pedisse ajuda para se reconstruir. Sentada no círculo de mulheres falando de maneira amorosa e se alvoroçando, Cecily avaliava a parte de trás da cabeça da sra. Yap. Em geral, a mulher usava o cabelo dividido no meio e preso num coque alto. Naquele dia, no entanto, a risca estava toda torta e entrecortada, e os fios se rebelavam como cobras raivosas.

"Quer que eu pegue algo para você?", Cecily sussurrou para a sra. Yap, embora não esperasse uma resposta.

"Tire-me daqui", ela também sussurrou. O hálito da sra. Yap não cheirava mais a cebola e leite; estava amargo e pungente, como o de alguém que não fazia gargarejo havia dias.

Cecily sabia que deveria se sentir culpada diante daquela família destroçada por seu crime. Ainda assim, não sentia nada pela sra. Yap; tudo o que sentia era por Fujiwara. A parte mais humilhante daquilo: Fujiwara a tinha transformado, e como havia tornado uma centelha de Cecily em algo de que ela se orgulhava, também tinha deixado nela algo de si próprio. Fujiwara ofereceu uma versão maior e mais vívida dela mesma, e, depois que experimentou ser uma nova pessoa, Cecily queria mais, muito mais.

"Vou pegar um pouco de água para você", ela disse à sra. Yap, então se levantou, seguiu em direção à cozinha e abriu a porta para sair sem olhar para trás.

11
ABEL

Campo de trabalho de Kanchanaburi, na fronteira entre Birmânia e Tailândia
18 de agosto de 1945
Malásia ocupada pelos japoneses

Os olhos de Abel se abriram. Era manhã outra vez, seu terceiro dia no galinheiro. Parecia a repetição do mesmo dia; ele era recebido logo cedo pelo olhar raivoso da galinha marrom, que odiava seu espaço sendo ocupado. Na noite anterior, Abel e o irmão Luke tinham se mantido em cantos opostos do galinheiro e olhado feio um para o outro na escuridão. Abel chegou a pensar em se arrastar até o outro homem e bater a cabeça dele contra o chão até desfigurá-lo — afinal de contas, era o responsável por tê-lo vendido para aquela vida terrível. Porém, ele não achava que ganharia no braço, estando acabado daquele jeito. O irmão Luke não demonstrou reconhecê-lo, o que deixou Abel ainda mais furioso; a quantas pessoas fizera aquilo? Quantos meninos mais tirara da família e vendera aos japoneses? E a troco de quê? Apesar disso, estavam presos no mesmo galinheiro.

A porta foi aberta. O menino e o homem se encolheram nos seus cantos, preparando-se para o pior.

"Branquelo!", o supervisor Akiro gritou, abaixando a cabeça e a enfiando no galinheiro.

Abel notou que os ombros do irmão Luke relaxaram de alívio, ao que o garoto cerrou os punhos de tanta raiva. Não era justo.

"Gosta disso? Quer isso?" O supervisor Akiro abriu um frasco de bebida e jogou o líquido no chão. A doçura inconfundível do vinho de palma chegou a Abel, apesar da umidade e do cheiro de cocô de galinha. Ele queria apertar a mandíbula e desviar o rosto, ser firme contra aquele homem que o tinha transformado num saco de ossos quebrados, o homem que horas antes... não, ele nem queria pensar no que havia acontecido. No entanto, o corpo de Abel o traiu; seu desejo pela bebida era tanto que ele se viu cheirando o ar, como um animal raivoso, e engatinhou em direção à porta, a Akiro e ao vinho de palma. Abel precisava sentir a queimação descer pelo esôfago, queria que o calor se espalhasse pelos nervos, que gritavam por causa dos cortes, hematomas, mordidas e fraturas, desejava beber até que a gritaria na própria cabeça se tornasse um zumbido constante, envolvendo-o tal qual um cobertor.

"Ah, não." O supervisor Akiro se esquivou e tampou o frasco. "Nada de graça, branquelo." Akiro procurou algo no chão e jogou na direção de Abel, como se atirasse comida em um curral. O objeto foi ao chão com um baque alto. Todas as galinhas, exceto o galo morto, cacarejaram, bateram as asas e se recolheram indignadas nos cantos. Um vergalhão fino e comprido havia sido lançado pelo supervisor Akiro. Abel tinha tocado, carregado e descarregado vergalhões muitas vezes antes, como parte do trabalho que ele e os outros meninos realizavam na construção da ferrovia.

Quando olhou para cima, Abel ficou surpreso ao se deparar com uma pequena multidão reunida na porta e em volta do galinheiro, tanto de soldados japoneses como de companheiros de campo. Todos se amontoavam e se empurravam para enxergar melhor. Abel passou os olhos pela multidão. Ah Lam estava lá, assim como Azlan e Rama. Então viu Freddie ligeiramente afastado como sempre, seus olhos azuis estreitados se fixavam no irmão Luke. Abel abriu a boca para perguntar o que se esperava que fizesse com o vergalhão, porém saiu apenas um engasgo. O supervisor Akiro soltou uma risada cruel.

"Você mata, eu dou bebida. E deixo sair."

Os meninos e os soldados rugiram: "Briga, briga, briga!".

Àquela altura, o irmão Luke estava gritando: "Não, por favor, menino, não".

O mundo é cruel, Abel pensou. Ele tinha aos seus pés o instrumento para fazer o que queria — matar o homem que destruiu sua vida, o vendeu como escravo, tirou dele tudo o que amava. Contudo, seria obrigado a fazê-lo por esporte, para o entretenimento de todos à sua volta, com seu corpo estuprado e sob os olhares do supervisor Akiro. Abel sabia que devia sentir culpa, medo, alguma coisa — mas só restava uma exaustão esmagadora. Ele se perguntou se sequer teria forças para pegar o vergalhão.

"Vamos, branquelo, ou continua aí. E *ele* mata você." O supervisor Akiro apontou para o irmão Luke, que se afastava de cócoras. O menino olhou ao redor para os rostos tão próximos do cercado, de meninos e homens, todos batendo os pés e fazendo tanto barulho que o chão chegava a tremer. A galinha marrom cacarejava e batia as asas de medo. A cada tremor, o corpo do galo morto pulava, e Abel desejou que pudessem trocar de lugar, que fosse *ele* apodrecendo no canto, em vez de estar com a vida de uma pessoa que odiava nas mãos.

"Abel, você tem que fazer isso." A voz estava atrás dele, mais além da cerca. Era Freddie, que chegou o mais próximo possível. Olhava sem piscar, com uma calma perturbadora em meio ao caos.

Abel se deu conta de que a absolvição poderia vir de diferentes formas. O irmão Luke tinha ensinado aos alunos da escola que isso só vinha de Deus. Porém, onde estava Deus quando Akiro o rasgara por dentro, onde estava Deus quando o irmão Luke vendera meninos para salvar a própria pele, onde estava Deus quando suas opções eram matar alguém ou enfrentar um destino pior do que a morte? Freddie, um garoto magrelo de catorze anos, que viveu muitas vidas antes daquele momento, oferecia um caminho a Abel. Ele faria aquilo por Freddie. Afinal de contas, o irmão Luke tirou tudo de Freddie também.

Abel se levantou, mantendo os joelhos dobrados e os ombros curvados para não bater a cabeça no alto do galinheiro. Ele viu a própria sombra balançando o vergalhão e aplicando toda a força nos braços. A silhueta ergueu a arma, depois bateu com tudo nos dentes do irmão Luke.

"Alguém vomitou." A vista de Abel estava embaçada. O cheiro amargo de bile atacava seu nariz.

"Senta. Não consigo te levantar." A voz de Freddie cortou a névoa. Abel sentiu um ombro contra suas costas, forçando-o a se sentar. Tentou se endireitar e sentiu náuseas imediatamente; uma onda ameaçava sair pela boca. Pelo visto, quem vomitara fora ele.

"Abe! Você tem que sentar ou vai engasgar."

"O que aconteceu?" Era como se alguém tivesse recheado sua cabeça de algodão.

"Se apoia na parede." Freddie empurrou o ombro esquerdo do amigo na direção do que ele percebeu que era a fachada do alojamento. Devia ser o meio da tarde, a julgar pelo sol torto e o ângulo da sua sombra. "Você bebeu demais daquele troço de uma vez só."

Lampejos da manhã retornaram. O estampido do vergalhão contra a boca do irmão Luke, um dente voando e se cravando no braço de Abel. Os vivas que se espalharam pelo campo quando o irmão Luke, com o rosto todo ensanguentado, rolara de bruços e tentara fugir se arrastando. Por instinto, Abel olhou para o braço. O dente não estava mais ali, porém no lugar havia uma marca de sangue e uma bola de pus na ferida infeccionada. O segundo estampido, quando Abel bateu com o vergalhão já vermelho nas costas do oponente, que ficou se contorcendo lá, Abel sem saber ao certo se ele estava vivo ou não, o cheiro generalizado de ferrugem, as galinhas cacarejando, o ar pungente fedendo a suor e morte. Ele mancando na direção do supervisor Akiro e pegando o frasco, depois bebendo, bebendo e bebendo, a queimação descendo até o estômago vazio, a cabeça girando, o sol o encontrando não importava o quanto Abel tentasse proteger a cabeça, e por fim alívio e escuridão.

Abel apoiou os ombros na parede. A pedra estava dolorosamente quente, por causa do sol, porém ele mal sentia a pele escaldando, porque ainda estava sob o efeito do álcool. Algo cutucou suas costas, queimando, enquanto ele tentava se segurar de pé, desajeitado. Abel olhou para baixo e viu que era o vergalhão; a ponta havia adquirido um tom de ferrugem profundo, de sangue seco. O meio tinha entortado pelo impacto.

"Ele...?"

"Levaram o irmão Luke para as valas." *As valas.* Os buracos profundos onde os japoneses empilhavam os corpos dos meninos mortos e, quando lotados, tapavam com terra quando as carcaças já apodreciam ao sol.

"Obrigado", Freddie disse tão baixo que Abel mal conseguiu ouvi-lo, com todo o algodão na sua cabeça.

"Pelo quê?", Abel perguntou.

Ao afastar o vergalhão para que não cutucasse as costas de Abel, Freddie gritou quando seus dedos tocaram o metal quente. Ele conseguiu jogar o instrumento na direção das árvores. Abel ouviu o barulho das folhas farfalhando e o baque do metal caindo nos arbustos e sumindo de vista.

"Só estou agradecendo." Freddie encarou Abel pela primeira vez desde que o companheiro tinha acordado, e seus olhos estavam azuis como o céu. "Agora vamos ver se você se segura de pé."

Depois de matar um homem, os dias e as noites do responsável começam a se misturar. Cada novo dia era pontuado por longos períodos em que a mente de Abel repassava o barulho que o metal fez ao atingir os dentes do irmão Luke. Pus e sangue escorriam da ferida no braço onde o dente se cravara. Toda vez que começava a formar casquinha, Abel cutucava. Não havia cura para os assassinos, não havia cura para ele.

No entanto, a rotina no campo seguia. Durante o dia, Abel realizava o mesmo trabalho árduo de sempre. Os trilhos do trem — linhas uniformes de madeira e metal — estavam quase prontos. À noite, porém, havia algo de novo no ar, um desespero que os meninos não sabiam pôr em palavras. Rama, mais fluente em japonês do que a maioria ali, entreouvira os soldados falando sobre cidades japonesas que haviam sido bombardeadas, sobre os soldados americanos e sobre capitulação. Com o passar do tempo, eles eram supervisionados por menos soldados. Eles perceberam que os japoneses estavam desertando, partindo durante a noite, reclamando que não adiantava de mais nada construir uma ferrovia ligando Rangum e Bangcoc se não existia mais suprimentos para transportar. Os remanescentes se mostravam ao mesmo tempo mais cruéis e mais complacentes — chutavam e espancavam os garotos com mais frequência, por tédio, porém tinham menor interesse em monitorar seu trabalho. O supervisor Akiro era um dos que ficaram, mas seu rosto estava macilento, e já não ligava tanto para Abel nem Freddie. Akiro passava o dia todo grudado no seu radinho, ouvindo as notícias em japonês em meio à estática.

As noites ficaram mais animadas, e os japoneses não pareceram se importar. Os meninos se espremiam nos alojamentos, com uma intimidade curiosa. O que mais tinham no campo senão uns aos outros? Pernas sobre pernas, braços sobre braços, pés sujos enfiados sob corpos, axilas suadas apoiadas em ombros e pescoços, a proximidade e o cheiro de suor eram quase um conforto, além de um lembrete: *estou vivo, ainda estou aqui*.

Algo novo e raro acabou surgindo nessas reuniões — pequenos momentos de alegria. As noites abafadas se encheram de música, à medida que os meninos cozinhavam e bebiam nos alojamentos. Notas de harmonia subiam no ar como calor. Descobriu-se que Rama sabia cantar, tirando doces e potentes melodias da barriga, canções antigas do folclore malaio, mas também Jimmie Davis, Cliff Edwards, Frank Sinatra. Com dedos compridos e hábeis, Azlan construiu um acordeão improvisado a partir de madeira descartada que encontraram no campo. Os dois cantavam e tocavam, e os outros os acompanhavam, em diferentes graus de talento. Às vezes, quando criavam coragem, entoavam "Der Fuehrer's Face", trocando "fuehrer" por "imperador", e se sentiam muito ousados.

A preferida de Freddie era "When You Wish Upon a Star", uma canção inocente sobre sonhadores e esperança, melosa demais para o gosto de Abel. Freddie, que nunca cantava em voz alta, ganhava vida nessa música, articulando a letra em silêncio e com vontade, seus olhos azuis iluminados e tão determinados que faziam Abel pensar que talvez, *talvez*, eles sobrevivessem.

Certa noite, depois de uma interpretação especialmente ovacionada desse número, Freddie se virou para Abel. "Somos nós, Abe. Depois de tudo isso" — ele apontou para o campo —, "podemos ser os sonhadores."

"E com o que sonharíamos?", Abel desdenhou. "Como sonharíamos com algo além desse campo idiota? Aqui, onde vamos morrer de fome, onde vamos simplesmente morrer?"

"Não acho que ter esperança seja ruim, Abe", Freddie disse, baixo.

"Por que você gosta tanto dessa música?" Abel ficou bravo. Às vezes a bebida o deixava irritado.

"Detesto falar com você quando está assim." Freddie afastou os ombros de Abel.

Distraídos com os próprios problemas, os soldados japoneses tinham passado a ser muito mais descuidados com a bebida. Andavam largando garrafas por terminar, permitindo que o vinho de palma evaporasse ao sol. Abel virava tudo o que encontrava. Às vezes, conseguia roubar vidros quase inteiros do lado de fora da casinha onde os soldados estavam mijando. Era um novo tipo de país das maravilhas: poder existir no espaço líquido em que nada doía, tudo boiava, e ele não precisava recordar o barulho terrível do vergalhão ao atingir os dentes do irmão Luke, ou a poça de sangue que se formou aos seus pés.

"Queria que você parasse de beber."

"Qual é o seu problema?" Abel surpreendeu a si mesmo ao agarrar o braço de Freddie com tanta força que resultou numa pontada de dor na ferida ainda inflamada.

"Pare com isso", Freddie disse em um tom duro, puxando o braço de volta.

"Desculpe", Abel sentiu a língua grande demais na boca e os olhos lacrimejarem. Ele desviou o rosto. Queria poder parar, queria que seu corpo não começasse a tremer e suar quando passava mais do que algumas horas sem um gole. Ultimamente, Abel andava com dificuldade de controlar os próprios olhos. Talvez fosse a bebida, talvez fosse o esforço necessário para não ficar se remoendo, mas quando ele se chateava vinham as lágrimas, o que era tão vergonhoso que precisava se afastar para que os outros meninos não vissem. Ele correu descalço para fora do alojamento, sentindo o chão macio, enlameado e fresco nas solas. Cambaleava um pouco; a meia garrafa que roubara mais cedo, atrás da casinha, finalmente estava fazendo efeito, lavando tudo dentro dele. As vozes na sua cabeça se aquietaram e os sons da noite — os grilos e as risadas — se tornaram mais agradáveis. Abel seguiu pelo caminho dos fundos do alojamento, passando pelas obras, pelas pilhas de madeira e metal e pelos trilhos quase prontos.

Mesmo que pudesse usar um entorpecente para esquecer o fatídico barulho que o vergalhão produzira ao atingir o corpo do irmão Luke, não havia nada a ser feito quanto à estranha maneira como suas horas se perdiam. Aquela noite, por exemplo. Abel se lembrava de ter deixado a cantoria fanha dos amigos e o suor feliz dos seus corpos. Lembrava-se do cansaço e da corrida desajeitada ter passado a uma caminhada. Lembrava-se do arrependimento por ter perdido o controle com Freddie, lembrava-se de pensar que deveria pedir desculpas. Depois só se lembrava de estar no galinheiro outra vez, horas depois, se balançando para a frente e para trás, ao lado do amigo. Há quanto tempo estava ali? *Por que* estava ali?

"Vamos, Abel. Você voltou para cá de novo. Temos que ir."

O que Freddie queria dizer com "de novo"?

"Quando foi a última vez que vim para cá?"

"Você volta toda noite, Abel."

"Não sei por quê. Eu só... Desde que..." As palavras se acumulavam na sua garganta.

"Desde que Akiro pôs você aqui. Eu sei."

Abel sentiu o estômago se revirar e uma onda de vergonha e desespero tão fortes que era como se estivesse se afogando. Freddie sabia o que o supervisor Akiro tinha feito? Ele estremeceu ao recordar o barulho da fivela do cinto caindo na terra, os mosquitos zumbindo e o brilho do pôr do sol.

"Por causa do irmão Luke." A voz de Freddie, suave e baixa, falhou um pouco. "Sei que você não queria fazer aquilo."

O alívio fez o ar sair por entre os dentes cerrados de Abel. Freddie não sabia de Akiro, o que era uma bênção mínima, mas ainda assim uma bênção. Havia um limite do número de humilhações com que Abel podia lidar.

"Você vem me buscar toda noite, Freddie?"

"Sempre."

12
CECILY

Bintang, Kuala Lumpur
1936
Malásia ocupada pelos britânicos

Por volta de maio de 1936, o mês mais quente do ano, tia Mui, que tocava com o marido o armazém Chong Sin Kee, passou a dizer a quem estivesse disposto a ouvir que Cecily Alcantara estava perdendo a cabeça. Ela comentou com a Puan Azreen, que trabalhava na escola secundária, que a sra. Alcantara parecia mais desgrenhada a cada dia, que o cabelo vivia oleoso porque a mulher não o lavava. E comentou com a sra. Chua, do armarinho, que a sra. Alcantara ia a sua loja duas vezes ao dia, às vezes três, só para perambular e fingir comprar sorvete — e todo mundo sabia que, se seus filhos comessem todo o sorvete que ela fingia comprar, os dentes deles estariam estragados.

De fato, às vezes Cecily sentia mesmo que estava perdendo a cabeça. Dia após dia, ela esperava que alguém aparecesse — policiais, soldados, membros do serviço de inteligência britânico — para levá-la embora. Sobressaltava-se sempre que uma porta batia dentro de casa e encolhia-se quando os filhos puxavam sua saia. Eles queriam que a mãe contasse histórias antes de dormir, mas Cecily percebeu que não tinha como impedir que a voz tremesse, por isso parou de ler. Ela se recusava a sair de casa, exceto para ir ao armazém, onde enfiava a mão inutilmente no esconderijo que usava para se corresponder com Fujiwara, sempre com o coração acelerado de ansiedade, muito embora nunca encontrasse nada lá. Pensava no que diria para Gordon quando ele visse os policiais a prendendo: "Desculpe, você não merecia isso, cuide das crianças". Repassava mentalmente todo tipo de cenário — alguém encontraria a carta dela para Fujiwara, a teria visto falando com ele e juntado as peças, ou, a pior opção, Fujiwara seria pego e a entregaria. Cecily vivia numa névoa de desespero e agonia, sem saber que dia da semana era e sentindo o buraco no estômago se abrir cada vez mais.

"É vergonhoso que ela não se cuide!", Puan Azreen disse a tia Mui, inclinando-se por cima do balcão do armazém chinês.

"Pelo menos fiquei sabendo que a filha é muito capaz e vai andando sozinha para a escola", disse a sra. Tan, juntando-se à conversa.

"O que será que o marido acha disso? Lembram quando ela desmaiou na festa?", disse a sra. Faridah Mansor, que era bem de vida. As outras duas, por sua vez, balançaram a cabeça. Não eram casadas com homens importantes o bastante para ter sido convidadas.

"Ouvi dizer que as eurasiáticas são muito instáveis, por causa da mistura de sangue", disse a sra. Lingam, especialmente amarga. No entanto, ninguém lhe deu ouvidos porque no passado ela pretendera se casar com um homem eurasiático, para ter filhos mestiços, mas nenhum a quisera.

Ninguém nunca foi buscar Cecily. Ouviram falar que o *kapitan* Yap tinha sido executado. Diziam que a sra. Yap tinha feito as malas e ido embora discretamente durante a noite, sem deixar um bilhete ou um endereço de contato. Devia ter voltado para a casa da mãe, em Ipo; ninguém esperava ouvir falar dela outra vez.

"Já vai tarde", disse a sra. Low. "Ela falava alto demais."

"Não vou sentir saudade daquela mulher grosseira", disse Lady Lewisham, esposa do representante britânico.

Quando tudo acabou, as pessoas logo se esqueceram do medo e do ressentimento em relação aos britânicos que tinham revirado suas casas em busca do traidor e retornaram às trivialidades do dia a dia — o preço dos hortifrúti, o casamento improvável entre a filha do açougueiro e o filho do diretor da escola, a escandalosa abdicação do rei britânico Eduardo VIII em virtude "da americana", como Gordon dizia, porque não conseguia pronunciar o nome de Wallis Simpson sem fazer careta.

À sua maneira, Gordon se preocupava com Cecily. Por algumas semanas, ele ficou indo e voltando de bicicleta do escritório durante o dia, fazendo um intervalo no meio da manhã, tirando uma hora inteira de almoço, só para verificar como ela estava. Ele se alternava entre implorar e ficar furioso.

"Cecily, diga o que está acontecendo, por favor", pediu quando ela se encolheu diante do seu toque. "Histeria é um mal de família?" Outra vez, ele gritou tão alto que a sra. Carvalho enfiou a cabeça por cima da cerca para gritar também: "Pare com isso! Você não está sendo uma boa esposa!". Na maior parte dos dias, ele insistia: "Volte para nós. Precisamos de você".

Cecily, em contrapartida, precisava de Fujiwara. Não havia um interruptor que pudesse ligar e desligar. Claro que Gordon a amava. No entanto, para ele era inconcebível que houvesse uma razão externa para o comportamento da esposa, que a culpa e o medo a estivessem devorando. Gordon simplesmente não a via como alguém capaz de fazer algo extremo a ponto de gerar culpa. Suas "mudanças de humor", como ele chamava, sempre se resumiam a uma peculiaridade de temperamento, a uma falha nata de sistema, que a fazia agir de maneira indesejável, contrária aos parâmetros do seu mundinho doméstico. Cecily sabia que era mais fácil que Gordon a visse dessa maneira — significava que ele nunca desconfiaria de nada —, porém isso também aumentava o desprezo por ele exponencialmente. Amar sem ver, ela pensava, era apenas uma ilusão.

Cecily repassava os momentos roubados que tivera com Fujiwara, como a noite ao luar, quando ele contara quem de fato era. Um jogando alho no outro na cozinha no dia anterior à ação triunfante na casa do representante britânico. Um roçar de ombros ao se cruzarem na cidade, fingindo serem desconhecidos. Um encontro às escondidas num quarto de hotel decadente, os dois se encolhendo sempre que ouviam um gemido vindo de outra porta. Seria possível que ele estivesse sendo torturado naquele instante para se confessar? Se insistissem o bastante, Fujiwara ia citá-la como cúmplice? Cecily dizia a si mesma que não. No entanto, se fosse honesta, não havia como saber. Com certeza ele era fervoroso quando se tratava do Japão e estava disposto a sacrificar o que quer que fosse pelos ideais do império. E quanto a sua lealdade por ela? Cecily não sabia se ele se importava com isso.

De qualquer modo, com a vida retornando à normalidade contida e sinuosa, os Alcantara foram agraciados com outra promoção de Gordon, que passou a ocupar o cargo mais alto possível ao alcance de pessoas não britânicas no departamento de obras públicas — o que acarretaria dinheiro, reconhecimento e mudanças. Eles puderam se dar ao luxo de contratar uma criada, que punha comida na mesa e arrumava as crianças para ir à escola. Suas roupas, antes apertadas e alargadas pelas grosseiras habilidades de Cecily na costura, passaram a receber o fino trato do alfaiate da cidade, pelo qual passaram a poder pagar, como os homens e as mulheres europeus. A família também contratou um pedreiro para anexar dois quartos aos fundos da casa — um para Jujube e Abel dormirem separados e um para "deixar as possibilidades abertas", disse Gordon, com uma esperança que fazia os olhos brilharem.

Talvez aquilo fosse crescer, pensou Cecily. Desistir dos próprios ideais em nome de conforto, compreender que as duas coisas não podiam coexistir. Conforme os meses passaram, a vida da família melhorou e o silêncio de Fujiwara persistiu, ela parou de ir ao armazém chinês, de tatear o esconderijo em busca de instruções, de esperar uma convocação. Com o tempo, o buraco do tamanho de Fujiwara no seu estômago se tornou uma dor surda, que ela raramente sentia — apenas nas chuvas de monções, como um velho ferimento cicatrizado.

O "clube", para os bem informados, era o clube de campo Federal exclusivo para brancos. Tratava-se de uma monstruosidade gigantesca, que combinava arquitetura Tudor nas janelas e o telhado tradicional do povo minangkabau, cujas beiradas se assemelhavam a chifres de touro. A combinação de arquitetura ocidental e oriental deveria simbolizar unidade, no entanto, até onde Cecily sabia, a instituição recebia apenas homens europeus e representava um lugar onde se aliviar das agonias de ter que se misturar com a massa, para tomar gim tônica e jogar baralho enquanto discutiam quaisquer futilidades, largados preguiçosamente nas suas poltronas e tentando não suar.

Contudo, havia raras noites em que abriam as portas para um grupinho selecionado de burocratas locais e suas esposas. O Baile das Monções era um evento semestral, realizado em março e outubro, para comemorar a mudança de direção dos ventos. Cecily tinha convicção de que isso não era motivo para fazer bailes. Ainda assim, ela aprendera que os ingleses usavam qualquer desculpa para dar festas. Reuniam-se com as mesmas pessoas de todo dia, para fazer as mesmas fofocas de sempre. A única diferença eram as roupas mais elegantes dos bailes.

A ascensão de status de Gordon permitia que fosse recebido pelos escalões mais altos da sociedade britânica e nas festas deles. Cecily descobriu que, se antes ficavam encantados por ser convidados para uma única comemoração a cada tantos anos, passaram a se ver inundados de convites a mais eventos do que seria possível comparecer, por questão de tempo ou dinheiro. O Baile das Monções, por outro lado, era imperdível. Enquanto se preparavam para a noite, Cecily passou à criada as instruções de praxe, parando por um momento para refletir sobre como a vida deles havia mudado em alguns meses. Então, de mão dada com Gordon, ela saiu rumo à noite úmida devido às monções. Eles tinham evoluído. O cabelo preto e grosso dela estava cortado ao estilo da moda, mais curto, com as pontas cacheadas, mal tocando os ombros. Cecily usava um vestido de chiffon de manga comprida num tom de verde que valorizava a cor da pele, e os ombros largos faziam parecer que ela tinha cintura. Gordon trajava um terno cujo paletó de abotoamento duplo e cujo tecido com padrão em zigue-zague não era muito diferente do que suas contrapartes britânicas vestiam. A roupa havia sido feita sob medida, para esconder melhor seu corpo roliço. Não eram um lindo casal, mas pelo menos estavam bonitos. Os meses haviam abrandado o desdém de Cecily pelo marido e a distração dos novos luxos a havia levado a, se não amar, pelo menos nutrir um vago carinho por ele.

"A dama está pronta para embarcar em nosso leal corcel?" Gordon estendeu um braço para ajudar Cecily a entrar no carro.

"Sou toda sua, meu cavalheiro." Ela aceitou a mão dele antes que ambos perdessem a compostura e dessem risada. Como era bom rir.

O clube estava tão produzido quanto os convidados, as sedas haviam sido penduradas engenhosamente sobre os arcos e esvoaçavam na brisa da noite de outubro. Uma banda tocava num canto, e Cecily parou para admirar o trombonista imóvel, aguardando sua deixa. Ela tinha um fraco pelos ignorados. Europeias usando vestidos claros pareciam flutuar pelo salão e trocavam risadinhas entre elas. Por um minuto, Cecily sentiu uma pontada de insegurança. Seu vestido, embora bem-feito, era simples em comparação à alta costura que via ali, com peças de Paris e Londres, muitos reveladoras e sem manga, em estilos que ela não conhecia.

Quando uma mão enluvada roçou seu cotovelo, interrompendo a insegurança momentânea, Cecily se virou e rearranjou a expressão para esconder um leve escárnio — só uma mulher branca muito tola acharia que luvas eram apropriadas para os trópicos dolorosamente úmidos. Então o escárnio deu lugar ao choque. A taça delicada de martíni que ela segurava tremeu, derramando gim nas luvas.

"*Aiya*", a mulher disse, olhando rapidamente para a mancha de bebida. "Ah, bem, não importa, tenho muitas." Ela riu. "Ah, sra. Alcantara, como está linda nesta noite!"

Havia uma réplica da sra. Yap diante de Cecily. O rosto era muito parecido: as mesmas bochechas suaves, os mesmos olhos bem espaçados, o mesmo comprimento de testa. No entanto, a sra. Yap de que Cecily se lembrava — a esposa do *kapitan cina* —, sempre exagerava no perfume, vestia roupas de cores contrastantes e vívidas demais, além de ser impetuosa e escandalosa. Aquela mulher tampouco podia ser ignorada, porque sua pele e seu vestido eram tão claros, de tons tão parecidos, que era como se não estivesse usando nada. O único contraste estava nos lábios, tão vermelhos quanto uma fruta. Ela era magra à moda da Europa, e seu vestido se assemelhava a água tocando seu corpo: escorregadio e sem qualquer curva. E o cabelo... A sra. Yap de que Cecily se lembrava prendia o cabelo comprido em um coque apertado, mas a mulher à sua frente usava o cabelo tão perigosamente curto que chegava a ser inapropriado. Mulheres e homens em volta se viraram para olhá-la. Cecily viu que um reconhecimento pasmo como o seu se espelhava no rosto de outras mulheres.

"A senhora está maravilhosa, *aiya*", disse a cópia da sra. Yap. Até a voz havia se transformado: se antes era tão aguda a ponto de deixar Cecily com dor de cabeça, agora era aveludada.

"Sra. Yap", Cecily disse.

"Não, não, pode me chamar de Lina! Não gosto de usar... esse nome." Uma ruga de dor surgiu na testa da mulher. Cecily ficou horrorizada e estava se preparando para pedir desculpas quando a sra. Yap pegou a mão dela. A palma parda pareceu um rato aninhado na luva branca e molhada de gim.

"Não se preocupe", a antiga sra. Yap disse, baixo. "Venha, venha. Fico feliz em ver um rosto familiar." Cecily se surpreendeu com o carinho daquela senhora tão chique que a guiou pela festa puxando-a por um braço, passando por multidões e conversas sem sugerir a menor insegurança. Cecily se movia tão rápido quanto possível para acompanhá-la, dando golinhos ansiosos no copo de boca larga para que a bebida não derramasse da outra mão.

"Deixe-me apresentá-la a meu novo marido." Ela esticou o pescoço comprido, e Cecily a reconheceu de fato naquele momento: era o mesmo movimento que a sra. Yap, ou Lina, costumava fazer ao procurar alguém na multidão ou tentar ouvir uma fofoca. Cecily esticou o próprio pescoço e o corpo todo, curiosa para saber mais sobre o homem que tinha transformado a esposa de um *kapitan cina* em uma beldade chinesa.

"Meu marido, esse travesso! Por que desapareceu?", ela o repreendeu, passando o braço pelo cotovelo de um senhor vestindo terno de linho.

Um perfume familiar chegou a Cecily, e o cheiro pungente de hortelã entrou pelo nariz e foi direto para a garganta. Um buraco voltou a se abrir no seu estômago; reconheceu o desejo antes mesmo de sentir a presença dele.

"Sra. Alcantara, há quanto tempo!", uma voz murmurou, tão suave que exigia que a pessoa se inclinasse para ouvir.

Cecily ia desmoronar. A haste da taça que segurava tilintou antes de ir ao chão. Os dedos dela arderam quando o sangue começou a escorrer dos cortes abertos pelos cacos.

Não podia ser Fujiwara. Ela só tinha visto a manga dele quando a sra. Yap — não, quando Lina a puxara. Não vira o rosto dele, pois mal teve tempo de reagir antes que a taça se estilhaçasse e Cecily, com os dedos ensanguentados, fosse levada embora. Fazia quase um ano que ela não o via. Embora tentasse se convencer do contrário, Cecily sabia. Sentira seu cheiro, ouvira sua voz. O corpo todo havia percebido Fujiwara. Ela ficou sentada na pequena biblioteca do clube, com Lina em cima dela.

"Esse tipo de taça é um perigo! Foi sorte terem sido apenas alguns cortes, sra. Alcantara!" Cecily notou que Lina tinha tirado as luvas, dobrado sobre uma cadeira, com as pontas sujas de vermelho. Os dedos de Lina eram claros e grossos, um lembrete do seu peso no passado.

"Sinto muito por ter manchado suas luvas."

"Não, não, estou me sentindo péssima por ter pegado você de surpresa", Lina tagarelou enquanto pressionava um punhado de lenços de papel contra a mão de Cecily, e um canto ficou preso e rasgou, resultando num fio ensanguentado escorrendo.

"Estou bem, sra. Y... perdão, Lina. Só sou uma desastrada." A música da festa vazava para o toalete; o trombonista estava tocando um solo. Embora soprasse forte, não era muito bom, a julgar pelas muitas notas desafinadas. Lina se sentou ao lado de Cecily e pegou os dedos dela para dar uma olhada. Cecily notou que as mãos da outra eram cheias de calos, e as pontas endurecidas pelo trabalho. Ela se perguntou se Lina as passava pelo corpo de Fujiwara. Se aquele par apertava as palmas macias dele, se seus dedos se entrelaçavam na intimidade tranquila do casamento.

"Deve ter sido uma surpresa, depois de todo esse tempo", Lina disse. "Entre todos os homens, fui acabar com Bingley Chan." Ela ficou brevemente em silêncio. "Eu mesma não consigo acreditar às vezes."

Então Fujiwara tinha se casado com Lina sob sua identidade falsa. Ela não sabia quem ele era... ou sabia? Cecily abriu a boca para fazer uma pergunta, embora não estivesse claro qual seria. Em vez disso, mexeu no fio de papel que havia ficado grudado na sua mão.

"Depois que meu marido... depois que meu antigo marido foi executado, deixei Bintang. Fui ficar com minha mãe e pensei: é isso, é o meu fim. Achava que ia morrer, que devia morrer. Então Bingley foi me visitar. A cada tantos dias ele aparecia e me emprestava seus ouvidos. Ninguém mais me ouvia. Era como se todo mundo acreditasse que eu fosse contagiosa. Ele me convenceu a voltar para Bintang. E eu voltei."

Cecily olhou para o chão. Então era lá que Fujiwara estava o tempo todo, enquanto ela procurava por ele, enquanto ela vivia num estado constante de pânico, tentando fazer com que uma carta aparecesse no armazém chinês por pura força de vontade.

"Sei que seu marido não deve ter deixado que você me escrevesse", Lina falou, interpretando o silêncio de Cecily como culpa, em vez de fúria.

Aquele tempo todo, Cecily se preocupara com o bem-estar dele, com a possibilidade de Fujiwara ter sido capturado, com a possibilidade de ela própria ser pega. Aquele tempo todo, ele estava confortando e cortejando outra mulher. A humilhação deixou as pontas das orelhas de Cecily vermelhas.

"Ele foi muito bonzinho comigo, entende?" Lina lançou um olhar suplicante, com os olhos marejados. Isso quase fazia com que ela parecesse mais jovem, até infantil, como se pedisse permissão. Cecily se lembrava da época em que Bingley era bonzinho com ela também. Então viu a vulnerabilidade angustiada no rosto de Lina e pensou no modo como as bochechas da mulher haviam tremido ao recordar do próprio sofrimento nas mãos dos britânicos, no modo como ela cerrara os dentes para transmitir força. Cecily ficou imaginando se teria ficado com a mesma aparência ao revelar seu sofrimento em sussurros a Fujiwara, tantos anos antes, na velha cozinha da sua casa. Era tudo de que ele precisava para seduzir uma mulher — ser bonzinho? Se fosse o caso, como o sexo feminino era fraco e ingênuo, ela pensou, torcendo o fio de lenço de papel sujo de sangue, dependurado no dedo como um casulo se desintegrando.

"Estou falando demais, desculpe. É que é muito difícil voltar e ter que suportar os olhares de todos. Ah, parece que o sangue parou." Lina pegou uma faixa sem que a outra percebesse, e fez o curativo, escondendo a evidência da perturbação de Cecily. Depois de prender bem a ponta da faixa, Lina segurou a mão de Cecily por mais tempo que o necessário e olhou para ela. Baixinho, sem a antiga estridência nem o novo tom aveludado, com uma timidez igualmente inédita, a mulher disse: "Eu... gostaria que fôssemos amigas".

Antes que Cecily pudesse registrar totalmente esse pedido, os homens irromperam no cômodo aos gritos. "Cecily, está tudo bem? Você desapareceu! E veja só quem encontrei, o bom e velho Bingley!", Gordon exclamou.

Ela se levantou tão rapidamente que o cômodo girou. Os tornozelos fraquejaram como se fossem ceder.

"Minha querida, você está bem?" Gordon correu para o lado dela, apoiando um braço nas suas costas para sustentá-la.

"*Haiya*, acho que ela está tonta. Perdeu um pouco de sangue, porque cortou a mão, viu?" Lina apontou para a faixa.

"Vamos, vou levá-la para casa." Gordon a conduziu rumo à porta.

"Tenha uma boa noite, sr. Alcantara." Fujiwara estendeu a mão para apertar a de Gordon. "Sra. Alcantara." A mão dele ficou no ar, sem que ela a pegasse. Pela primeira vez naquela noite, Cecily ergueu os olhos em busca dos dele. Fujiwara estava mais magro do que ela recordava, com as bochechas encovadas, mas o nariz esculpido e a voz eram os mesmos. Fraca, Cecily pegou a mão dele. Não demonstrou qualquer reação, nem mesmo quando sentiu o canto de um papelzinho sendo pressionado contra sua palma, formando uma barreira entre eles. Ela mordeu o lábio para que não tremesse. O toque físico foi como uma corrente elétrica.

Mais tarde, Cecily desdobrou os dedos e alisou o bilhete triangular.

ORIENTAL HORIZONS
AMANHÃ
15H

Cecily apertou a ponta do papel contra o nariz e o lambeu. Tinha cheiro de hortelã. E gosto azedo.

Na tarde seguinte, Cecily chegou ao quarto 7A antes de Fujiwara. Ficava perto da escada, caso houvesse necessidade de uma saída estratégica. As paredes cheiravam a cigarros pós-sexo; as extremidades da colcha florida estavam enfiadas debaixo do colchão para esconder as manchas. O pé-direito era baixo, como se o teto tivesse se curvado diante do peso de tudo o que havia visto. Eles tinham se encontrado duas vezes no Oriental Horizons, um hotel cinza e desleixado nos arredores da cidade onde ninguém queria ser visto, nem mesmo os funcionários. Era para onde os britânicos levavam prostitutas, onde amantes tinham encontros secretos, onde políticos escondiam as namoradas asiáticas e os filhos quando as esposas brancas chegavam de navio.

A impropriedade sórdida do hotel como ponto de encontro sempre fizera Cecily sentir ao mesmo tempo empolgação e asco. Nas outras vezes, tinham evitado a cama por completo — ele se recostava à porta ou à janela em um extremo do quarto e ela se mantinha na cadeira verde e feia que ficava no canto oposto. Em ambas as ocasiões, o encontro havia sido rápido, cinco minutos mecânicos em que ele passara as instruções sobre a missão na casa do representante britânico e pedira notícias sobre o padrão da maré em um porto menor ao norte. Ela ficara olhando para as manchas de mofo no carpete, sentira coceira devido aos germes que com certeza viviam naquela cadeira suja. E nas duas vezes, a caminho de casa, Cecily sentira a calcinha molhada de desejo — a necessidade fazia seu corpo doer.

Naquela tarde, Cecily ficou brava consigo mesma porque não o encontrou esperando por ela. Afinal de contas, era Fujiwara quem estava em dívida. O que ele devia a ela, no entanto? Cecily não sabia. Mas devia alguma coisa. Estava em falta com ela.

Na noite anterior, ao se deitar, ouviu o ar fazendo o peito de Gordon subir e descer enquanto ensaiava mentalmente o que diria a Fujiwara.

"Por que me abandonou?" Carente demais.

"O que aconteceu com você?" Agressivo demais.

"Eu esperava mais." Seria o que uma mãe decepcionada diria.

"O que fazemos agora?" Isso talvez funcionasse. Porém, o "nós" não existia, nem mesmo era uma possibilidade, pois ele parecia ter seguido em frente com Lina. Cecily se perguntou por que ele a tinha escolhido, por que tinha escolhido a esposa decadente do líder de um clã chinês. Cecily não via o que Lina podia oferecer para ajudar a causa. Ela era evitada na cidade. Se podia comparecer ao Baile das Monções, o motivo era ser a esposa de Bingley Chan. Talvez ele precisasse saber mais sobre as relações do *kapitan* Yap com os britânicos, porém certamente não teria dificuldade de roubar ou recolher aquele tipo de informação; não exigiria um casamento, um contrato, um relacionamento. Cecily sabia que às vezes a verdade era simples, e não parte de uma conspiração. A possibilidade dolorosa em que ela não queria pensar nem sequer reconhecer, era que talvez ele tivesse apenas se apaixonado por Lina. Isso fez uma dor sem precedente se espalhar pelo seu corpo — somada a um zumbido constante nos ouvidos, uma fúria crescente no peito e uma cabeça pesada demais para se manter no lugar sozinha. Cecily ficou andando de um lado para o outro no quarto úmido. Permanecer sentada estava fazendo com que se sentisse mal.

A porta rangeu. Como sempre, o cheiro dele chegou primeiro.

"Obrigado por ter vindo." Fujiwara se acomodou na cadeira verde desocupada.

Cecily ficou inquieta alternando o peso do corpo entre os pés. Fujiwara estava resplandecente, com o terno de linho impecável, e o cabelo exalando um aroma ainda mais forte de hortelã que de costume. Ela resistiu à vontade de abaixar os fios de cabelo levantados, curvados como um anzol, onde Fujiwara se esquecera de passar o creme. Ele se balançou para a frente e para trás na cadeira, tamborilando os dedos na calça. Seu rosto, em geral uma máscara de indiferença estoica, parecia arder — estava rosado debaixo das orelhas — e sua respiração se mantinha rasa.

"Achei que você tivesse morrido", Cecily falou.

"Você sabe que eu não podia...", Fujiwara começou a dizer, tenso e impaciente.

Se ela não tinha como provocar desejo nele, pelo menos podia fazer com que sentisse alguma coisa. "Não podia ter dado um jeito de avisar que estava bem? Não podia ter me deixado saber que não viriam atrás de mim? Você me deixou aqui para apodrecer sozinha." Suas mãos pressionaram o papel de parede descascando; pedacinhos amarelos grudaram nas palmas, como manchas de icterícia. "E agora voltou com... com ela?"

Cecily sabia que estava se comportando de maneira histérica, porém seu corpo havia assumido o controle sobre seu cérebro, de modo que a raiva se sobrepunha à vergonha. "E sou eu quem tenho algo a perder aqui. Tenho uma família. Você não... Não tem ninguém que se importe com você. Foi por isso que se casou com ela? Para que alguém se importe caso morra?"

Ela notou a bochecha de Fujiwara ficando ainda mais encovada; parecia que estava se mordendo para se conter. A carne reconhece uma ferida antes que a mente o faça. Cecily estava cutucando a dele.

"Você não tem ninguém", ela repetiu. "É por isso que se relaciona com mulheres tolas."

"Chega." Ele levou a mão à lateral do dorso, como se doesse. "Pare de dizer essas coisas."

"Um filho morto não conta. Alguns de nós têm filhos vivos para se preocupar."

Cecily viu tudo em câmera lenta: Fujiwara se levantando da cadeira, os joelhos fraquejando e se endireitando, o vinco na calça desaparecendo, os pés cruzando o espaço, os braços estendidos e a aproximação dele. Cecily teve medo, mas o buraco profundo abaixo do estômago e acima da pélvis se abriu ainda mais; era voraz e ficava feliz ao vê-lo perder a cabeça, feliz em sentir que tinha aquele tipo de poder sobre os sentimentos dele, em experimentar mesmo que apenas por um segundo qual era a sensação do caçador.

Fujiwara a imprensou contra o papel de parede imundo, um braço apertando seu ombro e o outro envolvendo seu pescoço. A respiração de Cecily ficou entrecortada ao ver os músculos do pescoço dele saltarem. Como os dois tinham a mesma altura, Cecily pôde olhar diretamente naqueles olhos, notando o preto da pupila dilatar, conforme o hálito dele, mais azedo do que ela imaginara, soprava na sua bochecha.

"Você faz isso com todas?", Cecily o provocou. "Faz isso com Lina?"

Seu desejo era morder a veia pulsando na têmpora dele, fazer com que Fujiwara jogasse todo o corpo contra o dela, que a quebrasse. Cecily viu o peito dele se expandir, e foi empurrada com uma inspiração longa e trêmula. Ela o sentia duro na própria coxa. Cecily nunca tinha desejado tanto alguém.

Então Fujiwara recuou e afastou as mãos. A esquerda estava tremendo. Seus dedos se curvaram contra as palmas, fechando-se em punho, então os escondeu atrás das costas. A vergonha deixava seu rosto cinza.

"Tenho... tenho que ir."

Quando Fujiwara bateu a porta do 7A, Cecily abriu a janela e respirou fundo, deixando que o cheiro de umidade da rua a penetrasse. Seu corpo formigava, mole e úmido como uma fruta madura.

13
JASMIN

Bintang, Kuala Lumpur
22 de agosto de 1945
Malásia ocupada pelos japoneses

Pelo quinto dia seguido, Jasmin despertou na casa do general Fujiwara. Ela adorava o lugar espaçoso e arejado, cheio de recantos onde brincar; adorava que o criado sempre tinha um lanchinho delicioso ou uma bebida fria e doce para ela; adorava, acima de tudo, quando o general voltava para casa ao fim do dia. Com o uniforme empoeirado, ele sorria para Jasmin. Então ela ouvia o barulho da água e, minutos depois, o general retornava revigorado e refrescado, de regata e calça larga. Os dois se sentavam nas cadeiras de vime do lado de fora e tomavam uma bebida tão gelada que os copos suavam — o dele com algo de cheiro amargo e o dela com qualquer coisa açucarada, como leite maltado. O criado envolvia as cadeiras num mosquiteiro que mais parecia uma tenda, diferente de qualquer um que Jasmin já tivesse visto. Era leve e fino, quase invisível. Ela continuava sentindo a brisa do crepúsculo, que penetrava os buraquinhos, mas os mosquitos zumbiam longe, o que os mantinha a salvo das picadas. Os insetos pareciam uma orquestra produzindo a música da noite. Então os grilos começavam a cantar e o sol mergulhava devagar no horizonte.

Para um adulto, o general não falava muito. Jasmin estava acostumada com as pessoas gritando o tempo todo — os vizinhos, os irmãos, os pais, cada um tentando falar mais alto do que os outros e temendo a possibilidade de não ser ouvido. No entanto, o general Fujiwara não parecia preocupado em ser visto ou ouvido. Ele nem precisava se esforçar. Simplesmente era. Jasmin se sentia segura com ele de uma maneira que havia muito tempo não se sentia na companhia de nenhum adulto. À noite, seu cheiro quente de hortelã preenchia o casulo do mosquiteiro.

Perto dele, Jasmin era lembrada de quando Jujube a abraçava a noite e contava histórias sobre o homem que ela chamava de tio Pasta de Dente. "Tio Pasta de Dente vai vir nos salvar", Jujube dizia. "Ele vai nos manter em segurança e tornar tudo melhor." Jasmin imaginava o tio Pasta de Dente como um homem gorducho e alegre, feito o Papai Noel, que garantiria tudo o que havia de melhor, presentes, festas e a volta do irmão. Às vezes, ao rezar à noite, Jasmin trocava o nome de Jesus: "Em nome do tio Pasta de Dente oramos, amém". Por um longo tempo depois do desaparecimento de Abel, ela olhava para o portão aberto esperando que o tio Pasta de Dente, em toda a sua bondade reconfortante e o seu cheiro de hortelã, trouxesse o irmão a salvo para casa, de braço dado com ele.

Quando o general Fujiwara disse que conhecia sua mãe, Jasmin tinha ficado preocupada que ele fosse levá-la de volta para ela, que devia estar morrendo de preocupação. Porém, ele tocara no assunto da família de Jasmin uma única vez. No segundo dia da sua estada, o general olhou para ela e perguntou: "Você tem medo de mim?".

Jasmin balançou a cabeça, fazendo que não.

"Você quer voltar para casa?"

Ela balançou a cabeça com ainda mais vigor. "Não!", gritou. Jasmin não podia retornar, porque a família ia trancá-la no porão para sempre, até que sua garganta se fechasse com todo o pó e ela não fosse mais capaz de falar ou respirar. "Posso ficar aqui? Por favor? Só mais um pouco?"

"Você está mais feliz aqui?"

Jasmin assentiu com a mesma determinação. Com certeza a família devia ter entrado em pânico ao descobrir que ela tinha sumido, tal qual aconteceu no caso de Abel. Sentia um aperto no coração ao pensar que podia infligir aquele tipo de dor, e procurou afastar esse sentimento. Tudo o que sabia sobre famílias era que elas deviam fazer seus membros se sentirem seguros e amados. Desde que Abel desaparecera, toda a alegria se fora — a mãe, o pai e a irmã não passavam de sombras dos seus antigos eus, com os olhos escuros cegos de dor. *Mas eu estou aqui*, ela às vezes queria gritar. *Ainda estou aqui!*

Depois do que Jujube havia feito, qualquer desejo de permanecer com a família havia se tornado coisa do passado. Ainda que Jasmin não o conhecesse muito bem, o general fazia com que ela se sentisse segura e confortável. A palpitação dolorosa do seu coração desacelerava. Perto dele, o mundo era mais tranquilo. Jasmin queria ficar com o general, mesmo que apenas por um tempo. Para se sentir calma outra vez.

"Então você ficará aqui comigo. A escolha é sua." Ele abriu um pequeno sorriso que fez rugas se formarem em volta dos olhos e o nariz parecer mais largo. Isso deixou Jasmin feliz.

Se ela ficasse em silêncio por tempo o bastante no fim de tarde, quando os dois ficavam na sua tendinha, o general contava uma ou duas histórias. Eram sempre sobre uma mulher que o fazia lembrar de Jasmin. Segundo dizia, corajosa, brilhante, uma heroína. Aquelas histórias do general eram as favoritas de Jasmin, à medida que a luz fraca do crepúsculo iluminava o rosto dele, e a tranquilidade emanava da sua voz.

"Como ela era?", Jasmin perguntou na primeira noite.

"Parecida com você." A menina ficou toda animada. Uma heroína que se parecia com ela? "Especial. Muito parecida com você, aliás. E muito divertida, cheia de amor para dar."

Jasmin sentiu o orgulho inflar seu corpo. *Especial, parecida com você*. Gostava de ser especial e de saber que ele a tinha escolhido; ela, que não era inteligente como a irmã ou bonita como o irmão; ela, que sempre se sentia esquecida pela família e sempre teve que cumprir o papel de fazer todos felizes.

"Ela era bonita?" Às vezes, os livros que Jujube lia para Jasmin tinham ilustrações de mulheres bem torneadas de cabelo dourado e brilhante. Jasmin se perguntava se a mulher corajosa de quem o general falava também tinha o cabelo assim.

"Acho que ela se considerava feia. Isso porque os brancos nos fizeram pensar na beleza de uma única maneira. Mas ela reluzia. E sempre mantinha a esperança."

A coisa que Jasmin mais gostava no general era de como a tratava feito adulta. Jasmin nem sempre entendia o que ele queria dizer; às vezes ficava confusa. No entanto, durante aquelas noites, ela se esquecia de como sua família a havia traído e ignorava a corrosão no seu estômago ao pensar em como Jujube tinha desatarraxado a única lâmpada do alçapão, deixando-a presa na escuridão.

"Mas como você a conheceu?"

"Ela... trabalhou comigo." Seus olhos estavam semicerrados quando ele se recostou na cadeira, a bebida na mão. "Você é uma coisinha curiosa, não é mesmo?"

"Ela era... sec-tária?" Era o que a esposa do vizinho deles, tio Andrew Carvalho, tinha sido antes de partir. A família trocou sussurros desconfortáveis quando Jasmin perguntou a respeito da tia da casa ao lado, até que o pai respondeu: "Tia Tina morreu". Jasmin sabia que isso significava que ela não ia voltar. Para a menina, o único outro tipo de trabalho das mulheres fora de casa era como o da irmã na casa de chá, que não parecia exigir coragem ou ser muito empolgante.

O general não disse nada por um momento, então respirou tão fundo que Jasmin achou que ele tivesse pegado no sono. "Não. Ela era uma patriota."

Jasmin já tinha ouvido aquela palavra. O pai descrevia assim os chineses que viviam nos limites da selva. Ela chegou a ouvir a família sussurrando a respeito de como matavam os soldados japoneses. Eles davam pesadelos nela. Jasmin sonhava que chegariam por trás dela e envolveriam seu pescoço com aqueles dedos sujos. Ela ficou confusa, porque a mulher corajosa e inteligente de quem o general falava não se assemelhava em nada aos homens raivosos. Mas guardou aquilo para si, supondo que o general não ia querer saber dos chineses que matavam japoneses.

"O que ela fez?", Jasmin perguntou.

"Logo contarei sobre os feitos corajosos dela." O general se levantou. "Mas agora é hora de você ir para a cama."

Embora Jasmin ansiasse pelas noites com o general, os dias estavam começando a entediá-la. Ela não precisava passar o dia todo no porão, como em casa, porém o general a mantinha confinada onde sua única companhia era o criado, que era simpático, mas só falava japonês e no geral a ignorava. Nos primeiros dias, Jasmin passeou pela casa, explorando-a de alto a baixo, inspecionando cada canto, inclusive os empoeirados que deixavam suas solas pretas. Ela perseguiu uma barata, desfrutando da sensação de correr por uma casa que parecia sempre fresca, mesmo quando fazia calor. Suas gargalhadas preocuparam o criado, que chegou às pressas e gritou algo em japonês ao ver o que ela estava aprontando. Depois ele esmagou a barata com a própria mão. Jasmin, abalada, se virou para o outro lado. Em casa, Jujube sempre a fazia prender insetos, inclusive baratas, em potes de vidro para soltar na grama ou na fossa.

Todos os cômodos haviam sido explorados, logo não restava muito o que fazer. De modo que, depois do almoço, Jasmin decidiu vasculhar mais além, saindo pela porta dos fundos quando o criado estava lavando vegetais. Ele não a viu. A princípio, Jasmin não sabia aonde ir. Assim como a família, o general a fazia vestir roupas de menino — calças de algodão e camisas —, mas pelo menos encontrou roupas de melhor caimento, portanto as pernas das calças não ficavam sujas de serem arrastadas no chão e as camisas não escorregavam dos ombros. As etiquetas das camisas brancas do general também tinham algo escrito em japonês, que ele explicou que significavam "Pertence a Fujiwara". O general tinha garantido a Jasmin que bastava mostrar a etiqueta caso algum soldado a parasse e tudo ficaria bem. Ela gostava da ideia de que carregava uma parte dele aonde quer que fosse; isso fazia com que se sentisse importante e protegida. Enquanto descia correndo o caminho sinuoso, Jasmin riu ao pensar no criado descobrindo que ela tinha fugido. Uma pontada de culpa surgiu com a possibilidade de que ele fosse repreendido se o general descobrisse, porém ela afastou a ideia. Ao fim da tarde, estaria de volta. Não era nada de mais. Nem sentiriam sua falta.

O caminho desembocava na estrada. Jasmin sentiu o chão quente nos pés. Virou à esquerda, deu alguns passos, e o coração bateu mais rápido. Agora que estava na rua, ficou com medo. As palavras de Jujube ecoaram na sua cabeça: "Eles machucariam você... aí". *Jujube*. Pensar na irmã fazia seu rosto doer. Jasmin se viu outra vez oprimida pelo terror e pela raiva de ser trancada no porão escuro. Ela abriu os ombros e voltou a andar. Podia ser corajosa como a mulher de quem o general falara. A patriota.

O sol estava começando a ganhar força com a tarde, e depois de alguns minutos de caminhada Jasmin se cansou. A parte de trás dos joelhos coçava por causa de uma assadura formada pelo suor. Em casa, Jujube tinha um tubo de unguento que passava no pescoço e nos joelhos da irmã nesses casos. Jasmin odiava o cheiro, mas funcionava; a coceira parava e as marcas vermelhas e feias sumiam. Ela estava prestes a desistir, a dar meia-volta, encerrar a exploração e retornar para a casa do general quando reconheceu algo familiar mais à frente — uma placa que dizia SEJA BEM-VINDO. Ela tinha ido parar na casa de Yuki! Jasmin apertou o passo, animada. Fazia dias que não via a amiga e sentia muita saudade dela.

A casa de Yuki estava silenciosa, diferente da outra noite, quando Jasmin vira muitas meninas e alguns homens lá. Tudo estava parado por causa do calor. Quando espiou pelas portas abertas dos barracos, viu meninas deitadas de costas ou de bruços no chão usando apenas a roupa de baixo, se refrescando enquanto conversavam. Como já tinha feito, ela passou em silêncio e sem ser notada.

Então se deu conta de que não sabia onde encontrar Yuki. Enquanto se esgueirava bem próxima às fachadas, Jasmin lembrou. Ela viu uma cabeça se movendo debaixo de um lençol velho em um ponto azul perto de uma roda de borracha. O carrinho de mão, claro!

O rosto de Yuki surgiu, alerta, de olhos arregalados. "Mini! Por onde andou? Fui procurar você em casa, mas não te encontrei!"

Yuki a ajudou a subir no esconderijo. As duas se acomodaram frente a frente, de pernas cruzadas.

"Por que você não estava em casa?" O olho do lado sem cicatrizes do rosto estava semicerrado e zangado. Jasmin sentiu o peito aliviar, como se tudo o que estivesse guardando se libertasse dela. Inclinou-se para a frente e abraçou Yuki forte. A outra menina exalava um odor pungente e avinagrado, porém Jasmin não se importou. Tinha sua amiga de volta.

Dois dias depois, Jasmin voltou ao carrinho de mão.

"Senha!", Yuki sussurrou.

"Lala chaca chaca uca!", Jasmin sussurrou de volta, reprimindo uma risadinha. Ela achava a senha engraçada. Foi ideia de Yuki, e haviam repetido várias vezes para que Jasmin gravasse na memória. No entanto, ela ainda não estava certa se era "uca" ou "ica".

"Pode entrar!" Yuki ergueu o lençol e ajudou Jasmin a subir no carrinho de mão. Jasmin não a tinha chamado para ir à casa do general, porque não sabia como ele ia recebê-la, e definitivamente não ia encontrá-la do lado de fora da sua própria casa, porque não queria que Jujube ou sua mãe as pegassem.

Jasmin permanecia confusa quanto às meninas de aparência triste no alojamento de Yuki, porém aprendeu a desviar os olhos quando as via passando, assim como quando cruzava com os homens. Em geral, ela se movia sem fazer barulho, mantendo-se próxima das paredes e prendendo o ar até chegar no ponto de encontro.

Lá, as duas brincavam, fingindo que eram senhoras britânicas tomando chá, ou uma carregava a outra no carrinho como se fosse um cadáver, tentando não gargalhar. Uma vez, quando era a vez de Yuki conduzir, ela bateu numa pedra e o carrinho tombou. Por um minuto, Jasmin ficou sem ar.

"Jasmin, Jasmin, acorde, por favor!", Yuki gritou.

Ficou de olhos fechados mais do que o necessário, porque era divertido. Quando finalmente os abriu, rindo da brincadeira, ficou chocada ao se deparar com Yuki chorando, as lágrimas escorrendo nas cicatrizes do rosto.

"Yuki, desculpe."

A menina desviou o rosto. "Me deixe em paz. Não é por sua causa que estou chorando."

Na maior parte do tempo, Yuki adorava ouvir as histórias de Jasmin sobre seu novo lar, com o general. Ela perguntava a respeito dele com frequência. "Me conte sobre o cheiro do cabelo do general de novo. E sobre a casa", Yuki pedia, parecendo arrebatada. Jasmin lhe contava sobre o creme com cheiro de hortelã e a casa grande e arejada.

Jasmin adorou descobrir que o criado provavelmente não notava que ela sumia depois do almoço desde que estivesse de volta e limpa quando o general chegasse para o jantar. Embora as conversas ao fim do dia entre ela e o general continuassem, Jasmin notou que ele parecia cada vez mais cansado. À noite, tentando pegar no sono, ela ouvia o homem andando de um lado para o outro. Muitas vezes, ele ligava o rádio depois do jantar, e, embora fosse tudo em japonês, ela reconhecia algumas das palavras. *Rendição. Bomba. Fim.*

Na noite seguinte à chegada de Jasmin, o general tinha perguntado o que ela queria ser quando crescesse. Ficou confusa com a pergunta, porque por muito tempo esta foi a resposta: queria crescer para ser Jujube. A irmã era esperta, carinhosa e sempre sabia a coisa certa a fazer. Jasmin já não estava certa disso.

Notando o silêncio, o general perguntou: "Você vai à escola?".

Jasmin balançou a cabeça. "Mas sei ler."

"E gosta de ler?"

A menina balançou a cabeça de novo. Preferia que lessem para ela, embora fosse cada vez mais difícil convencer a mãe ou a irmã a fazê-lo.

"Nesse sentido, você é diferente de mim e da sua mãe."

Jasmin notou uma leve decepção na voz do general. Isso a preocupou. "Mas posso aprender?"

Ele abriu um sorriso lânguido. "Vou me certificar de que aprenda. Independentemente do que acontecer comigo, vou garantir que alguém cuide de você."

O general estendeu as mãos, de modo que ela pensou que ia abraçá-la, mas então as deixou cair. "Boa noite, Jasmin."

14
JUJUBE

Bintang, Kuala Lumpur
24 de agosto de 1945
Malásia ocupada pelos japoneses

Fazia sete dias, cinco horas e vinte e três minutos que Jasmin desaparecera. Jujube sentia que já tinha esquadrinhado a cidade toda em busca da irmã. Nos primeiros dias, visitara os vizinhos e amigos da família. Os Carvalho disseram que não viram nem ouviram nada. Os Tan fizeram inúmeras especulações, como era do feitio deles: talvez Jasmin tivesse se juntado a um circo, talvez tivesse sido mordida por um cachorro e estivesse caída na beira da estrada, talvez tivesse roubado um rambutão da rambuteira mágica no quintal de tio Robbie e sido levada pelos espíritos da árvore. A velha tia Swee Lan, supostamente abençoada com o dom da clarividência, balançou a cabeça muito séria ao ouvir, porém Jujube não conseguiu arrancar nada dela. A cada dia, a aflição pesada no estômago de Jujube crescia, amarga e azeda, intumescida pelo pavor.

No desespero, Jujube começou a procurar nas fossas e nas pilhas de lixo, sem saber ao certo o que esperava encontrar — um pedaço de vestido, um chinelo, um dedo, uma menina. À noite, no colchãozinho que costumavam dividir, ela tinha pesadelos em que a irmã a chamava, porém, ao se aproximar, o rosto da menina ficava pálido como o de um cadáver. Ainda assim, não era apenas a morte que assombrava Jujube quando estava acordada. Ela também se preocupava que alguém tivesse pegado Jasmin, usado seu corpo e a deixado sangrando na beira da estrada; que alguém tivesse descoberto maneiras de arruinar a irmã sem matá-la.

Depois de procurar por Jasmin naquela tarde, ela chegou em casa cheirando mal, tão podre por fora quanto por dentro, coberta do chorume que havia ficado cozinhando sob o sol das onze horas. Antes de entrar,

Jujube esfregou nas mãos e nos pés a barra fina de sabão que a mãe mantinha no peitoril da janela. A água ofereceu alívio, quente a princípio, pelo tempo que a mangueira havia ficado ao sol, depois fria quando começou a jorrar. Jujube ficou olhando para o fluxo que abria caminho na grama antes de cair na fossa estreita do lado de fora da casa. Jujube era a única dos irmãos que não odiava aquela fossa. Abel muitas vezes perdia coisas lá. Ela se lembrava dele procurando pela bolinha de gude listrada, enfiando a mão ali ao longo de dias para tentar encontrar a superfície lisa. Jasmin morria de medo da fossa, que rugia durante as chuvas de monções, correndo com mais força do que seria de esperar para um canal tão estreito. Jujube, por outro lado, a adorava. Adorava as laterais estriadas, da exata largura das suas pernas abertas. Quando era mais nova e Jasmin recém-nascida, antes que os japoneses chegassem e quebrassem tudo, ela andava com uma perna de cada lado, fingindo desviar de lava. Nos dias de sol quente, em que a fossa estava seca, se Jujube se cansava dos barulhos alheios, ela se sentava na fossa, e as curvas a protegiam do mundo. Fora de vista, Jujube escapava para as histórias de Enid Blyton, nas quais as árvores transportavam quem subia nelas para terras diferentes, ou as histórias dos corajosos órfãos de Dickens, que encontravam seu lugar no mundo contra todas as probabilidades. Na fossa, ela também conseguia escutar coisas. Como ficava logo atrás da cozinha, seus ouvidos captavam a voz da mãe — às vezes as músicas que cantarolava, às vezes as risadas, embora a menina nunca tivesse distinguido com quem ela falava. Quando chamava Jujube para o jantar, a mãe perguntava: "Onde estava? Já faz uns minutos que não vejo você". A filha abria um sorriso doce e dizia: "Em lugar nenhum, Ma. Eu estava brincando".

Naquele momento, cada tendão do corpo de Jujube vibrava tenso, prestes a romper. Ela estava exausta. Seguindo o curso da água como se estivesse hipnotizada, Jujube foi até a fossa, esmagando a terra úmida com as solas. Ela mergulhou um pé, depois o corpo todo. A mangueira pingando havia despertado a fossa, o gotejamento havia molhado sua base, desgrudando as folhas e o lixo e deixando o cocô dos pássaros nas laterais melequento. Aquilo estava ficando nojento, e o cheiro começava a subir no calor. Ainda assim, ela se acomodou, sentindo o conforto do espaço fechado. Por apenas um minuto, enquanto tentava recuperar o fôlego, Jujube disse a si mesma que ficaria ali apenas pelo tempo de chegar a uma conclusão quanto ao que fazer; a que problema resolver primeiro. Ia se manter imóvel até endireitar a cabeça e desacelerar os batimentos cardíacos. Ela fechou os olhos, sentindo o sol nas pálpebras como mãos zangadas batendo à porta. *Acorde*, o sol gritava. *Você tem que encontrar sua irmã.*

"Jujube!" Uma voz familiar ecoou por todo o comprimento, além do som de algo pesado batendo no chão e um tim-tim do sino de uma bicicleta. "Jujube, onde você está?"

O que ele estava fazendo ali? Jujube suspirou, mordendo o lábio inferior. Parte dela queria continuar se escondendo na fossa, torcendo para que o sr. Takahashi não a encontrasse, desistisse e fosse embora. No entanto, outra parte admitia: ele era um homem bom que estava preocupado, e isso fez com que se levantasse. Ela se apoiou na lateral da fossa e ergueu o rosto.

"Ah, o que está fazendo na *longkang*?" Gotas de suor pontuavam a superfície do seu nariz, e ele arfava de tanto pedalar. Era simpático que ele soubesse a palavra em malaio para "fossa". Isso quase a fez sorrir.

"Venha aqui, minha nossa." Ele a ajudou a sair, tomando cuidado para se equilibrar na beirada. Não era um homem forte. Jujube tinha se içado de lá muitas vezes, com toda a agilidade e sem qualquer ajuda, porém naquele dia se permitiu cair inerte nos braços dele. Percebeu ao sair que não tinha energia suficiente para se manter de pé e foi ao chão, sentindo a grama úmida e quente sob o rosto.

"O que está fazendo aqui?", Jujube murmurou.

Se ele a ouviu, não deu atenção. "Minha nossa, alguém empurrou você? Onde está sua mãe? Ah, você está muito molhada!" O sr. Takahashi pôs Jujube de pé, cambaleando um pouco, e passou o braço dela por cima dos seus ombros. "Venha, menina, vamos para sua casa."

"A casa está suja", Jujube disse, mas permitiu que ele a levasse para dentro.

A residência estava mesmo um desastre. De início, empolgado com a bomba em Nagasaki, o pai de Jujube parecia ter voltado a ser quem era, contando histórias sobre como imaginava a derrocada dos japoneses, perguntando-se em voz alta se recuperaria o antigo cargo no departamento de obras públicas. Contudo, o sumiço de Jasmin havia acabado com qualquer esperança que ele tivesse nutrido. O homem parecia uma bola murcha, se engasgando com a própria saliva e cutucando as cascas das feridas nas mãos, resultado dos cortes das folhas de metal que manuseava na fábrica. Depois do trabalho, ele se retirava a um canto do quarto, como um animal ferido, e à noite se deitava encolhido e imóvel, respirando em intervalos irregulares.

A mãe estava se saindo ainda pior. Por alguns dias depois da fuga de Jasmin, ela tinha falado baixo sobre pedir ajuda a um misterioso "ele", mas Jujube não conseguia tirar mais nada dela, não importava o quanto tentasse. Agora, a mãe passava a maior parte do dia confinada no quarto. A filha a ouvia andando de um lado para o outro, murmurando coisas incompreensíveis. De tempos em tempos, a mãe saía, com os olhos desvairados e o cabelo desarrumado. Certa vez, Jujube a arrastou até o banheiro. Pegou a concha e tentou jogar um pouco de água para melhorar o mau cheiro dela, porém a mãe empurrou Jujube com uma força surpreendente e se agachou num canto do cômodo, de onde ficou encarando a garota com os olhos úmidos, até que fosse levada de volta para o quarto. Jujube tentava manter a casa em ordem, mas mal tinha tempo de cozinhar as escassas rações, e muito menos de fazer a limpeza.

O sr. Takahashi não comentou sobre o cheiro rançoso que vinha da cozinha, embora tenha dado um gritinho ao ver a fileira larga de formigas pretas no chão. Depois que a mãe tinha derrubado o óleo e o leite maltado, Jujube não conseguira livrar a cozinha da infestação. O sr. Takahashi deixou Jujube em uma cadeira de vime na pequena sala de estar, passou pelos insetos e pela bagunça e pôs uma chaleira com água no fogão.

"Hoje eu faço o chá! Vou ajudar, pequena Jujube. Senta. Sinto preocupado com você, porque muitos dias que não trabalha na casa de chá. Pergunto ao gerente como estava e..." O sr. Takahashi tagarelava, atrapalhando-se com os tempos verbais, abrindo armários e encontrando xícaras e chá.

Ao longo da meia hora seguinte, Jujube viu o homem segurar uma xícara de chá e depois revirar a cozinha até achar uma vassoura, um esfregão e um pano para tentar limpar o chão e a mesa. Jujube notou que ele não fazia um bom trabalho, deixando uma camada de gordura de óleo em cada superfície, porém ela não se importava.

"O senhor pode se sentar na cadeira." Jujube se levantou.

"Não, menina, você está cansada. Senta você." O sr. Takahashi entregou outra caneca para ela, que nem notara que tinha sido tirada de sua mão. Era um chá malfeito e fraco que não ficara em infusão por tempo suficiente, mas o vapor a tranquilizava. Do chão, o sr. Takahashi olhou para Jujube, de olhos arregalados como os de um cachorro perdido. "Notícia nenhuma da sua irmã?"

Jujube balançou a cabeça; não tinha nada a dizer. Talvez para preencher o silêncio e aliviar o desconforto dele, ela se pegou perguntando: "E da sua filha?".

Os olhos do sr. Takahashi se iluminaram, depois ficaram nublados. Da sua posição elevada, Jujube sentia como se pudesse ver as engrenagens se movendo na cabeça dele — a alegria por ter encontrado a filha e a culpa pela situação da irmã dela.

Jujube ficou pensando na maneira como meninas e mulheres atuavam para os homens, sempre sabendo o que eles queriam e como desejavam ser reconfortados, calculando incessantemente que lados de si mesmas mostrariam a um homem e que partes do seu sofrimento ele não conseguiria suportar. Ela pensou em como a mãe costumava fazer isso com o pai, quando ele se entusiasmava com os assuntos do trabalho, deixando de lado suas próprias distrações e tristezas, para perguntar sobre o dia dele, depois assentia e sorria com a falação animada sobre solos e marés, interpretando o papel da esposa feliz e dedicada.

"Está tudo bem, o senhor pode me contar." Afinal de contas, o sr. Takahashi tinha sido bom com Jujube.

Isso era encorajamento o suficiente. Ele tirou do bolso o que parecia ser uma foto amassada e um telegrama. "Aqui está Ichika!"

Jujube se perguntou se ele sempre carregava a foto, ou se tinha passado a fazê-lo na esperança de que ela perguntasse a respeito. Então o nome da menina era Ichika. Da menina dele. Ela engoliu a raiva familiar que subia pela garganta e se inclinou, baixando a cabeça para ver melhor a foto de uma moça que parecia só um pouco mais velha do que ela, de vinte e um anos talvez, com o cabelo preso atrás das orelhas e vestindo — para sua surpresa — calça.

"Minha filha é uma menina muito moderna. Faz universidade. Aprende arte. E enfermagem." Jujube notou que o sr. Takahashi abriu os ombros para falar de Ichika, como se não pudesse conter o orgulho e o afeto pela menina de calça.

Como ele ousava, ela pensou. No entanto, para ele, Jujube desempenhou o papel da menina agradecida que ouvia sobre o alívio e a alegria de um homem, reprimindo seu próprio desespero.

15

CECILY

Bintang, Kuala Lumpur
1937
Malásia ocupada pelos britânicos

Para surpresa de ninguém, Bingley e Lina Chan se reintegraram à sociedade com facilidade. Com o que Cecily imaginava que fosse o dinheiro da antiga sra. Yap, eles compareciam aos eventos sociais no clube e na casa do representante, além de dar as próprias festas, nas quais recebiam oficiais britânicos graduados em sua casa grande e bastante moderna. Cecily ficava impressionada com a curta memória coletiva dos britânicos.

"Ninguém falava com ela um ano atrás!", Cecily reclamou para Gordon. Em contrapartida, o marido adorava os dois, principalmente Fujiwara se passando por Bingley, e cumprimentava o casal como velhos amigos de quem sentira muita falta. Cecily se encolhia sempre que Gordon gritava para Fujiwara; então observava a resposta em forma de um sorriso fraco, que os olhos não acompanhavam, apenas tolerando a veneração de Gordon. *Se o marido soubesse*, ela pensava, e o corpo a levava de volta ao dia em que Fujiwara a imprensara contra a parede. Depois tocava a região onde havia ficado o hematoma e sentia uma pontada de prazer.

Os britânicos também pareciam adorar Fujiwara. Como Bingley Chan, ele sorria fácil e não demonstrava o aborrecimento pelo qual ela o conhecia. No lugar, recorria a um humor autodepreciativo que a fazia se eriçar toda.

"Por acaso viu minha esposa por aqui, sr. Chan?", ela ouviu um burocrata britânico perguntar em um evento lotado.

"Ora, não, meu caro, estes olhos são pequenos demais para eu ver qualquer coisa claramente!" Em seguida, os dois gargalharam.

Fujiwara permitia que eles o usassem para fazer piada, e assim era respeitado. *Eis um homem que parece um deles, mas pensa como um de nós,* deviam pensar. *Eis um homem que nos permite dar voz às coisas de que sabemos e das quais devíamos nos envergonhar, mas preferimos não nos sentir desse jeito.* Cecily só podia imaginar o dano que isto provocava à alma de uma pessoa: permitir que os outros a diminuíssem e baixar suas defesas para ser aceita. Mesmo agora, na condição de esposa respeitada de um funcionário administrativo sênior, Cecily se deparava com grupos de mulheres brancas que paravam de falar quando ela se aproximava. Às vezes, chegavam a fazer comentários irônicos sobre a criação dos filhos.

"Sabiam", disse ansiosa a sra. Landley, esposa de Alistair Landley, um gerente de nível intermediário, "que eles deixam as meninas sangrarem por toda a casa naquele período do mês?"

"Sabiam que eles deixam as crianças correrem nuas até a adolescência?"

"Sabiam?"

O fato de Fujiwara admitir ser alvo de ridicularização para ser aceito na sociedade (palavra exagerada para designar aquilo, na concepção de Cecily) fazia o coração dela doer — de quanto de si mesmo ele precisava abrir mão em nome da sua ideologia, quanto de si mesmo ele ainda tinha para oferecer? Cecily não queria sentir pena, porém sentia.

Lina parecia totalmente à vontade no novo papel de dama da alta sociedade. Cecily a via usando vestidos tão claros quanto sua pele. Ela parecia um lindo fantasma, flutuando pela multidão, que ficava encantada em cumprimentá-la. Os oficiais britânicos, os mesmos que tinham prendido seu primeiro marido e, provavelmente, o pendurado no teto e espancado até a morte, a tratavam com respeito. Quando ela se virava, ficavam olhando indiscretamente para seu corpo. Cecily se mostrava ultrajada com tamanha hipocrisia, além de furiosa por Lina estar disposta a aceitar esse constrangimento como parte da sua existência.

Por semanas, Cecily evitou o casal. Ela os via em festas, de braços dados, atravessando a multidão como estrelas de cinema. Enquanto Gordon corria atrás deles, como se reivindicasse uma audiência com a realeza, Cecily se mantinha no canto do salão, esforçando-se ao máximo para não ser notada. Ela os observava à distância, esperando conseguir ler sua linguagem corporal. Tentava imaginar a pressão que Fujiwara aplicava ao pegar o braço de Lina. Seria possível que ela sentisse o coração dele batendo só de encostar nele? Seu corpo irradiava calor ou frio contra o dele? Cecily queria que Fujiwara se virasse para ela. *Olhe para mim*, ela pensava. Os dois não se comunicavam desde o encontro no quarto 7A, porém ele sofria mutações na mente dela, tal qual um vírus. Cecily o via de relance em toda parte — um pedaço da perna de uma calça de linho desaparecendo num beco, seu cheiro inebriante de hortelã do lado de fora de uma loja, um rosto no centro lotado da cidade que desaparecia quando ela tentava distingui-lo da multidão. Como uma tola, fantasiava com ele surgindo na sua casa, vasculhando os corredores, pegando-a nos braços e partindo juntos. Essas fantasias infantis a faziam estremecer, embora não tanto quanto as lembranças do seu descaramento no quarto 7A. Cecily ainda não sabia o que a tinha possuído, e agora restava apenas a vergonha.

Lina tentou quebrar o gelo algumas vezes. Ela se pôs ao lado de Cecily nas festas e chegou a tentar acompanhá-la quando a encontrou na rua uma vez. "Aonde vai?" E tocou o braço de Cecily com uma mão fresca.

"Lugar nenhum", Cecily murmurou nervosamente e saiu depressa na direção contrária.

Em um único episódio, houve um encontro não intencional, quando Cecily, Gordon e os dois filhos caminhavam até o campo. Ela viu os Chan se aproximando, mas não pôde dar meia-volta com a família rápido o bastante, porque suas mãos estavam ocupadas com Abel, que chutava bastante a terra, e Jujube, tão concentrada no seu livro que precisava que a mãe a guiasse.

Os homens se cumprimentaram com a agitação de sempre.

"Que criança mais linda", Lina comentou, já se agachando para ficar da altura de Abel. "Qual é seu nome?"

Ele bateu os cílios, tão compridos que quando caíam em seus olhos os deixavam irritados. "Abel", respondeu, tímido. "Tenho" — ele ergueu os dedos — "seis anos."

"Não, bobinho. Você tem quase sete", Jujube disse, sem tirar os olhos das páginas.

Cecily olhou desamparada para sua família: Jujube estava certa, porém precisava ser repreendida pela impertinência; Abel fazia uma careta angustiada por causa da indelicadeza da irmã; e Gordon gritava e batia nas costas de Fujiwara com tanta força que quem passava se virava para olhar.

Lina entrelaçou as mãos e riu. "Essas crianças são muito engraçadas, Cecily!" Então, como se percebesse o incômodo da outra, pegou o marido pelo braço. "Venha, Bingley. Não vamos segurá-los mais. Está quente além da conta, e as crianças não podem suar nessas belas roupas!"

"Ela não foi muito simpática", Gordon resmungou à medida que os Chan se afastavam. Cecily não disse nada, só pegou os filhos pelo cotovelo e voltou a andar.

"Eu sei por que você a evita", Gordon prosseguiu, enxugando a testa suada com um lenço. "Ela não é do nosso círculo, ainda que finja ser com as roupas novas. É de classe baixa." Ele abaixou o cabelo com uma mão. Só então Cecily notou que estava penteado para trás, como o de Fujiwara.

No começo de fevereiro, Cecily decidiu que bastava.

Ela achava que tinha tirado tanto a ideologia como o homem do seu sistema. A distância podia ser enganosa, permitindo que uma sensação de estabilidade e segurança tomasse conta, fazendo-a pensar que se adaptara perfeitamente à nova vida como súdita colonial de classe média-alta. No entanto, o retorno de Fujiwara e Lina havia abalado tudo; entre acessos de vergonha e desejo, Cecily passou a ansiar por notícias do progresso japonês, perguntava-se quanto tempo levaria para chegar às costas malaias. Ela se lembrou de como era boa a sensação de ter um propósito e um segredo que não era vergonhoso, de querer algo maior para si. Sentia falta da parte de si que Fujiwara alimentara, e da impressão de que ela era a única iluminada à sua volta. Tratava-se de uma superioridade que a reconfortava sempre que era esnobada por outra esposa ou pelo próprio marido. Sentia falta de ser uma mulher que se importava com algo, bem como de ser uma mulher que era mais do que a mera extensão da casa e da família.

Cecily decidiu lidar com a situação. A ideia surgiu certa manhã de forma tão lógica que ela começou a assar o que sua mãe chamava de "torta europeia" assim que saiu da cama, antes que pudesse encontrar um motivo para ser dissuadida. Misturou os frios, as batatas, os champignons e os ovos de codorna com o caldo de galinha engrossado, acrescentando um pouco do ingrediente secreto, molho inglês, que provavelmente era o que tornava a torta "europeia".

"O que está fazendo, querida?" Gordon roubou uma fatia dos frios. Com um gesto, ela o mandou para o trabalho.

Cecily transferiu essa espécie de sopa para uma travessa esmaltada, depois cobriu com massa podre e escreveu "L&F", de "Lina e Fujiwara", antes de perceber o erro ao transformar o "F" num desalinhado "B", de Bingley. Ela se afastou para admirar o trabalho. Então pensou que até mesmo a mãe, que poucas vezes tinha se impressionado com algo que ela fizera, ficaria orgulhosa.

No meio da tarde, Cecily dobrou os relatórios encontrados na pasta de trabalho que Gordon tinha deixado na mesa da cozinha por descuido, pôs em um envelope e escreveu "Chan, Bingley" na frente. Gordon estava sempre perdendo seus documentos; ia achar que esquecera no escritório ou ia pedir a uma das muitas secretárias que providenciasse cópias. Cecily cobriu a torta europeia e saiu para a rua. "Não chova, não chova, não chova", ela sussurrava.

Quando chegou à casa dos Chan, havia uma fileira de sapatos de mulher na porta da frente. *Ótimo, Lina tem convidadas*, ela pensou. Podia deixar a torta, dizer que Gordon tinha mandado um documento para Bingley e ir embora. Tranquilamente, sem qualquer alarde.

Lina atendeu a porta em um vestido dourado chique demais para o chá da tarde.

"Ah, veja só quem é!"

Que exagero, Cecily pensou. "Boa tarde, Lina. Só vim trazer uma torta..."

Vozes de mulheres ecoavam lá dentro. "Estou recebendo algumas senhoras. Por que não entra para cumprimentá-las?"

Cecily ponderou. Não queria ficar e ter conversas desconfortáveis com semiconhecidas. A julgar pela qualidade dos sapatos, todos de couro, de salto e lustrosos, ela imaginava que se tratasse de um grupo de esposas britânicas. Cecily não estava vestida para a ocasião nem preparada para a condescendência delas.

"É melhor não. Você tem companhia..."

"Não, ah, Cecily, entre. Quem está com seus filhos?"

"A criada", ela admitiu, relutante.

"Bem, então o que está esperando? Não precisamos falar aqui no sol quente!" Lina brandiu as mãos, conduzindo Cecily para dentro. Ela não via uma maneira de escapar. Tirou os sapatos marrons e, envergonhada, empurrou-os para baixo dos demais calçados.

A casa era impressionantemente ampla. A de Cecily, embora tivesse ficado maior com a reforma, continuava bagunçada. Ela gostava de pensar que a bagunça era confortável, com cadeiras e almofadas dispostas ao acaso, muitos lugares onde se sentar, tapetes no chão para que as crianças brincassem, fotos de família em cada superfície. A casa dos Chan era imaculada, com paredes de um branco cremoso, não muito diferente dos atuais vestidos de Lina. O corredor da frente dava em uma sala com o piso livre, de ladrilhos brancos brilhando frescos contra os pés descalços de Cecily. Lina a levou até o uma espécie de sala de estar, que possuía apenas uma peça de decoração à mostra: uma aquarela abstrata em azul e branco dominando a parede e o cômodo. Embora fosse pensada para chamar a atenção, se recusava a oferecer algo mais a quem olhava; era impossível determinar seu foco. Havia três europeias de vestido florido sentadas de maneira formal em cadeiras de encosto reto, segurando xícaras de chá com o dedo mindinho erguido. Eram tão caricatas que Cecily teve que morder o lábio para não rir — se de nervosismo ou porque de fato achava graça na situação, ela não sabia.

"Lady Worthing, sra. Chandler, Lady Lewisham. Esta é Cecily Alcantara, que imagino que já conheçam. Ela trouxe uma torta!"

Lady Lewisham era a esposa do representante britânico, a senhora que tinha sido enfática ao reprovar o desmaio falso de Cecily no ano anterior, quando ela e Fujiwara cumpriam sua missão. Pensar em Fujiwara fazia o estômago de Cecily se revirar. Ela notou copos suando com um líquido claro ao lado dos pires de chá. A julgar pelo aroma de zimbro, deviam conter gim-tônica bastante forte. Elas estavam bebendo.

A mais loira de todas, Lady Worthing, deu uma cheirada na torta e disse: "Não, obrigada. Já comi". As outras assentiram, depois olharam Cecily de cima a baixo. Ela corou, sabendo que estavam julgando as roupas e o prato que há pouco a deixara tão orgulhosa.

Lina a conduziu até a cozinha. Cecily deixou a torta na mesa e o envelope com os documentos roubados ao lado. "Tenho algo para seu marido, da parte de Gordon..."

"Ah, quanta gentileza!" Lina tinha aberto a torta e passava o dedo na crosta — no "L" e no "B" corrigido. Daí, sem limpar a mão, pegou nas de Cecily.

"Bingley disse que seu marido pode ser..." Lina parou de falar, como se procurasse um eufemismo. "Ele disse que Gordon pode ter dificuldade de superar as minhas... transgressões passadas."

Cecily ficou impressionada, e não apenas porque Lina conhecia a palavra "transgressões" e a pronunciara corretamente. Fujiwara tinha encontrado uma maneira de explicar a reticência de Cecily. Ela sentiu uma pontada na lateral do corpo.

"Mas gosto muito de você e queria que fôssemos amigas. Era meu ex-marido, e não eu, quem fazia coisas ruins. Espero que compreenda isso."

Cecily sentiu que as palmas de Lina suavam, uma fissura na sua imagem perfeitamente fabricada. Isso a surpreendeu. Afinal de contas, Lina não precisava dela; chegara ao topo da escada social sozinha, sendo charmosa. Cecily fizera a torta como uma mensagem para Fujiwara, na tentativa de que ele soubesse que ela pretendia voltar ao jogo. Não tinha outras intenções, e certamente não esperava a demonstração de vulnerabilidade e a expressão esperançosa e aberta de Lina. A mulher, com todo o verniz e a destreza, buscava um tipo de aprovação em Cecily. Era estranho e ao mesmo tempo cativante.

"Vamos, Lina. Não podemos deixar aquelas três sozinhas com as xícaras de chá. Quem sabe o transtorno que podem causar?"

Lina soltou um suspiro alegre e passou o braço no de Cecily. As duas voltaram à sala de estar, onde as mulheres brancas fofocavam juntas, tendo esquecido as xícaras de chá.

"Sobre o que estão fofocando?", Lina trilou, jogando-se numa poltrona. Cecily ficou inquieta no lugar, perguntando-se onde sentar, até que a anfitriã apontou para uma cadeira de vime ao seu lado e ela se sentou, grata.

"Absolutamente nada", Lady Lewisham disse, embora Cecily soubesse que, pela maneira como o canto da boca se retorceu, ela adoraria ser perguntada de novo.

"Vamos, senhoras, podem falar", Cecily insistiu.

"Bem", disse a loira, Lady Worthing, "estávamos discutindo o tipo de homem com quem nos divertiríamos se não estivéssemos com nossos maridos."

"Homens locais, claro", emendou a sra. Chandler, a mais bonita e de fala mais mansa. Ela bebericou o gim. As três tiveram um ataque de risadinhas.

"Ah, que... divertido", Cecily disse, seca. Ela sentiu as costas se enrijecerem, como se o corpo se defendesse de maneira involuntária.

O grupo continuou falando.

"O sr. Lingam? Baixinho demais. E escuro demais", disse Lady Worthing, com os lábios curvados.

"O sr. Chong?", a sra. Chandler sugeriu.

"O dono do armazém? De modo algum, dá para sentir o cheiro dos produtos nele! Quer anchovas emboloradas nos seus lençóis?", zombou Lady Lewisham.

"O sr. Rahman, vice-diretor? Ah, sim", disse a sra. Chandler, fechando os olhos.

"A pele dele tem o tom perfeito", comentou Lady Lewisham.

"Não sei o que veem nele", disse Lady Worthing, franzindo a boca. "Ele é quase... educado demais, ocidental demais, sabem? É como uma versão mais escura de um dos nossos."

Cecily se engasgou. Não era o tipo de tarde que tinha em mente. Ouvira sobre homens britânicos que cobiçavam meninas locais, chamavam-nas de nativas exóticas e docinhos morenos. A literatura britânica com certeza estava repleta de pessoas não brancas violentamente sexualizadas. Na sua cabeça, porém, as mulheres britânicas tinham apenas duas expressões — de aversão e paranoia —, e, embora ambas a incomodassem, Cecily tinha se acostumado com os lábios franzidos de reprovação e as sobrancelhas arqueadas quando eram forçadas a encontrar qualquer pessoa com a pele mais escura do que a delas. Para aquilo — o que quer que fosse —, Cecily não estava preparada.

As mulheres continuaram falando. "Gordon Alcantara. Mui..." Lady Lewisham se virou para Cecily como se de repente se lembrasse da sua presença. "Sra. Alcantara, espero que não se importe conosco." Cecily balançou a cabeça, em silêncio. Não tinha nada de bom a dizer.

"Ele é só espalhafatoso demais, pequeno demais, entende?"

Cecily ficou encarando uma ponta particularmente brilhante do ladrilho. Elas eram rudes, mas não estavam erradas.

"Agora o seu sr. Chan..." Lady Lewisham se engasgou com gim--tônica, sentindo a plenitude de uma embriaguez feliz.

Cecily tirou os olhos do chão e observou Lina com cuidado. Na superfície, ela parecia bem, assentindo e sorrindo, como se as colegas discutissem algo banal, por exemplo arranjos de flores ou o preço dos alimentos. Os dedos, por sua vez, se contorciam de juntas brancas sobre as pernas.

"Não vamos ser rudes com a nossa anfitriã, não é mesmo?", Cecily disse.

"Não seja estraga-prazeres, sra. Alcantara!" Lady Lewisham casquinou, e deu para sentir o cheiro de gim no seu hálito. "Lina está acostumada com o nosso falatório!"

"Aquele Bingley Chan... Ele é baixinho, não é? Um homem bem pequeno", disse Lady Worthing, recostando-se na cadeira, como se estivesse se preparando para uma longa discussão.

"Mas aquela voz, minha nossa! É como se ele tivesse sido expulso do internato. De olhos fechados, qualquer um imaginaria estar falando com um rapaz de Harrow." Lady Lewisham suspirou. "Todo o resto é uma pena, considerando que ele poderia ser um de nós. Mas não se pode ter tudo."

"Peço desculpas de antemão à sra. Chan, mas eu com certeza o escolheria. Ele é um animal, não é, sra. Chan? Sinceramente, às vezes fico surpresa que não tenha terminado com uma branca." A sra. Chandler ajeitou um cacho de cabelo rebelde imaginário, depois olhou para Lina.

"Que criatura escandalosa você é, minha cara!" Lady Lewisham estava tão entusiasmada que as bochechas coraram. Cecily queria dar um tapa naquelas bochechas pretensiosas e rosadas.

Lina se debruçou para se servir de chá, com um sorriso tranquilo e o rosto perfeitamente composto. "Mais chá?", ela ofereceu para ninguém em particular.

As outras a ignoraram e continuaram falando. Apenas Cecily viu a maneira como a bebida fluía trêmula até a xícara enquanto Lina inclinava a chaleira no ar. E apenas Cecily notou o líquido marrom derramado no pires e que Lina não pegou a xícara em seguida porque suas mãos não paravam de tremer.

"Senhoras, acho que não estou me sentindo de todo bem. Terei que deixá-las. Sra. Chan, pode me acompanhar por uma parte do caminho?", Cecily pediu.

"Ora, ora, você fica bastante doente, não?", Lady Lewisham comentou. "É melhor eu ir também. Lord Lewisham vai receber algumas pessoas, e os criados daqui simplesmente não conseguem fazer nada como os criados na Inglaterra..."

"Você está bem?", a sra. Chandler perguntou.

"Sim, sim. Ficarei bem. Só estou um pouco tonta."

As mulheres britânicas reuniram seus pertences e foram até a porta. "Foi uma tarde maravilhosa, sra. Chan. Espero que nos convide de novo", Lady Worthing disse, estendendo uma mão mole.

"Sim, claro, claro", Lina respondeu, porém Cecily notou que ela não cumprimentou Lady Worthing, que recolheu o braço rapidamente.

"Adeus", Lady Lewisham se despediu, e foram embora.

Assim que o portão bateu, Cecily se virou para Lina, incapaz de esconder a indignação. "Como ousam...? Como pode tolerar...? Que insolentes..."

"Vamos, Cecily." Lina estava cansada e se afundou na cadeira de vime.

A sombra de Cecily caía sobre o corpo encolhido da outra, que a fez perceber como Lina era pequena.

"Ele... ele diz que devo me dar bem com elas. Agora me aceitam, entende? É exaustivo às vezes." Ela soltou um longo suspiro. "Mas obrigada. Por... fazer com que fossem embora."

Como os olhos de Lina se fecharam, Cecily aproveitou para observá-la. Ponderou que aquela era a parte da sra. Yap que Lina tinha carregado consigo durante a transformação: atuar para um marido que esperava que ela desempenhasse um papel, um marido que não sabia o quanto isso exigia dela, tudo porque o bem maior do capital social se sobrepunha ao resto.

"Esses homens não nos merecem, sabe?", Cecily comentou. "Fazemos tanta coisa por eles que nem veem."

"Fico preocupada com a possibilidade de cometer um deslize e passar vergonha." Lina manteve os olhos fechados, e as pálpebras tremulavam de cansaço. Cecily se perguntou se Fujiwara sabia das consequências das máscaras que obrigava ambas a usar. E se ele se importaria caso soubesse.

"Vou lavar a louça." Cecily recolheu da mesa os copos de gim vazios e as xícaras pela metade.

"Não, não", Lina protestou, abrindo os olhos e se pondo de pé. "Minha mãe teria vergonha de mim. Ela já morreu, mas juro que levantaria do túmulo e exigiria saber por que deixei uma convidada fazer isso."

"Mães podem ser duras." Cecily levou os copos para a cozinha. "A minha queria que eu fosse mais bonita."

"E a minha que eu tivesse um bigulim!" A risada de Lina saiu tão estrondosa que foi como se um pouco da antiga sra. Yap rompesse o verniz. "Nem conseguiu acreditar quando saí e não tinha nada lá embaixo. Ficava perguntando à parteira: 'E o *kuku*? E o *kuku*?' Parece que a vidente que meus pais consultaram tinha dito que o primeiro filho seria um menino. Devia ser a pior vidente de Ipo!"

Lina deu uma gargalhada, e Cecily não se conteve; as imagens de uma versão mais velha de Lina gritando sobre um *kuku* a fizeram ter um ataque de risos tão persistente que só parou com um pouco de chá frio.

Atrás das duas, o portão rangeu e um aroma hortelã de creme de cabelo invadiu o cômodo. O sorriso de Lina se alargou. "Você chegou, querido! Graças a Deus." Ela apontou para Cecily. "Veja quem veio visitar!"

"Sra. Alcantara." Fujiwara não hesitou nem por um momento, sem demonstrar surpresa nem alterar sua expressão.

Cecily queria sacudi-lo. *Estou aqui!*, ela queria gritar. *Você não se importa?* O perfume de hortelã a deixava tonta. "Trouxe docu...", ela começou a dizer.

"Lina, ouvi suas risadas lá da rua. Qual era a gra...?", Fujiwara falou ao mesmo tempo, então se interrompeu. Cecily viu que ele respirava fundo, porque a garganta vibrava, mas mantinha os olhos sem piscar fixos na esposa. Não ia olhar para Cecily.

"Gordon mandou documentos para você, querido. Estão na cozinha." Então Lina se lançou ao peito de Fujiwara, num abraço tão íntimo que Cecily ficou desconfortável e teve que desviar o rosto.

"É mesmo?" Fujiwara olhou para Cecily pela primeira vez, por cima do cabelo sedoso de Lina, transmitindo dúvida e surpresa nos olhos escuros.

Cecily concluiu que isso por si só era um triunfo. Dessa vez, era ela quem agia de maneira imprevisível. Olhou fixamente nos olhos dele.

"Diga... ao seu marido que fico feliz com o envio. Faz tempo que não temos a chance de... falar."

Cecily soltou um suspiro aliviada e estreitou as pálpebras, sem quebrar o contato visual com Fujiwara.

"Obrigada pelo chá, Lina. Fico feliz por ter vindo."

16

ABEL

Campo de trabalho de Kanchanaburi, na fronteira entre Birmânia e Tailândia
24 de agosto de 1945
Malásia ocupada pelos japoneses

"Tenho algo para te mostrar." A voz de Freddie ecoou na cabeça de Abel, como um tambor. "Vem, vem, vem."

Freddie chutou a lateral do corpo do amigo, tocando a parte mais macia da barriga dele com os dedos dos pés, tentando fazer com que se levantasse. Abel gemeu. Sua mente era pura lama, como o chão, e o movimento repentino provocou ânsia de vômito no garoto.

Nauseado, Abel olhou para Freddie. "Olha o que vai acabar acontecendo por sua causa."

Freddie revirou os olhos. "Nem pense, Abel. Aqui, não. Os outros matariam você."

"Não me importo com eles, não mandam em mi..." Sentindo a ânsia aumentar, Abel correu para fora do alojamento e vomitou numa bananeira, despejando uma bile mais amarelada que os frutos.

Fazia cerca de seis dias que ele tinha matado o irmão Luke. Abel descobrira que, se comesse pouco e bebesse muito, conseguia manter os pesadelos à distância, impedindo que suas lembranças desorganizadas espreitassem — o barulho do vergalhão atingindo os dentes, os respingos de sangue nos seus pés descalços, o cacarejar furioso das galinhas, os rugidos dos meninos, depois o silêncio retumbante enquanto todos esperavam que o irmão Luke se levantasse, a zombaria quando isso não aconteceu. Seu torturador, o supervisor Akiro, mal era visto — se antes procurava Abel só para bater nele, botá-lo no curral e persegui-lo ao pôr do sol, agora andava em transe, com o rosto tenso de preocupação. Ele buscara Abel só mais uma vez, quando o menino estava se aliviando, porém a bebida havia dado um jeito naquilo também — Abel nem sequer sentira qualquer coisa. Ao fim, o menino saíra da casinha cheirando a mijo, com os punhos machucados por ter sido segurado contra a parede, e desmaiara bêbado sob uma árvore.

Freddie o tinha encontrado ali, claro, e feito com que se sentasse para não engasgar com o próprio vômito, logo o arrastara de volta ao alojamento e o forçara a beber água para não desidratar. O relacionamento entre os dois havia mudado; nos seus poucos momentos de clareza, Abel ficava incomodado com aquilo. Uma espécie de indignidade deu lugar ao que antes consistira numa parceria entre os dois — já não se sentavam mais juntos, para pintar e recordar. Em vez disso, Abel sabia que Freddie às vezes dava banho nele, tentava deixá-lo decente quando Abel caía de maneira que o expunha. Os outros meninos apontavam para eles, e Abel sabia disso, mas era Freddie quem os enfrentava, era Freddie quem os dispersava, era Freddie quem o ajudava a se sentir humano outra vez nos piores dias. De certa maneira, os dois se distanciaram, talvez porque a balança de poder houvesse se desequilibrado demais a favor de Freddie. Nenhuma amizade podia resistir a uma alteração tão repentina. Nenhuma amizade podia se basear em tanta pena. À sua maneira, Freddie parecia ter crescido. Continuava quieto, nunca procurava os holofotes, porém agora gozava de certa popularidade. Mesmo em meio à névoa da embriaguez, ele identificava a voz de Freddie cantando com os demais meninos, às vezes até rindo de um jeito soluçado que fazia Abel sorrir.

Agora que eles não precisavam mais trabalhar tanto, os dias ficaram menos duros. Os meninos mais esforçados tentavam passar algumas horas do dia instalando trilhos, porém mal havia supervisão. Na maior parte do tempo, eles simplesmente procuravam comida, tiravam um cochilo ou trabalhavam no novo "teatro", uma estrutura de bambu e folhas de palmeiras que Rama estava construindo para as apresentações noturnas. Abel não o via. Os dias tinham começado a se misturar, a ponto de ele não saber como separá-los. No entanto, ouvira que as apresentações haviam evoluído e, às vezes, envolviam competição, com shows de talentos, cenas cômicas, concursos de canto, concertos completos, torneios de queda de braço e salto em distância. Freddie tinha contado que Azlan interpretava de maneira hilária uma mulher britânica que ele chamava de sra. Mills, numa versão de peitos enormes e desiguais, que os meninos faziam com trapos recheados de folhas.

Abel imaginava que tudo devia estar muito melhor. Pensava que talvez devessem se revoltar e assumir o campo, então via o supervisor Akiro e um grupo de soldados limpando os rifles, e a ideia desaparecia. Abel se perguntava se o esforço de tentar escapar e fazer a longa e perigosa viagem de volta para casa e para sua família valeria a pena. Ele pegou o desenho que Freddie tinha feito de Jasmin no papel higiênico, mas a bebida tornava mais difícil recuperar o rosto dela na memória. Assustava-o pensar o que poderia ter acontecido com Jasmin — Abel tinha ouvido falar nos terríveis bordéis onde os japoneses jogavam meninas e as obrigavam a... a... Ele fechou os olhos com força; não conseguia nem pensar a respeito. Tinha criado coragem alguns dias antes, ido até os limites do campo, com o coração acelerado e os pés voando como se tivessem asas. Podia fazer aquilo. *Ia* fazer aquilo. Ia embora. Contudo, enquanto olhava para o chão marrom, quente e plano até onde a vista alcançava, o efeito da bebida começou a passar e ele foi assaltado outra vez pela maldição das lembranças: o vergalhão, o sangue, a dor e a expressão animal nos olhos do irmão Luke. Beber era mais fácil. Ajudava-o a encontrar dentro de si a simplicidade da inação; controlava a urgência que sentia de sempre buscar o melhor. Porque a única coisa que podia almejar na sua vida miserável era a sobrevivência. Portanto, ele recuara até a árvore mais próxima e virara a bebida goela abaixo. A bebida o ajudava a sobreviver.

"Vamos, vamos", Freddie o pôs de pé e fez uma careta para o que Abel imaginava que fosse a rancidez do vômito, do álcool e da falta de banho combinados. Ele se ressentia de ter que acordar tão cedo — o sol ainda não estava a pino e não fazia calor o bastante para ser meio-dia. Queria desfrutar de mais algumas horas de sono entorpecido antes que o calor tornasse isso impossível. Ele se abaixou para pegar uma garrafa de bebida morna do chão.

"Você não precisa disso." Abel encarou Freddie. Devia saber que ele precisava, sim, daquilo. Abel tomou uma golada e deixou que o líquido cobrisse seu esôfago, iluminando o caminho através do seu corpo e o trazendo de volta à vida.

"Oquefoi?", Abel murmurou, finalmente conseguindo falar.

Freddie balançou a cabeça e encovou as bochechas, se frustrado ou irritado Abel não sabia. Cambaleando um pouco, Abel sentiu o braço de Freddie sob seu ombro, endireitando-o. O toque era familiar, porque Freddie o levantava sempre que Abel era encontrado desmaiado em algum lugar — no galinheiro, debaixo de uma árvore, depois de comer, depois de cagar. Àquela altura, os movimentos de ambos estavam treinados: Abel, mais alto, aos tropeços, esforçando-se para focar os olhos; Freddie, mais baixo, com os joelhos firmes, os braços estendidos, guiando-o.

Eles seguiram pelo caminho de grama, ainda úmida do orvalho que o sol não havia tido tempo de secar. Quando olhou para os próprios pés, Abel se deu conta de que estava usando chinelos, embora não se lembrasse de tê-los calçado. Os dois passaram pelo refeitório, vazio a não ser por um ou dois meninos que acordaram cedo e preparavam o café da manhã. Abel viu Siu Seng, um dos prisioneiros que comandava a cozinha desde que os japoneses deixaram de se dar ao trabalho de alimentá-los. Por ora, o café da manhã tinha um cheiro melhor, dos caldos fumegantes que Siu Seng conseguia fazer com os poucos ingredientes disponíveis e as escassas ervas colhidas no campo. Ao passar pelo galinheiro, Abel estremeceu. Todas as galinhas, incluindo a marrom, já estavam mortas. Siu Seng a tinha encontrado cacarejando de lado, com os olhos vidrados. Aquela noite cada menino do campo recebera um pedaço de frango destrinchado por ele. Depois Siu Seng usara os ossos para fazer um caldo que todos, com exceção de Abel, elogiaram muito.

O menino parou. Muito embora soubesse através de Freddie que ia ao galinheiro toda noite, a proximidade com o lugar fazia sua pele queimar. De novo, o som assombrado do vergalhão nos ossos se passou entre suas orelhas.

"Tenho que voltar." Ele se debateu nos braços de Freddie.

"Não vamos entrar no galinheiro, Abe, eu juro. Venha comigo."

Abel relutou um pouco, sem real esforço para se desvencilhar de Freddie.

"Venha."

Ele se permitiu segui-lo. Ultimamente, quando Freddie falava, a voz dele parecia atravessar Abel, desfazendo todos os nós que ele tinha no peito. Se sentisse que estava perdendo o controle, tudo o que precisava fazer era se concentrar no tenor de Freddie, tranquilo, constante e baixo.

Conforme os dois se afastavam dali, Abel se sentia mais forte e a coluna ficava mais ereta. "Aonde está me levando, garoto?" Ele deu um soco de brincadeira no ombro de Freddie, mas notou com pesar que estava tão fraco que o amigo mal sentiu. Antes, seu punho era capaz de fazer Freddie se dobrar.

"Para um bêbado, você é bem falante." Freddie abriu um sorriso, e Abel sentiu que um peso deixava seu estômago.

Alguns minutos depois, os dois chegaram a uma estrutura alta, uma espécie de galpão coberto por folhas de palmeira e sustentado por mastros compridos de madeira. As laterais eram abertas, porém o chão estava coberto de folhas de palmeira também, algumas amarradas para formar esteiras, outras soltas. Numa ponta, havia um "palco" elevado, feito de engradados; atrás, pedaços de tecido com manchas marrons — talvez antigas camisetas —, haviam sido estendidos em um varal e faziam as cortinas separarem os bastidores.

"Uau, terminaram o teatro!" Abel olhou em volta, surpreso.

"Usamos parte do material que deveria ir para a ferrovia. Ninguém mais se importa. Venha, quero te mostrar uma coisa."

"Não era isso que você ia me mostrar?" Abel ergueu uma sobrancelha, porém Freddie já estava correndo para o outro lado da construção.

Abel caminhou tão rápido quanto podia para alcançar Freddie, mas o esforço acabou com ele. Só então percebeu que não comia nada desde o dia anterior. Ao se aproximar da cortina, uma espécie de gemido baixo chamou sua atenção.

"Pare, Freddie, tem alguém aí."

"Eu sei." Ele subiu no palco. "Está preparado?"

Freddie abriu a cortina. Ali, encolhido no chão, com cortes no rosto e nos braços, folhas enfiadas na boca e os pulsos amarrados aos tornozelos tal qual um porco, estava o supervisor Akiro, vestindo apenas uma camiseta fina.

"Freddie, mas o que...?"

"Abe. Agora você pode fazer o cara pagar. Pode descontar tudo."

"O que espera que eu faça?" Abel subiu no palco e se agachou, fazendo as folhas soltas de palmeira se remexerem sob os chinelos. Ele segurou a cabeça.

"Você pode mostrar a esse idiota quem é que manda."

Abel se levantou e se afastou de Freddie, então percebeu que havia mais gente ali. Os meninos foram atraídos como abelha pelo mel, com a perspectiva da violência despertando os mesmos impulsos carnais que ele tinha visto no encontro com o irmão Luke no galinheiro. Todos os olhos se mantinham fixos nele, e os pés começaram a bater no chão.

"Você é um covarde, Abel?" A voz de Freddie soou dura e mais alta do que de costume, muito diferente do tom baixo e calmo que sempre o trazia de volta.

"Não pode estar achando que vou fazer isso." Abel estava caindo e se agarrou a um mastro. Era culpa dele. Tinha se tornado alguém tão patético que fizera Freddie pensar que essa era a única solução.

"Ele merece. Como o irmão Luke merecia."

"Eu não... o irmão Luke... eu fiz por você!", Abel gritou.

Os olhos de Freddie se nublaram, e o azul escureceu como o céu antes de uma tempestade. "Você não consegue dormir. Não pode continuar assim. Não achei... Eu não sabia que isso te faria mal assim."

Abel se perguntou se aquele era o motivo pelo qual Freddie se mantivera a seu lado de maneira quase religiosa, tentando arrancá-lo das profundezas do seu desespero. Talvez a culpa devorasse o menino por dentro.

"Você está maluco?", Abel gritou, e se surpreendeu com o volume da sua voz. "Ainda tem japoneses aqui! Freddie, os japoneses vão vir atrás de nós."

"Viu? Eu disse que ele não conseguiria!", Rama berrou na multidão.

"Ouça", Freddie disse. "Vamos fazer isso juntos. Todos nós. Eu, você, os outros. Agora estamos em maior número. Pode ser por todos nós."

O supervisor Akiro gemeu no chão, e seus olhos — aquele par estreito que costumava aterrorizar Abel — foram tomados pelo medo. Abel tinha que admitir que havia algo de empolgante em ver a dor no rosto de Akiro, testemunhar o supervisor saber que algo ruim aconteceria, e por isso seu rosto tinha a mesma expressão que certamente o supervisor vira nele próprio muitas vezes.

Freddie baixou a voz, quase sussurrando. "Sei o que ele fez com você no galinheiro. Akiro tratou você como um cão. Obrigou você. Ele tem que pagar, Abe. Você não pode deixar que se safe depois do que ele fez."

Abel sentiu um buraco se abrir no seu estômago e a humilhação tomar conta do seu corpo. Então Freddie sabia.

"Não contei a ninguém, Abe. Mas você precisa mostrar a eles... mostrar a mim... sua... força. Você precisa melhorar." A intensidade da súplica fez os olhos de Freddie brilharem.

Freddie pegou um grande pedaço de madeira da pilha onde estava o uniforme do supervisor Akiro e o entregou ao amigo. Abel, de tão fraco, precisou das duas mãos para erguê-lo.

"A-BEL! A-BEL! A-BEL!", os meninos começaram a cantar, num tom febril, no teatro quente e suado, ao passo que os gritos reverberavam na sua cabeça.

Com os braços tremendo devido ao esforço, Abel ergueu a madeira acima da cabeça. O supervisor Akiro tentou gritar, mas se engasgou com as folhas secas que tapavam sua boca, de modo que o grito saiu abafado e quase infantil. De novo, Abel viu uma poça de sangue a seus pés, ouviu o barulho do vergalhão ao atingir o rosto do irmão Luke, e tudo retornando na ordem certa, uma coisa depois da outra. Abel deixou o objeto cair e passou correndo pelos meninos, sem olhar para eles, sendo atacado pela ânsia. Ninguém o parou. Enquanto vomitava na grama do lado de fora, Abel ouviu o barulho dos chutes e dos ossos quebrando dentro no teatro.

O supervisor Akiro estava morto.

17

CECILY

Bintang, Kuala Lumpur
1937
Malásia ocupada pelos britânicos

Cecily se perguntou se a única razão para suportar um homem frustrante era se tornando amiga da esposa dele. Lina Chan era o total oposto dela. Se Cecily se sentia invisível na multidão, Lina não tinha como evitar ser notada; se Cecily não falava muito e, quando muito, não dizia o que queria, Lina não tinha o que fazer senão botar para fora tudo o que vinha à cabeça, sem se preocupar em ser cuidadosa; se Cecily tinha dificuldade de socializar e punha a culpa do seu isolamento no fato de que eram todos uns esnobes, Lina circulava tranquilamente por qualquer espaço, deixando uma nuvem de pessoas em transe ao seu encalço. Ainda assim, conforme o calor de agosto se infiltrava nos poros e transpirava nas roupas, Cecily descobriu que, juntas, ela e Lina eram seus próprios opostos. Era como se a exuberância de Lina e a reticência de Cecily fossem disfarces que as duas só podiam tirar quando estavam reunidas.

Elas passavam muitas tardes na casa uma da outra, falando tão rápido e alto que às vezes se atropelavam. Também cochichavam descaradamente sobre outras mulheres. Conversavam sobre a solidão de não terem podido recorrer à mãe quando a vida as traíra. E trocavam confidências. Lina falava sobre o aperto no peito quando via crianças correndo soltas, quando amigas passavam seus filhos recém-nascidos para que ela os segurasse e mimasse, e sobre como o sentimento surgira de maneira repentina, o quão nova e perplexa era aquela dor para alguém que nunca gostara da presença e dos passatempos das crianças. Cecily se viu perguntando a Lina como era possível amar e odiar o caráter doméstico da própria vida, e mencionou como aquilo tudo a fazia se sentir culpada. As duas se consolavam e seus corpos quentes se uniam em abraços longos e fortes. Cecily e Lina passavam as tardes abafadas de maneira agradável, por vezes se esquecendo de tomar o chá doce até que as canecas estivessem frias, com o açúcar se separando do leite, afundando, granulando, até que o brilho alaranjado do pôr do sol penetrasse a sala. Quando chegava a hora de dizer tchau e partir cada uma para sua casa e para o jantar que precisavam fazer para a família, Cecily sempre se sentia pesada e tomada por uma espécie de pavor, como se um feitiço tivesse se quebrado e a vida real fosse uma intrusão incômoda. Talvez o amor fosse isto, ela pensava — um relacionamento que não exigisse vigilância constante. Com Fujiwara, Cecily vivia agoniada com o que ele estava pensando; com Lina, ao contrário, ela sempre sabia. Sem o fardo da inescrutabilidade, a amizade das mulheres florescia, simples e vívida.

"Sabe, apesar de todas as coisas ruins que aconteceram, eu não faria nada de diferente", Lina disse ao entrar toda perfumada pela porta em uma daquelas muitas tardes.

"Ora, seja bem-vinda. Jujube, cuide do seu irmão, por favor! Tia Lina chegou!"

"Olá, tia Lina", Jujube falou da cozinha, mal erguendo os olhos do livro. Abel chegou correndo para dar oi, porém recuou no último minuto, tomado pela timidez. Ele ficou espiando e acenou da porta antes de voltar para junto da irmã.

Lina riu de Abel antes de recomeçar o assunto. "Estou falando sério. Pensei nisso hoje. Acho que..." — ela parou para experimentar o *kuih* que Cecily oferecia — "... que tudo estava predestinado. Tudo aconteceu por um motivo. Uma coisa levou à outra..."

"Você não tem nenhum arrependimento? Não tem raiva pelo que aconteceu com você quando levaram o *kapitan* Yap?" Cecily sentiu o corpo ficar tenso. Fazia um longo tempo que não pensava no *kapitan* Yap; no preço que ele tinha pagado pelo que ela fizera.

"Acho que... acho que eu precisava passar por tudo isso para me aproximar de Bingley. E foi assim que me aproximei de você! Valeu a pena." Lina se acomodou na sua cadeira preferida na casa de Cecily, com os pés recolhidos sob o corpo, como uma criança. Ela tomou um gole de chá. "Ai, que quente!", gritou, então deu risada.

Que maneira estranha e maravilhosa de viver, Cecily pensou, *encontrar o sol em todas as coisas*. O descontentamento era uma presença constante nela mesma. Cecily convivia com o murmúrio persistente do desejo, querendo mais de tudo o que via e ainda não possuía. Cecily pensou em como seria ficar satisfeita. Em como devia ser simples.

"Aqui." Lina deixou a xícara na mesa e soprou a ponta dos dedos. "Dê sua mão aqui. Minha *ah mah* costumava dizer que dá para ver a vida inteira nessas linhas."

Cecily riu e abriu a mão. Não acreditava nesse tipo de coisa, porém era difícil dizer não a Lina quando estava bem-humorada. Sua alegria era contagiante. Passou o indicador no vinco mais longo da palma da amiga, e os calos na ponta do dedo fino provocaram um arrepio agradável.

"Veja só. A linha da vida é funda e longa. Minha *ah mah* dizia que isso significa que você vai ver muito."

"Tem certeza de que não é só porque não uso creme suficiente? Talvez só estejam secas."

"Não brinque! Isso é sério. Está vendo aqui, como essa linha se separa em duas?"

"O que isso significa?"

"Que você tem dois lados e pode ser duas pessoas diferentes. E aqui... Esta é a linha do amor. — Lina apontou para o caminho mais próximo dos dedos de Cecily. — Esta é a linha dos filhos. E esta é a linha da vida, como eu falei. E, *wah*, vê aqui, uma grande? Cortando as outras três?"

"O que isso significa?"

"Um grande tumulto." Lina contraiu os lábios de tal modo que o inferior ficou franzido.

"Não parece boa coisa."

"Uma grande traição. Ou uma interrupção abrupta. Ausência de paz. É melhor ficar atenta!" A mulher abriu bem a boca, fingindo estar com medo. Então toda a seriedade deixou sua expressão. Ela irrompeu em risos, deixando o ar entrar em seus pulmões e sair em lufadas curtas e felizes. Cecily desejou que Lina soubesse; que estivesse apenas se fazendo passar por uma mulher ingênua aquele tempo, para que ninguém a levasse a sério. Seria maravilhoso se ela se juntasse a eles e pudesse contar com o prodígio e o entusiasmo de Lina para levar a cabo os planos de Fujiwara e os dela — o mundo era muito mais vívido com Lina.

"Não tenha medo. Quiromancia é uma bobagem. Veja só a minha palma." Ela a estendeu, inclinando-a bem debaixo do nariz de Cecily. Exalava um leve cheiro de jasmim. "Minha linha da vida é tão curta que provavelmente significa que já morri." Lina ficou agitando os punhos diante do rosto numa péssima imitação de fantasma. "Talvez eu esteja te assombrando agora, uuuh, uuuuh!"

Cecily pegou as mãos dela. Lina estava certa. Era impossível ler o futuro de uma pessoa daquele jeito. Ainda assim, Cecily gostava disto; as duas fingindo ser meninas, rindo das rupturas que suas palmas intuíam para suas vidas.

Por volta dessa época, Cecily e Fujiwara voltaram a se encontrar no Oriental Horizons. A princípio, numa pantomima formal e quase muda. Cecily entrou no quarto 7A com um maço de relatórios que tinha surrupiado da escrivaninha de Gordon. Fujiwara folheou antes de ir embora, sem fazer contato visual, deixando uma nuvem de suor e hortelã em seu encalço. No segundo encontro, foi Cecily quem partiu primeiro, recusando-se a desempenhar o papel da mulher angustiada por olhar impotente para as costas do homem se afastando. Quando ela se virou na saída, viu de relance a expressão de Fujiwara — olhos estreitos e bochecha corada. Ele mordia o interior da boca, o que a fez arder de desejo.

O terceiro encontro foi a primeira vez em que dormiram juntos. Ela imaginava que isso estivesse fadado a acontecer, com toda a tensão e a raiva sem haver onde escapar, embora Lina talvez estivesse certa — algumas mulheres simplesmente não foram feitas para uma vida tranquila; Cecily era alguém que precisava da possibilidade latente do caos. Dessa vez, quando chegou ao 7A e permitiu que Fujiwara olhasse em seus olhos, notou a nuvem de excitação se rasgando na expressão dele. *Vai acontecer*, o corpo dela disse, e a pélvis se contraiu e abriu, pronta para recebê-lo.

Fujiwara era um amante atencioso. No entanto, isso tornava o sexo lânguido e medíocre para Cecily. Ele era gentil quando se deitava em cima dela na cama cheirando a mofo e de lençóis ásperos cheios de bolinhas. Era lento ao tirar as roupas íntimas dela, observando-a com atenção, embora ela não compreendesse com que intuito. Cecily assentia para encorajá-lo quando ele a penetrava com tanta ternura e tanto cuidado que ela precisava conter a vontade de revirar os olhos.

"Você está bem?", ele sussurrava, e seus dedos leves roçavam a bochecha dela. "Posso parar se quiser."

"Não pare." Cecily fechava os olhos e invocava a fúria do homem que a imprensara contra a parede suja e que envolvera sua garganta com os dedos dele. Queria trazer o tesão de volta ao seu corpo, permitir que a derrubasse do penhasco. Cecily arfava enquanto tentava chegar ao orgasmo, quase lá, *quase lá*. Então abria os olhos bem a tempo de ver o gozo percorrer o corpo de Fujiwara, que em seguida desabava esgotado sobre o dela.

Ainda assim, Cecily dizia a si mesma, o sexo não era *ruim*, e havia vezes em que ela se posicionava de tal maneira que até sentia algo. Também havia conforto na mediocridade, a bexiga era estourada, a tensão era liberada. O sexo se tornou parte da rotina dos dois. Cecily entregava quaisquer relatórios que conseguisse surrupiar de Gordon ou repetia uma informação inútil que tivesse entreouvido, dele ou dos seus superiores. Então ela e Fujiwara se despiam rapidamente, sem enrolação, e iam para a cama. Depois que ele terminava, estremecendo em silêncio em cima dela, os dois, exaustos e suados, deixavam o corpo tomar um ar e discutiam as notícias do Japão. Foi assim que Cecily ficou sabendo do impasse em que o Exército Imperial se encontrava na China, da fragilidade da aliança com a Alemanha, das alterações que os japoneses fizeram nos uniformes militares para permitir que os soldados se movimentassem de maneira mais rápida e silenciosa na selva. Essa era a parte dos encontros de que Cecily mais gostava — ela com a bochecha no peito de Fujiwara, a mistura de suor e hortelã, o som da sua respiração, os sussurros acima da cabeça dela, a intimidade tranquila de tudo. A sensação de que talvez, afinal, os dois estivessem em pé de igualdade.

"Como você conheceu Lina?", Cecily perguntou enquanto a chuva caía em uma garoa confusa do lado de fora do hotel certa noite. O céu estava escuro, e de alguma maneira a luz cinza fazia o esquálido quarto parecer estranhamente suntuoso.

"Você já sabe. Na festa na casa do representante britânico, no dia daquela missão. Quando ela era a sra. Yap." Fujiwara se sentou na cama e apoiou as costas na parede. Seu rosto estava na sombra e a luz cinza fazia com que o cabelo despontasse feito uma coroa disforme.

Cecily insistiu: "Claro, mas e depois que o marido dela foi preso? Como vocês se reencontraram? Foi por acaso? Ou ela era um alvo?".

Ele se levantou da cama, passou ao trecho iluminado pela janela e se serviu de um copo de água da jarra ao pé da cama. "Quer um pouco?"

Ela balançou a cabeça. "Estive me perguntando se você planejou tudo."

Fujiwara se virou para olhar as gotas gordas de chuva batendo contra o vidro. Emoldurado pela janela enorme, ele ficava surpreendentemente pequeno. Cecily se lembrou de quando aparentava ser um homem muito maior, com uma postura muito mais ereta.

"O que isso importa? Estou aqui com você."

"Não, não é... Isso não...", ela gaguejou.

Ele achava que as perguntas estavam relacionadas ao ciúme de uma amante, e não à curiosidade de uma amiga. Cecily sentiu um constrangimento se espalhar pelo peito. A garoa estava se transformando numa tempestade tropical, e o vento sacudia as vigas de madeira do hotel. Cecily torcia para que passasse logo; não sabia se a estrutura do prédio estava preparada para suportar uma chuva de monção prolongada.

"Aqui." Ele serviu um copo de água e se sentou na cama, evitando a umidade que deixaram no lençol. "Ouça." Fujiwara passou a mão pela parte interna da coxa dela, fazendo os pelinhos se arrepiarem. "Lina não sabe sobre nós... sobre nada disso. Eu precisava dos contatos dela. Lina precisava de um marido para retornar à sociedade. Era só... fácil."

"Você se sente culpado?", Cecily perguntou.

Às vezes ela se perguntava o mesmo, quando o rosto amplo de Lina se iluminava com uma piada ou nas ocasiões em que os olhos se enchiam de lágrimas. Lina chorava fácil, com histórias tristes, histórias engraçadas, histórias felizes. Cecily se importava com ela, valorizava muito suas tardes felizes, repassava as conversas, rindo sozinha. Não tinha dúvida de que Lina amava Fujiwara — Bingley. Sempre dizia que ele a tinha salvado e dado uma segunda chance a ela.

"Bem, e você? Você se sente culpada?" A voz suave de Fujiwara soou como se estivesse sendo quase afogada por um raio rasgando o céu. Ele estava de volta à janela, vendo a chuva cair. Cecily prendeu o fôlego, como sempre fazia durante tempestades, à espera do costumaz estrondo.

"Lembra quando eu disse, muito tempo atrás, que o líder alemão era ao mesmo tempo um homem bom e um homem mau? Lembra o que você me disse?", ele perguntou em meio à tempestade que se intensificava.

Todo homem não é ao mesmo tempo bom e mau?, ela refutara. Cecily se lembrava de quão dolorosamente forte o sol estava aquele dia, de como ela chegou a tremer só de estar próxima de Fujiwara, de quão diferente ela — tal qual o clima — tinha se mostrado.

O trovão não veio, porém outro raio partiu as nuvens. Cecily se juntou a Fujiwara à janela. Os dois ficaram ali, em silêncio e sem se tocar, assistindo juntos à tempestade provocar caos.

Em abril, Cecily e Lina estavam grávidas, e essa foi a primeira alegria que as duas não compartilharam. Lina ficou extasiada, à maneira assustada de quem engravida pela primeira vez. Ela consumia ervas medicinais, passava a mão na barriga o tempo todo, fazia oferendas no altar budista e na capela católica, baixava a cabeça e se ajoelhava pedindo um menino que levasse adiante o sobrenome da família. As mulheres cercavam Lina e a enchiam de atenções e de conselhos não solicitados.

"Se comer bastante peixe, seu filho vai ser um ótimo nadador!", a sra. Low proclamou. Ninguém disse nada, porque um filho dela tinha se afogado numa mineração.

"Se dormir virada para a janela leste, seu filho vai receber mais sol e ter uma personalidade radiante!", a sra. Chin prescreveu. Todo mundo imaginou que a própria sra. Chin não fizera aquilo, porque tinha cinco filhos azedos e mal-humorados, que eram evitados de maneira geral.

Cecily, por outro lado, nem notou quando sua menstruação atrasara, até que outro ciclo havia passado sem que viesse. Quando ela percebeu, começou a fazer as contas freneticamente, porém não tinha como determinar com certeza quem era o pai — tinha estado com Gordon e Fujiwara, e os encontros rotineiros se misturavam na sua mente, sem nada que os destacasse.

Quando Gordon ouviu a notícia, ficou encantado. Pela experiência com Jujube e Abel, ele adorava bebês. Maravilhava-se com seus dedinhos e falava de maneira amorosa com os dois, olhando naqueles olhinhos curiosos que não piscavam. A chance de fazer tudo de novo o entusiasmava tanto que ele começou a preparar imediatamente o quartinho do novo bebê. Cecily passou noites vendo-o reorganizar o antigo depósito e murmurando sozinho sobre a configuração do espaço, enquanto Jujube e Abel o cercavam e faziam um milhão de perguntas. Ela sabia que devia ficar emocionada com a novidade e que essa alegria doméstica era invejável. No entanto, só sentia desprezo. Via o entusiasmo desajeitado de Gordon como uma fraqueza; seu desejo de simplicidade parecia falta de ambição, algo monótono. Isso provocava a aversão de Cecily.

"Estou grávida", ela disse a Fujiwara no encontro seguinte no hotel, em um fim de tarde ensolarado tão morbidamente alegre que até o canto dos pássaros pareceu mais alto que o normal.

Cecily investigou a rigidez das bochechas e do maxilar dele, em busca de qualquer sinal, como Fujiwara a ensinara a fazer com outras pessoas para descobrir quando estavam mentindo. O queixo dele se manteve imóvel, porém o lábio inferior se curvou para baixo. Seria aborrecimento? Vergonha? Indiferença? Ela nunca fora muito boa nisso.

"Achei que você sempre cuidasse de tudo." Ele afrouxou a gravata e pôs em uma cadeira verde e feia. "Depois. Você sempre se lavou, não?"

A audácia daquele homem, Cecily pensou. Procurava uma maneira de culpá-la e de se apropriar de um bebê que talvez nem fosse dele.

"Bem, eu não queria isso, se é o que está sugerindo. Sim, pode ser seu. Ou pode ser de Gordon."

Não tinha imaginado o tremor na mandíbula de Fujiwara, a leve expressão de mágoa, ou fúria, ou ambos. Os nós dos dedos ficaram brancos enquanto ele desabotoava a camisa; tão rápido quanto viera, a expressão havia partido e seu rosto voltou a relaxar.

"Bem, então está resolvido. Um novo membro na família. Dê meus parabéns a Gordon", ele disse, enquanto desabotoava os punhos.

Cecily sentiu o estômago gelar e se retorcer, a superioridade fria na voz dele a engoliu. Mesmo lutando para resistir, ela notou o ponto sob sua pélvis se abrindo; o desinteresse por distrações, a habilidade de deixar o incômodo de lado e olhar apenas para a frente, a facilidade com que ignorava a gravidade da emoção — tudo era delicioso, inesperado, insolúvel. Talvez fosse isso que havia de errado com Cecily: desejar apenas homens que tinham poder sobre ela, que fervilhavam de raiva, que se recusavam a participar do cuidado com os outros. Ela estava molhada e cheia de desejo. Empurrou-o para a cama e montou nele, o tesão incentivando a ambos. Naquele dia, com Fujiwara, seu corpo estremeceu e se contorceu e jorrou de tal maneira que ela só tinha acessado sozinha.

Apesar de terem engravidado juntas, as mudanças no corpo de Cecily e Lina foram muito diferentes. O apetite de Cecily aumentou em todos os sentidos, e Gordon brincava que ela ia matá-lo de fome, porque acabava com toda a comida, ou de exaustão, por causa de todo o sexo. Se antes os encontros com Fujiwara envolviam uma rotina de discussões processuais antes de transarem, agora ela mal conseguia esperar. Enquanto os corpos se chocavam, ela se lembrava de informações importantes e as botava para fora à medida que um desejo suspirante se apossava de ambos.

O corpo de Lina a traía de maneiras diretas e indiretas. Ela logo engordou, e sua elegância sem curvas foi substituída por braços, pernas e barriga roliços. Ela também vomitava tanto que vasinhos de sangue estouraram no rosto, deixando-o inchado e vermelho. A bile deixava seu hálito azedo; um mísero gole de água provocava ânsia de vômito, fazendo com que ela fosse correndo ao banheiro, enquanto a espuma amarela subia. Lina parou de dar as festas pelas quais tinha ficado famosa, e suas aparições em bailes se tornaram raras. Frequentemente, a única pessoa que via era Cecily; nem o marido via, porque quando ele chegava em casa a exaustão já a tinha feito dormir.

Cecily se sentia mal pela amiga. Não era raro Lina vomitar mais de uma vez durante suas visitas de duas horas. Ela saía do banheiro com o rosto vermelho e trêmulo só para voltar às pressas e vomitar de novo. Nas primeiras vezes, Cecily a seguiu e segurou seu cabelo e sua mão enquanto tremores tomavam conta dela. Com o tempo, foi ficando na sala, retraindo-se quando os ruídos ecoavam pela casa. Em meio às ondas de náusea, Lina chorava, fraca. Estava preocupada com a possibilidade de perder o marido, de não ser mais o que ele precisava, de não poder mais encantar a sociedade, de que todo o trabalho, toda a sua reinvenção, haviam sido por nada.

"Seu marido cuida de você quando passa mal?", Cecily perguntou.

Lina abriu um sorriso tímido. "Ele diz que nosso filho e eu somos as coisas mais importantes no mundo. Ele é doce, não reclama quando chega e o jantar não está pronto ou quando me sinto tão mal que fico na cama. Mas..."

"Mas?", Cecily a incentivou.

"Ele parou de me olhar quando se despede de mim pela manhã."

Nos dois últimos meses de 1937, as monções chegaram, como sempre. Começaram da maneira usual: com garoa, céu cinza e as nuvens se reunindo no céu, gotas de chuva gordas respingando contra o telhado das casas. Então, em poucos minutos, chovia torrencialmente e trovões sacudiam as paredes, e o barulho acabava com qualquer esperança de calmaria que Cecily alimentasse. Ela tinha lido sobre chuvas tranquilas em romances ingleses, as garoinhas interioranas de Jane Austen, o ar úmido e a névoa que a brisa do oceano trazia nos internatos na Cornualha de Enid Blyton. Na Malásia, em contrapartida, as chuvas gritavam como se liberassem toda a sua fúria, e eram um terrível inconveniente. Cecily estava cansada disso. As chuvas da tarde e da noite, insolentes e imprevisíveis, complicavam o calendário de encontros com Fujiwara, tornando mais lento e traiçoeiro ir aonde quer que fosse.

Às terças-feiras, Jujube e Abel ficavam até mais tarde na escola; ambos faziam esportes. Abel se juntara à equipe de salto em distância e de corrida, o que não chegava a ser surpresa — surpresa mesmo era Jujube ser uma jogadora de netbol bastante razoável. Isso significava que Cecily tinha um tempo determinado, mais precisamente duas horas e meia, para encontrar Fujiwara no Oriental Horizons. Vinha funcionando bem antes das chuvas incessantes. Ela sempre voltava para casa a tempo de abrir a porta para as crianças, fazer o jantar, tirar Fujiwara de suas roupas e do seu cabelo e receber Gordon quando ele chegava do trabalho.

No entanto, as monções atrasavam tudo. Reviravam seu guarda-chuva, encharcavam seus sapatos e as pastas de documentos que ela levava para o hotel. Fujiwara também se atrasava. Os dois estavam sempre molhados e suados, e sua umidade se espalhava pelo quarto abafado, fazendo tudo cheirar a pé molhado, acabando com qualquer clima. Ele ficava vendo Cecily torcer a água do cabelo enquanto os dois conversavam, e quando a chuva alta e intrusiva com frequência reverberava pelas vigas, determinada a interromper, unir seus corpos quentes e molhados exigiria esforço demais da parte de ambos. O corpo de Cecily também ficava cada vez mais volumoso, e, embora ela já tivesse passado pela gravidez duas vezes, andava particularmente exausta. Os dois acabavam apenas torcendo e estendendo as roupas molhadas nas cadeiras diante do ventilador. Depois se secavam de uma maneira afetuosa e quase conjugal, Fujiwara passando uma mão gentil por todo o corpo de Cecily. Às vezes, a mão parava sobre a barriga redonda, e rugas surgiam em volta dos seus olhos quando ele sentia o bebê chutar. Cecily se perguntava se ele realizava os mesmos rituais com Lina, se levava a mão à barriga dela também, procurando por sinais de vida. Porém, nunca perguntava.

Ainda assim, ela se surpreendia com quão longe tinha ido com Fujiwara, considerando que fora uma menina tola e trêmula poucos anos antes. O mistério dos homens e a causticidade do seu carisma perdiam o brilho depois que se via o desejo desnudado deles e a vulnerabilidade das suas necessidades físicas, que pareciam tão fáceis de atender. Cecily percebia que sua intenção havia sido solucionar o enigma de Fujiwara e, agora tendo cumprido, seu desejo por ele não era mais o mesmo. Transformara-se em algo mais. Ela respeitava e reconhecia o magnetismo dele. Seu corpo ainda ganhava vida quando Fujiwara entrava no quarto, Cecily ainda admirava a maneira como ele fisgava as pessoas, porém sua atração por ela havia se tornado um poder por si só. Ela podia não ter aquele jeito para conquistar as pessoas, mas tinha Fujiwara e, ao resolver o quebra-cabeças que *ele* era, tinham se igualado no mesmo patamar.

A mãe tinha ensinado a ela que, quando a mulher se entregava a um homem, ele deixava de respeitá-la, que a virtude era tudo o que podia barganhar; depois disso, um homem não tinha nenhum motivo para ficar por perto. No entanto, a mãe estava errada. Como Cecily via o sexo igual a um homem, Fujiwara a tratava como um homem, ainda que não percebesse. Durante as tardes de chuvarada, no quarto de hotel quente e esquálido, os dois discutiam o futuro e estratégias militares que ela sabia que não tinha o direito de acessar. Ali, em vez de ser o homem fechado, taciturno e silencioso que ela conhecia, Fujiwara se mostrava expansivo, como se guardasse dentro de si todas as coisas que não podia dizer a ninguém a semana toda, então as despejasse sobre ela para se aliviar.

Em determinada tarde, Fujiwara chegou ao encontro carregado de mapas. "Preciso rever essa estratégia com você, Cecily." Ele abriu um rolo grande no chão e fez sinal para que ela se sentasse ao seu lado no carpete. Então, lembrando-se de que Cecily estava grávida, pegou a cadeira para ela.

"O que é isso?"

"Com o sucesso na China, o imperador me pôs no comando da estratégia de invasão da Malásia. É um momento importante para mim."

Cecily se esforçou para controlar os lábios e esconder o entusiasmo. Ela ouvira falar disso no rádio — a extensa batalha em Shanghai, os meses de impasse, até que o Japão havia finalmente assumido o controle da China. Ainda assim, quando discutiam estratégias, costumava ser de maneira indireta, na teoria. Porém, aquilo era tangível. Fujiwara falava com Cecily como se ela fosse uma comandante do Exército. Ela vinha lutando por isto: para ficar lado a lado com um homem, ver suas ideias terem impacto, promover uma mudança. Imaginava-se ao lado de Fujiwara enquanto ele a apresentava ao imperador como a chave para o sucesso dos japoneses sobre os britânicos, como a mulher, a *mulher*, que permitira que a Malásia se juntasse à irmandade de nações asiáticas autodeterminadas. Uma imagem de Gordon, corpulento, suado, implorando misericórdia, surgiu no fundo da sua mente, mas ela a afastou. Gordon ia perder o emprego, mas Fujiwara ia salvá-lo, ela faria com que encontrasse outro para o marido. Gordon ficaria bem, desde que tivesse um superior a quem servir. Ele era diferente dela. Encontraria um meio de se adaptar às circunstâncias.

"Você conheceu o imperador?", Cecily perguntou. Ela tinha visto uma foto do imperador Hirohito, bonito e de aparência jovem, com um penteado bastante elegante. Os jornais locais o descreviam como um monstro assassino de chineses, e a população malaia de origem chinesa o temia.

"Eu e meu superior imediato fomos convidados para ir ao palácio uma vez. Só ele entrou, eu fiquei do lado de fora. Mas agora o imperador quer que eu vá. Por isso é tão importante."

As pontas do rolo aberto no chão queriam voltar a se enrolar. Nele, havia um mapa grande da península malaia, com pontos vermelhos que Cecily imaginava que representavam bastiões militares. Nas margens do mapa, viam-se rabiscos de Fujiwara. Eles lembravam Cecily das cartas concisas e cheias de instruções que costumava encontrar atrás das toalhas sanitárias no armazém chinês, antes que tivessem a ousadia de se encontrar pessoalmente e de se emaranhar um ao outro de maneiras incalculáveis. Torto e de cócoras, Fujiwara olhou para Cecily. Daquele jeito, ele parecia um menino, chegando a lembrá-la de Abel quando o filho contava uma das suas muitas histórias engraçadas e sem sentido.

"Como vê, Cecily" — ele gesticulava freneticamente para o mapa aos pés dela —, "precisamos incapacitar os canhões na fronteira sul, ou teremos que dar tchauzinho aos navios."

Cecily riu daquela forma inglesa de falar, com Bingley se revelando. Enquanto ele falava, agachando-se, apontando para as marcas no mapa e gesticulando animado, ela cruzou os tornozelos e se permitiu imaginar um futuro com ele, como pai, como marido, como homem da casa. Fora preciso uma guerra iminente, uma carreira como espiã e um turbilhão emocional devastador para encontrar alguém que não a entediasse. Cecily avaliou o mapa, a ponta verde da península estava voltada para o dedão do pé de Fujiwara, o azul desbotado do oceano a cercava em três direções, tendo a parte de cima ligada ao Reino do Sião por uma faixa estreita de terra.

Muitos anos antes, quando estava na escola primária, Cecily perguntou à freira europeia que ensinava geografia qual era o nome daquela faixa de terra. A freira não sabia e ficou furiosa pela suposta impertinência — por lembrá-la do seu conhecimento limitado da região quente e terrível do Sudeste Asiático onde era forçada a viver. Cecily foi castigada aquele dia, e cada batida ardida do açoite subiu pela sua coluna, tirando lágrimas dos olhos. No entanto, do que ela mais se lembrava, era da indignidade de ter que se curvar e subir a saia na frente de toda a classe, olhando para o mapa que ela tivera a audácia de questionar.

"E quanto ao norte?", ela perguntou a Fujiwara, descruzando os tornozelos e usando o salto direito para mostrar a faixa de terra que a havia metido em encrenca tantos anos antes.

"O norte?"

"Esta faixa. O istmo de Kra."

"Não seja tola, Cecily."

Ela inspirou fundo para controlar a frustração que se formava no fundo da garganta. *Acalme-se*, disse a si mesma. Sabia como lidar com aquilo — a tendência dos homens a diminuir as mulheres quando eram apresentados a algo que não lhes era familiar, em vez de fazer perguntas primeiro. Não havia necessidade de perder a compostura.

"Você me disse que os soldados estão sendo treinados para correr na selva e suportar o calor. Talvez eles possam entrar pelo norte. Se todas as armas britânicas estão no sul, apontando na direção errada..." Ela deixou a frase morrer no ar. Uma ruga se formou entre suas sobrancelhas. Cecily ficou cutucando uma unha. Talvez tivesse ido longe demais, talvez estivesse extrapolando o papel designado a ela. Cecily recuou: "Mas não sei nada de questões militares, claro. Foi só uma sugestão...". Recostou-se na cadeira e deu levemente de ombros, numa tentativa de diminuir de tamanho, desejando não estar tão acima dele.

À volta deles, o céu tinha começado a escurecer. A figura agachada de Fujiwara bloqueava a luz cinza que entrava pela janela e lançava uma sombra sobre o mapa da península malaia. A mãe de Cecily teria considerado isso um mau agouro. Daquela posição, Cecily podia admirar a curva da têmpora dele, onde os cabelos começavam a ficar grisalhos. Havia um resquício de pele seca grudado no penteado puxado para trás. Uma onda de ternura a invadiu, e se perguntou se não era a gravidez que a deixava sentimental. Antes que pudesse se impedir, Cecily estendeu o braço. Fujiwara se virou bem quando os dedos dela roçaram o topo da sua orelha, envolveu a cintura dela em um abraço e a puxou para o chão junto dele.

Enquanto ele a deitava gentilmente sobre o mapa, Cecily observava as sombras dançando sobre seu país, depois sentiu o papel enrugar e dobrar embaixo dela, conforme as costas se arqueavam. Fujiwara passou os dedos pela bochecha dela.

"Você é impressionante, sabia?", ele comentou, enquanto seu corpo imprensava o de Cecily para depois penetrá-lo. Quando a tempestade chegou ao ápice, como costumava acontecer, ela sentiu o mapa se rasgar abaixo deles.

"Não se preocupe", Fujiwara disse, em cima dela, com o rosto contraído de urgência e tesão. "Preciso mais de você."

Quando os dois acabaram, a chuva caía torrencialmente, as fossas lotadas invadiam as ruas e Cecily estava atrasada. Da janela do hotel, ela viu a água correndo pelo bairro e os pedaços de lixo flutuando como barquinhos. O vento soprava violento e sem direção. Não havia ninguém lá fora. Todo mundo, com exceção dela, tivera o bom senso de ficar em casa e esperar que passasse.

Atrás dela, Fujiwara riu.

"O que foi?"

"Venha aqui. Tem um pedaço de mapa na sua bunda."

Cecily se contorceu para se vestir depressa enquanto ele tirava os pedacinhos de topografia verde e oceano azul da pele dela. "Tenho que ir."

"Assim rápido? Vamos, me ajude a limpar isso", Fujiwara disse, apontando para o papel rasgado e a lata de lixo tombada.

Cecily balançou a cabeça.

"Mas", ele começou a demonstrar preocupação, "a chuva está forte. É melhor esperar."

"Não posso. As crianças..." Ela deixou a frase morrer no ar.

Fujiwara assentiu. Nunca discutia quando ela mencionava as crianças; essa era uma outra parte da vida de Cecily, uma parte em que ele não queria se intrometer e da qual nunca tentara fazer parte. Às vezes, ela gostaria que Fujiwara perguntasse, que se preocupasse com sua lealdade, que desconfiasse minimamente de que pudesse estar sendo dissimulada. No entanto, ela não dava motivos para dúvidas; quando ele chamava, Cecily ia. Ademais, não havia tempo para aquele tipo de precaução. As crianças precisavam comer. Gordon não ia gostar de chegar em casa e não encontrar a esposa. Ela abriu o guarda-chuva e pisou na rua inundada.

O objeto era inútil. Cecily tinha levado um daqueles grandes, que prometiam não virar, porém, por causa dos ventos fortes a chuva a atingia de todos os lados. O ar estava mais frio que o normal, também graças ao vento, e ela tremia nas roupas já ensopadas. Enquanto virava o corpo para se proteger das rajadas, Cecily se deu conta de que não tinha vestido o sutiã direito, e a frente estava dolorosamente retorcida contra o peito. Ela virou o rosto para o hotel, pensando que talvez visse Fujiwara — ele a estaria observando pela janela? A chuva e o vento rodopiante tornavam impossível ver o que quer que fosse. De qualquer maneira, Fujiwara não teria como ajudá-la. Os dois não podiam ser vistos saindo juntos de um hotel fajuto.

Cecily se concentrou em caminhar, pondo um pé diante do outro e sentindo o vento contra o dorso, depois a lateral do corpo, fazendo-a cambalear. Em geral, tratava-se de um trajeto de dez minutos até sua casa, reto e fácil, cortando a cidade, que ela muitas vezes fazia de chinelo. Cecily tinha se atentado a usar sapatos fechados, que por sorte aderiam melhor ao chão, embora não fossem páreo para os rios de água marrom que haviam quebrado as margens das fossas. Uma corrente lavava seus pés, deixando pesados os calçados encharcados. Fez uma careta ao pensar no cheiro que ficaria depois. Segurando o guarda-chuva firme acima da cabeça, por pura teimosia, ou talvez um desejo de não ser reconhecida — ela mesma não saberia dizer —, Cecily encarou o vento.

Depois de vinte minutos exaustivos e de quase ter sido desviada do trajeto duas vezes, ela chegou ensopada ao portão. Seu cabelo, pesado e escorrido, grudava no rosto. Cada parte sua parecia ainda mais sobrecarregada que de costume. Estava exausta. Levou a mão à barriga, mas o bebê permanecia quieto, provavelmente exausto também, Cecily pensou. A chuva batia forte nela enquanto se atrapalhava com o portão, gotas gordas escorriam pelas coxas e costas. O guarda-chuva se dobrou sozinho, desafiando a promessa de não virar. A maré estava alta dentro da fossa rasa diante da casa, na qual Jujube adorava ficar sentada, e água jorrava para todo lado. Cecily olhou para o relógio de pulso para conferir quão atrasada estava, mas ele havia parado, e o ponteiro dos segundos tremulava inutilmente. Ela torcia para que as crianças tivessem conseguido chegar antes da chuva, porém os dois filhos sabiam que era melhor permanecer na segurança da escola até que pudessem ir para casa andando sozinhos ou que Cecily aparecesse para buscá-los.

O trinco do portão retinia irritantemente enquanto a chuva escorria para seus olhos. "Vamos", ela murmurou. Quando o trinco enfim cedeu, outra rajada de vento cortou o ar, empurrando o frágil portão com tudo contra Cecily.

"Aaah", ela gritou. Levando as mãos à barriga, Cecily caiu para trás, o pé se torcendo de um jeito estranho dentro do sapato ensopado, que ela só percebeu tarde demais que tinha ficado preso no canto da fossa. Seu tornozelo cedeu. Antes de cair, ela ouviu as crianças gritando "Mamãe, mamãe!", e em seguida um grito familiar, do fundo da garganta: "Cecily!".

Então tudo ficou escuro.

Quando voltou a si, sentia calor demais. Parecia que estava sufocando. Ela olhou em volta, em pânico, e reconheceu o teto do quarto. Ao se virar, percebeu que tinha tantas cobertas sobre o corpo que estava presa na cama.

Jujube e Abel, ela pensou, um pouco grogue. Onde eles estavam?

Cecily lutou para deixar o calor dos cobertores. Quando conseguiu se sentar, percebeu que as roupas estavam secas, embora à sua volta o cheiro de umidade e mofo da chuva e da água suja persistisse.

"Shhh. Descanse", disse uma voz aveludada.

Cecily se sobressaltou ao ver Lina sentada no canto da cama, com um braço comprido e branco esticado, oferecendo uma caneca com alguma bebida quente. Os olhos de Lina, grandes e escuros, estavam arregalados de preocupação, e Cecily teve que admitir que, mesmo com o rosto inchado em decorrência da gravidez, ela continuava muito bonita. Cecily estendeu a mão para pegar a caneca e ficou surpresa ao perceber que as pontas dos seus dedos continuavam frias, embora o restante do corpo suasse. Ela segurou a alça, sentindo o cheiro de chá inglês, forte e amargo.

"Pode ficar tranquila, Cecily. Está tudo sob controle." A voz de Lina falhou ao dizer: "Você deu um baita susto em todos nós".

Enquanto Cecily tomava o chá, a amiga relatou a sequência de eventos. Lina havia passado para vê-la, porque era a primeira vez em dias que se sentia como ela mesma. Talvez aquele fosse ser um ponto de virada, o que Cecily achava? De qualquer modo, Lina queria fazer uma surpresa, então a chuva apertara e ela ficara com medo de voltar para casa sozinha. Por sorte, os filhos de Cecily tinham chegado em casa no instante em que a chuva estava começando a ficar perigosa, e gritavam tão animados como se tivessem ganhado uma corrida contra as nuvens escuras. Lina entrou com as crianças, fez um leite maltado quente para elas e contou histórias sobre seus dias no comando da loja do pai, que vendia todo tipo de animais vivos. Lina deu risada. "Sim, Cecily, não pareça assim surpresa. Sei bastante coisa sobre todos os animais, e até quis estudar para aprender a cuidar deles, mas as meninas não fazem isso, não é? A loja tinha peixes, galinhas, gatos e cachorros, porém o que mais interessou seus filhos foram os diferentes tipos de lagartos, incluindo um com pescoço azul! Mas estou perdendo o fio da meada. Ah, sim, Abel começou a ficar com sono, então pus os dois na cama. Jujube resmungou que já tinha idade para ficar acordada até mais tarde, então eu permiti que ela lesse até pegar no sono. Quando as crianças estavam na segurança da cama, a tempestade caía com força total, e fiquei preocupada com você, Cecily. Poucos minutos depois de ter me acomodado numa cadeira, ouvi o portão, mas você logo bateu a cabeça na quina daquela fossa *traiçoeira*."

"O bebê...", Cecily protestou.

"Está tudo bem. Chamei o dr. Buchanan na mesma hora, e ele já examinou você. Está tudo bem, foi só um susto, *lah*." Lina passou a mão na barriga de Cecily, como Fujiwara tinha feito tantas vezes. "Senti até um chute mais cedo. É uma criança durona." Seus olhos se abrandaram e a expressão relaxou. "*Nah*, beba", Lina concluiu, apontando para a caneca, e Cecily tomou um golinho da bebida quente. Então Lina tirou a caneca das mãos dela e a pôs sobre a mesa.

Como não estava acostumada a receber tantos cuidados, Cecily sentiu os olhos se encherem de lágrimas. Ela se mexeu sob as cobertas.

"E seu marido estava uma pilha de nervos. Eu o mandei para o bar depois que o médico disse que você ficaria bem. Os homens não suportam tensão, não é mesmo?" Lina riu sozinha. "Ah, fiz macarrão de jantar para as crianças. Você guarda suas panelas de um jeito diferente! Tive dificuldade de encontrar a maior!"

Eu estava errada, Cecily se deu conta. Ela tinha confundido a força emocional e o desconforto físico de Lina com fraqueza. No entanto, ali estava a amiga, gerenciando uma casa em pânico com sua eficiência tranquila e uma bela dose de empatia. Emoções inundaram Cecily — gratidão, perplexidade e, principalmente, culpa. Ainda sentia a mão de Lina na barriga, seu frescor transmitindo um cuidado que Cecily não merecia.

Cecily fez força para se sentar. "Obrigada, Lina. Acho que estou bem agora. Pode ir para casa. Seu Bingley... ele deve estar preocupado."

"Imagine! Vou ficar com você. Pedi que o médico passasse lá para avisar que vou ficar com você esta noite."

Um pânico se instalou na garganta de Cecily. Vendo a agitação dela, Lina disse: "Ah, não, não contei que você se machucou, claro que não. Homens não gostam quando entramos em detalhes!". Ela sorriu, depois fechou os olhos, mantendo as bochechas contraídas. Aquela expressão de turbulência privada tão visceral era um forte contraste, e levou Cecily a baixar os próprios olhos. "Ultimamente ele mal me dá atenção", Lina sussurrou.

Cecily deu um tapinha ao seu lado no colchão. Lina passou do pé da cama para a cabeceira, e Cecily, finalmente livre das cobertas, foi um pouco mais para a esquerda para oferecer mais espaço. As duas ofegavam de exaustão.

"Olhe só para nós, as duas só barriga", Lina disse, e apesar de tudo Cecily teve que rir. Elas se deitaram de costas, mantendo os olhos fixos no teto.

A chuva finalmente havia parado e, do outro lado da janela, metade da lua se revelava de trás das nuvens. Lina apoiou a cabeça no ombro de Cecily. Sua respiração tocava o pescoço da outra, o que não era de todo desagradável.

"Sinto muito", Cecily disse e piscou, fazendo rolar uma lágrima que ela esperava que Lina não notasse. "Sinto muito que ele não esteja te dando atenção." Fujiwara, a sombra entre as duas, a ameaça para a amizade pela qual Cecily ficava tão surpresa e tão grata por ter construído. "Por que deixa que ele faça isso?" Assim que as palavras saíram da sua boca cansada, Cecily se arrependeu. Não cabia a Lina policiar as ações dele; Fujiwara não era alguém que pudesse ser controlado, e Cecily tinha noção disso como ninguém.

Lina tirou a cabeça do ombro de Cecily e se virou de lado, de costas e de modo que apenas sua bochecha ficou visível, a pele quase azul onde o luar a tocava.

"Amar é isso, não é? Saber que há algo de ruim em uma pessoa e conviver com isso. Com meu primeiro marido era igual."

"Você não precisa dele", Cecily disse, quase se sentando ao lado de Lina e sentindo uma dor tão forte no peito que precisou cerrar os punhos sob as cobertas.

"Talvez o ame mais por isso. Minha mãe costumava dizer que talvez o amor seja justamente ignorar as coisas ruins", Lina argumentou. Ela olhou para Cecily, com as lágrimas e a lua fazendo seu rosto brilhar. "Será que há algo de errado comigo?"

"Não." Cecily estava devastada. "Você é a única com quem não há nada de errado."

Então, tão depressa quanto seu rosto se contraíra, Lina voltou a sorrir. "Não vamos falar de coisas ruins. Deite-se."

Como uma criança recebendo uma ordem, Cecily voltou a se deitar na cama e aproximou os joelhos da barriga, de frente para Lina. A amiga se virou de lado para encará-la também, com o corpo no mesmo ângulo, como uma imagem espelhada. Ela pegou as mãos de Cecily, as barrigas das duas se tocando. Então pegaram no sono; dois camarões, curvadas uma para a outra.

18

JUJUBE

Bintang, Kuala Lumpur
25 de agosto de 1945
Malásia ocupada pelos japoneses

Aquilo era familiar — nos dias que se seguiram à fuga de Jasmin, a vigília dos amigos e vizinhos na casa dos Alcantara se repetiu, tal qual quando Abel desaparecera. Todas as tias do bairro, a sra. Carvalho, a sra. Chua, a sra. Lingam, tia Mui e até mesmo a rica tia Faridah, que a mãe de Jujube não suportava, cozinharam para os Alcantara e fizeram comentários simpáticos. *Ela logo vai aparecer*, diziam, *É uma menina corajosa e vai voltar pra casa*, garantiam. Os tios do bairro organizaram buscas, xingaram os japoneses, juraram que encontrariam Jasmin. No entanto, a movimentação durou apenas alguns dias. Na sequência, cada um voltou para a própria vida como se nada de importante tivesse acontecido. Os adultos entravam na fila para pegar as rações, trocavam receitas — incorporar mandioca cozida, batata-doce ou até papel — para que o arroz durasse mais. As crianças brincavam, evitavam os olhares feios dos Kempeitai. Os vizinhos se debruçavam sobre a cerca para fofocar — sobre o menino dos Sequiera e a menina dos Tan estarem enrabichados, sobre a sra. Menon, que ninguém sabia se ia ter outro filho ou se só tinha perdido o peso que ganhara na gravidez anterior, sobre o fato de que parecia haver cada vez menos soldados na rua, o que talvez indicasse que os americanos tivessem mesmo vencido.

Quando Abel fora levado, o medo e a pena tinham durado mais. Talvez porque a ocupação fosse mais recente, e as pessoas ainda não tivessem se acostumado a aceitar a dor como parte da existência. *Talvez*, Jujube pensava, *porque as pessoas acreditavam que a primeira tragédia devia ser a mais difícil, enquanto as subsequentes iam se revelando mais fáceis* — como uma ferida que formava casca e voltava a se abrir —, porque todos supostamente já sabiam como deviam se sentir, e o bálsamo da empatia alheia não se fazia mais necessário.

Na verdade, as fofocas de alguns vizinhos tinham até se tornado mais cruéis. Jujube entreouviu a sra. Chua sussurrar, rancorosa: "Devia haver algo de errado na casa dos Alcantara para a menina mais nova ter fugido!". As outras tias tentaram silenciá-la ao ver que Jujube passava, mas ela sentiu os olhares penetrantes nas costas. *Talvez estivessem certas*, Jujube pensou, com o peito tomado de culpa. Afinal, tinha sido ela quem afastara a irmã.

Em casa, as paredes pareciam exalar dor e tensão. O silêncio era insuportável. A cacofonia doméstica tinha sua própria melodia: o pai falando alto, as palavras se atropelando a princípio incompreensíveis; a voz da mãe surpreendentemente melódica e perigosamente baixa quando ela estava prestes a perder o controle; a de Abel oscilando, ora grave, ora aguda, por conta da puberdade; Jasmin, esganiçada e nasal, como se qualquer timbre saísse apenas pela narina esquerda.

Jujube tinha uma amiga da escola, Florence, cuja casa era tão silenciosa que chegava a ser lúgubre. Depois da morte da mãe de Florence, a mãe de Jujube insistia para que a menina a visitasse e fizesse companhia. Jujube odiava as visitas, porque, durante o dia, a residência ficava em completo silêncio, a não ser pelos baques repentinos sempre que o pai de Florence, bêbado, topava com alguma coisa, seu pé ou seu braço atingindo a parede ou a mesa. Às vezes, Jujube se perguntava por que não colocavam música para tocar ou preenchiam o silêncio com algum som, porém tinha medo de sugerir aquilo. E, quando sua própria casa fora tomada pelo silêncio, o único som que interrompia a quietude era o de pés se arrastando e fazendo o piso de madeira ranger. Jujube passara a entender Florence e o pai dela. O luto levava tudo consigo, deixando buracos no corpo que nada, nem mesmo a música, poderia preencher.

Na casa de chá, era ainda pior. Depois de uma semana, ela voltou bem a tempo ao trabalho, porque o gerente, Doraisamy, já tinha pendurado um aviso de PROCURA-SE ATENDENTE na porta. Ela arrancou o folheto escrito à mão, entrou pisando firme e o entregou a ele, que deu de ombros, sem se constranger. Apenas apontou impotente para a cozinha, com pilhas de xícaras e bules por lavar, água marrom parada e folhas de chá grudadas em todas as superfícies disponíveis. Jujube estremeceu só de pensar no estado das louças a que os clientes tinham sido sujeitos durante sua ausência. Ela pegou um pano, molhou e começou a esfregar as xícaras. Simples assim, Jujube retornou à mundanidade da vida, apesar do buraco do tamanho de Jasmin no seu peito, que ameaçava sufocá-la.

A casa de chá parecia diferente. Os boatos continuavam circulando: o imperador Hirohito estava prestes a assinar sua rendição; os japoneses não possuíam munição e se preparavam para capitular. Jujube também começou a ouvir rumores sobre guerrilheiros chineses que se escondiam na mata úmida e escura durante o dia e atacavam os soldados japoneses sob a proteção da noite. Para ela, eram membros da resistência. Para o pai, eram heróis e patriotas. Para os britânicos, eram comunistas, a julgar pelas transmissões de rádio. Para o sr. Takahashi, eram rebeldes, e isso era uma das muitas coisas que Jujube vinha achando que depunham contra ele. Ela, por outro lado, não conseguia acreditar que os boatos eram verdade. Ultimamente, não nutria esperanças pelo que quer que fosse; além do mais, as coisas nunca mais seriam as mesmas. Ainda que os japoneses fossem derrubados, metade da sua família tinha desaparecido. Como seria a vida no pós-guerra sem Jasmin e Abel? Continuariam a existir no silêncio terrível do presente, vagando como aparições cansadas no próprio lar, sob o peso de passos tristes? Não havia mais normalidade para Jujube. Ela não sabia como voltaria para casa.

Os soldados tinham começado a ir à casa de chá sozinhos, em vez de em grupos. Eles ficavam olhando para o nada. Alguns levavam o rosto às mãos. Os uniformes marrom-esverdeados, cor de lama, sobravam nos ombros ossudos e nas clavículas pronunciadas. Seus rostos pareciam inchados, seu hálito cheirava a álcool, e o ar viciado do estabelecimento possuía aspecto podre. Em muitos dos soldados, a melancolia se manifestava de maneira pacífica, pelo que Jujube era grata. Eles se sentavam no canto, despejavam um pouco de bebida no chá e tomavam com o rosto contraído. Outros, no entanto, tinham piorado. Se antes um soldado valentão a puxava pela cintura e respirava pesadamente no seu pescoço, ela simplesmente ignorava. Porém, eles passaram a observá-la com olhos vorazes, e quando a puxavam para pedir mais chá fincavam os dedos nas suas costas, às vezes subiam e desciam, tocando a lateral dos seus seios e apertando sua cintura, como se a lembrassem de tudo o que poderiam fazer. *E o que vai nos segurar agora? Não temos mais nada a perder.* Na primeira apalpadela, Jujube arregalou os olhos para Doraisamy, implorando em silêncio por ajuda. Ele só desviou o rosto. Ela estava por conta própria.

    Costumava ter o sr. Takahashi como escudo. No entanto, a presença dele na casa de chá havia se tornado eventual. Ele podia aparecer em qualquer momento do dia, às vezes surgia em vários e às vezes sumia por muitos dias. Os cupons se tornaram mais escassos. O sr. Takahashi, que antes sempre ia lá na hora do recreio, explicou que a escola havia sido fechada. Quando Jujube perguntou o que ele faria já que os japoneses pareciam estar em retirada, o sr. Takahashi não olhou nos seus olhos, evitando responder. Aquilo a irritou. Seria possível que pensasse que Jujube se importava se ele voltasse para o Japão? Que ia se condoer, como uma criança tola? Ela não era mais uma garotinha; não precisava das tentativas destrambelhadas dele de protegê-la. Afinal, o sr. Takahashi era um deles, um dos homens cruéis que se deleitavam com o sofrimento da família de Jujube. A força da sua própria amargura a chocava.

    Quando aparecia, o sr. Takahashi falava sem parar em Ichika. Jujube se arrependeu de ter dado permissão a ele para falar sobre a filha, porque agora não havia outro assunto. As palavras escapavam da sua boca como serragem de um saco de aniagem furado, depressa e com urgência, como se ele tivesse esperado um longo tempo para contar tudo a ela.

    O pior dia foi quando o sr. Takahashi recebeu uma carta da filha.

    "Finalmente", ele disse, pressionando o envelope contra o peito, sua alegria atingindo Jujube como raios de sol prestes a cegá-la.

    Ela sabia que o homem merecia essa felicidade — fazia meses que não tinha notícias de Ichika, além do telegrama informando que ela estava viva. A carta havia sido enviada antes da bomba, porém levara seis semanas para chegar. O sr. Takahashi insistira em lê-la para Jujube, fazendo a tradução do japonês para um inglês precário. A vontade dela era de dar um tapa na boca dele, bater seu rosto contra a mesa, silenciá-lo, mas não tinha coragem. Tudo o que Jujube fez foi abrir um sorriso forçado e sinalizar para que seguisse em frente.

"Ichika diz que, embora não tenha ainda a credencial de enfermeira, está trabalhando como voluntária no hospital! São muitas as baixas, e ela está ajudando!" Um suor feliz marcava o rosto do sr. Takahashi, cujos olhos brilhavam diante das perspectivas de futuro da filha. Jujube nunca tinha visto orgulho semelhante no rosto dos pais. Seria porque ela e os irmãos, quando pequenos, nunca fizeram nada digno de tal sentimento? As oportunidades haviam sido roubadas deles. Ou seria porque alguns pais amavam mais do que outros? Jujube não tinha certeza, porém o encanto na voz do sr. Takahashi fazia as entranhas dela se revirarem. Ichika mandara uma foto dela no que Jujube imaginava ser uma ala do hospital, onde ao seu redor havia camas, pessoas, médicos e enfermeiras de chapéu cônico. Ichika usava roupas comuns: a mesma calça, larga nas pernas e justa na cintura, e uma camisa de botão masculina igualmente larga.

Para controlar a reviravolta furiosa no seu estômago, Jujube tentou encontrar o que criticar em Ichika. Ela certamente aparentava ser mais velha na foto do que naquela que o sr. Takahashi mostrara, e com isso ficou satisfeita. Mais cansada. Talvez fosse grande demais e esse fosse o motivo pelo qual preferia roupas largas, para se esconder. No entanto, mesmo tentando inventar inúmeras falhas em Ichika, Jujube via seu rosto corado, as rugas em torno dos seus olhos — aquela mulher parecia inteligente, animada, feliz. A perfeita Ichika, de natureza solidária, habilidades úteis, roupas confortáveis, dotada de ambição. A vontade de Jujube era de estrangulá-la.

Quando o sr. Takahashi terminou de dissecar a carta e a foto da filha, Jujube esperou que perguntasse como ela estava. Não sabia o que responderia — não havia palavras suficientes para descrever a profundidade da sua dor, o buraco dentro dela que ficava cada vez maior, como se um rato roesse suas entranhas, lembrando-a de que, tal qual sua família, Jujube não estava mais íntegra.

Ela decidiu que demonstraria indiferença, que responderia confiante e tranquila: "Estou sempre bem". Ansiava para ver a ruga de preocupação na testa dele, aquela que sempre vinha quando o sr. Takahashi suspeitava que ela não estava contando tudo. Então talvez dissesse uma coisinha ou outra sobre como estavam as coisas em casa, com a mania da mãe, a doença do pai, a tristeza profunda em tudo à sua volta — só o bastante para provocar empatia, não tanto a ponto de invocar pena. Não admitiria que o sr. Takahashi sentisse pena dela.

Jujube aguardou enquanto ele dobrava a carta de Ichika. Depois, com todo o cuidado, o sr. Takahashi guardou o papel e a foto no envelope, e o alisou contra a mesa com os dedos tão enrugados quanto seu rosto. Ele passou a mesma mão no cabelo, nervoso, porque se preparava para a conversa difícil que teria com ela, era o que Jujube imaginava. Muito em breve, ela poderia responder da maneira que quisesse.

Então o sr. Takahashi pegou sua xícara, terminou o chá, assentiu, abriu um sorriso animado e, sem dizer mais nada, foi embora.

19

CECILY

Bintang, Kuala Lumpur
1938
Malásia ocupada pelos britânicos

Os avanços alemães e japoneses pelo mundo se tornaram significativos. Pelo rádio, os moradores de Bintang ouviam histórias do saqueamento rápido de cidades, os japoneses superando as cuidadosas defesas ocidentais com facilidade, alguns comandantes britânicos se rendendo sem revidar. Fujiwara contou a Cecily, com os olhos cintilando, sobre as vitórias militares que os japoneses acumulavam, uma após a outra, sempre muitos passos à frente dos seus adversários em relação a estratégias. Avanços que costumavam levar semanas e meses se seguiam em questão de dias.

Em Bintang, na cidade de Kuala Lumpur, os ingleses estavam divididos. Metade permanecia firme na fé no império, determinada a não permitir que o que viam como uma horda de selvagens de olhos puxados tivesse qualquer impacto na sua vida. No máximo, tornava suas festas e bailes ainda mais extravagantes. E continuava escapando todo fim de semana com a família para o que chamavam de "estações nas montanhas" — refúgios luxuosos nas montanhas da Malásia onde, graças à altitude, a temperatura era mais amena. A outra metade dos britânicos morria de medo, convencida de que o fim estava próximo. Essas pessoas passaram a fazer as malas e a pegar os barcos que saíam semanalmente do porto Lewisham, para voltar ao clima úmido e frio da sua juventude.

Conforme entravam em 1938, as últimas tempestades da estação vieram, então as monções arrefeceram. Uma umidade pesada tomou conta de tudo. Cecily imaginava que o Ano-Novo renovaria seu otimismo, mas só se sentia cansada. Enquanto ela avançava pelos corredores do Oriental Horizon, as coxas roçavam desconfortáveis uma na outra.

Ela mal tinha aberto a porta quando Fujiwara anunciou: "Estou indo embora. Vão me mandar para a China".

Cecily fechou a porta com o cotovelo e se arrependeu no mesmo instante; o quarto parecia no vácuo, e ela ficou sem ar.

"Você está bem?", Fujiwara perguntou quando ela fez uma careta ao sofrer com a dor que subia pela sua espinha.

Cecily levou uma mão à lombar e se deixou cair com um baque pesado na cadeira, ao passo que o vestido solto de grávida esvoaçou. Fujiwara estava sentado no chão, com as costas apoiadas na parede, os vincos da sua calça colados às pernas esticadas à frente do corpo. Ela nunca o tinha visto daquele jeito; ele não era um homem casual, não sentaria no chão de um quarto imundo de hotel, com os pés descalços.

Algo havia mudado entre eles outra vez. Fujiwara nunca tinha mencionado o dia em que ela saíra na chuva, quando a esposa dele não voltara para casa e o médico aparecera para tranquilizá-lo, ainda que nervosamente. Fujiwara nunca perguntara sobre o que ela e Lina tinham falado, nunca reconhecera que ela e Lina passavam quase o tempo todo juntas, quando Cecily não estava com ele. A vida deles, que ambos se esforçaram tanto para manter separadas, começava a se sobrepor, porém era como se Fujiwara esperasse que, ignorando a realidade do emaranhamento, não reconhecendo Lina e os bebês que estavam por vir, ele podia fingir que nada havia mudado.

"O que você vai fazer na China?", Cecily perguntou, ignorando a pergunta dele quanto ao seu bem-estar.

"Provavelmente passarei por treinamento, depois treinarei os demais para que estejam preparados. O impasse na China está finalmente se resolvendo a nosso favor. Está tão perto. Já posso sentir. Aqui..." — ele fez um gesto amplo para tudo em volta —... aqui, a Malásia, é a próxima."

Ela também sentia. Sempre achara que seu corpo espelhava seu estado de espírito, e agora seu peito vibrava, deixando-a ainda mais quente no quarto abafado. O calor irradiava da ponta dos seus dedos; fazia seu corpo, desconfortável na cadeira, formigar.

Porém, Cecily apenas disse: "Você sabe que sua partida vai deixá-la devastada".

O suor se acumulava atrás dos seus joelhos. Ela sentiu duas gotas escorrerem pela panturrilha esquerda e pararem no tornozelo. Viu quando Fujiwara se ajeitou no chão, passando o peso de um lado para o outro, como se estivesse prestes a se levantar. Talvez o tivesse chateado; ela se perguntou se ele estava se levantando para ir embora.

"Não posso pensar nisso agora", Fujiwara disse, com seus olhos se voltando para o carpete e de volta a Cecily. Ela ponderou se estava imaginando o brilho do remorso neles. Fujiwara voltou a se recostar na parede. "É o próximo passo, Cecily. Temos que ir em frente. Não há escolha."

Ele falava no plural. Mesmo tantos anos depois, ela ainda sentia uma pontada de prazer quando Fujiwara se referia a ambos como um só.

"Eu sei."

Daquela vez, não houve choque por parte dela. Ele já havia partido uma vez, e ela aprendera que a probabilidade de que ele a deixasse novamente era alta. E, em vez de simplesmente desaparecer, como fizera, Fujiwara estava dando o aviso — o que significava que tinham crescido e evoluído, que eram membros da mesma causa, até parceiros. Ainda assim, talvez tivesse sido inocência da parte dela presumir que esse momento seria mais simples, que suas vidas permaneceriam inalteradas, que os novos laços entre eles não existiam: a mulher que dividiam, as crianças que poderiam vir a dividir. Cecily estremeceu ao recordar como ficara da outra vez: da crueza do seu desejo, do quanto o queria, de quão infantil e simples fora sua luxúria. Ela abriu a boca e quase perguntou o que aconteceria com o bebê. Somente engoliu as palavras, segurando-as como uma tosse incômoda. Não era hora.

Em vez disso, o que perguntou foi: "Como acha que será esse novo mundo?".

Cecily o observou com atenção. Ele inspirou fundo e alisou os vincos da calça. "Imagino que nosso mundo será tão autossuficiente que não dependerá do Ocidente. O Japão liderará a Ásia em uma nova era de modernização. Tudo será mais rápido. As pessoas serão mais produtivas. Haverá crescimento econômico, o que resultará em prosperidade para todos. A exploração chegará ao fim, as crianças não vão mais se afogar em minas perigosas, os trabalhadores não destruirão mais o próprio corpo no campo. Em algum momento, talvez a Malásia venha a funcionar como um país autônomo, em uma coexistência pacífica com o Japão. Consegue imaginar isso? Seu país liderado por alguém nascido dentro das suas fronteiras? Sua vida toda, a Malásia foi dominada. O Japão oferecerá um novo futuro ao seu país, um futuro que você nem pode imaginar!" Fujiwara parou de falar, como se tivesse sido pego de surpresa pela ferocidade das próprias palavras. Então olhou para a parede, parecendo constrangido.

Seu país. Cecily sabia que não devia ficar surpresa por Fujiwara não se referir à Malásia como o país dele; servia ao imperador e sempre tivera orgulho da sua ascendência japonesa. Ainda assim, doera. Seria possível que isso significasse que Fujiwara planejava deixar a Malásia de vez assim que os japoneses chegassem? E ela, iria com ele se fosse o caso? Fujiwara tinha uma visão política, econômica, ideológica. À noite, quando Cecily não conseguia dormir e suas costas doíam por causa do peso da barriga, com Gordon roncando suavemente ao seu lado, ela também imaginava o futuro. Porém, não descreveria suas fantasias por vergonha; eram muito mais triviais, até mesmo domésticas. Cecily sonhava em dar festas ao lado de Fujiwara, nas rugas em volta dos olhos que se formariam enquanto via as crianças darem risada. Ela sonhava em se sentar ao lado de Fujiwara para discutirem estratégias e legislação. Sonhava com as oportunidades que os filhos teriam; Jujube, tão inteligente, faria universidade e viraria médica, cientista, uma mulher cuja visão não seria limitada por seu gênero. Cecily balançou a cabeça. Deveria sonhar mais alto, como ele sonhava. Ali estava ela, pensando na educação de Jujube, quando deveria se concentrar na educação e na prosperidade de toda a nação.

Ela engoliu em seco e procurou focar. "Quanto tempo você vai ficar na China?"

"Não sei." A concisão de sempre estava de volta. Fujiwara suspirou como se a explosão de antes o tivesse exaurido.

"Vai contar a ela?"

Fujiwara deu uma piscada mais demorada, as pálpebras tremendo, em uma expressão que ela nunca tinha visto nele, embora a compreendesse. Determinação. Fujiwara seguiria em frente, ignorando as distrações, tendo em conta o que importa. "É o que estávamos esperando, Cecily", ele lembrou a ela.

Talvez Cecily não fosse mais a garota simples que falava, planejava e sonhava, a mulher franca que uma vez assistira a um homem iluminado pelo luar lhe contando sobre um futuro a princípio inimaginável. No entanto, era impossível não sentir a vibração do entusiasmo dele, ambos reconheciam a importância do momento, com a ideia tão próxima de se tornar realidade. E, como na outra noite, por um momento só havia os dois, livres dos compromissos com a família, o futuro, Lina.

"É o que estávamos esperando", Cecily repetiu para Fujiwara. O ar no quarto se tornou mais denso, e uma camada de suor cobriu o lábio superior dela. O músculo distendido nas suas costas doeu.

Fujiwara desapareceu em um daqueles dias nublados de que os malaios tanto gostavam — quando não chovia e a temperatura era fresca o bastante para ficar na rua. Uma leve brisa esfriava os braços e fazia os cabelos soltos esvoaçarem. As crianças brincavam e os adultos conversavam. Naquela noite, quando o sol se pôs e os mosquitos começaram seu coro, Lina chegou à casa de Cecily e Gordon, com o cabelo todo bagunçado, os pés sobrando nos chinelos cinza, agora pequenos demais para ela.

"Cecily!", Lina gritou. "Bingley não voltou para casa. Isso nunca aconteceu!"

Gordon se levantou tão depressa que bateu os joelhos sob a mesa de jantar. "Pare de gritar", ele sibilou para Lina. "Não há motivo para histeria."

Fujiwara não tinha dito a Cecily o dia exato em que partiria. "É melhor eu ir discretamente", ele dissera. A vontade dela tinha sido perguntar: *Melhor para quem?* Contudo, Cecily não insistira. Sabia que Fujiwara estava certo, era arriscado demais, e não havia nada que pudesse fazer para impedir o terror frenético visível no rosto de Lina. Cecily respirou fundo e puxou a amiga para junto do peito.

Gordon disse: "Ele é um homem ocupado, Lina. Talvez tenha ficado preso no trabalho, fazendo... O que é mesmo que ele faz? Vende alguma coisa?". No entanto, acima da cabeça de Lina, que se sacudia com os soluços silenciosos ao peito de Cecily, ele movimentou as sobrancelhas. *Outra mulher?*, articulou com a boca sem produzir som.

Cecily cerrou os dentes e tentou tranquilizar Lina segurando seus ombros.

Talvez a vítima real disso tudo fosse Gordon, ignorante a todas as tensões à sua volta, sem fazer ideia de quão rapidamente o mundo que idolatrava mudaria, ou mesmo que o filho que ela carregava podia não ser dele. Cecily devia sentir pena do marido; ele merecia sua compaixão. Porém, tudo o que queria fazer naquele momento era dar um soco na cara dele.

Aguarde só, ela pensou. Seu corpo, depois de passar dias se preparando para aquilo, estava aguçado, feroz e pronto para a batalha e para dar o bote, independente do que viesse a seguir.

Quando a notícia de que Bingley Chan tinha desaparecido se espalhou — e rapidamente, porque Gordon era incapaz de calar a boca —, ninguém ousou questionar seus motivos ou sua segurança. Para os outros, era tudo culpa de Lina. Ela o afastara, devia ter feito alguma coisa, não era o suficiente. Afinal, perder um marido podia ser má sorte, mas perder dois... Só com muito descuido, a ponto de levantar suspeitas.

"Ela nunca esteve à altura dele", Lady Worthing disse.

"*Haiya*, ela não se cuidou durante a gravidez, quem poderia culpá-lo?", disse a sra. Low.

Cecily ficou furiosa com as fofocas mordazes envolvendo a amiga. Os vizinhos, tanto os locais como os britânicos, rodeavam a casa dos Chan, tentando ver de relance a aflita Lina. Fofocavam por cima das cercas e encurralavam Cecily no armazém com perguntas indiscretas. Tentavam "dar uma passadinha" para levar sopa ou flores, e fingiam-se de ofendidos quando ninguém atendia à porta, seus olhos nunca parando de buscar. Cecily considerava aquilo desprezível. A aceitação tácita de Lina, com suas festas e sua beleza, na verdade escondia inveja. Todos se sentiam muito confortáveis em deixar seus verdadeiros sentimentos à mostra.

Primeiro Lina ficou preocupada que algo pudesse ter acontecido com Bingley, tal qual havia acontecido com o *kapitan* Yap. Porém, o segundo golpe veio quando ela percebeu que o marido tinha levado seus principais pertences, deixando buracos empoeirados sem eles. Quando

Lina aceitou que ele a tinha deixado por vontade própria, passou a se alternar entre o desespero e as tentativas de explicar aquilo.

Cecily pairava em um estranho espaço intermediário. Ela se surpreendia com sua facilidade de ser duas pessoas e não apenas compartimentalizar, mas sentir de fato o que precisava, existir como a mulher entre Lina e Fujiwara. De dia, mantinha-se firme ao lado de Lina, ouvindo-a relembrar as conversas com Bingley repetidas vezes em busca de pistas. A amiga falava em círculos e não parava de recontar as mesmas futilidades — ele nunca iria embora sem dizer nada, deve ter ido para a Europa a trabalho, voltaria a tempo do bebê nascer. Com Lina, Cecily revivia e analisava cada comentário áspero, cada rosto virado, cada olhar não retribuído, cada lábio franzido em desagrado.

À noite, em compensação, havia uma segunda Cecily, a mulher que era tomada pela adrenalina ao pensar "é isso", ao pensar no futuro que ela e Fujiwara tinham ousado sonhar, que estava se tornando realidade. Aquela Cecily passava horas procurando a frequência certa no rádio, pondo-o ao ouvido na cozinha, enquanto jornalistas falavam alto e com entusiasmo ao expressar perplexidade diante dos focos de rebelião e da alta do sentimento anticolonial que permeava o império. Aquela Cecily se deitava na cama e se perguntava onde Fujiwara estava — deitado na popa de um barco, olhando para a lua, como ela? Ou agachado em uma trincheira enlameada qualquer, comandando um exército? Às vezes, a ansiedade era tanta que sua pele coçava. Seus sonhos se tornavam deliciosamente violentos e vívidos — ela sonhava com as mulheres brancas cheias de si sendo puxadas pelas sombrinhas para fora de Bintang, com o terno branco e afetado do representante britânico, Frank Lewisham, sendo arrancado, ficando só com as roupas de baixo, tremendo, com o calvário dos homens uniformizados liderados por Fujiwara. Cecily imaginava cenários em que ela e ele riam juntos ao ver os resquícios do clube, o farol da masculinidade britânica tendo ido por terra. Aquelas vitórias fantasiosas a faziam despertar molhada de suor e desejo, com os dedos buscando a barriga, e uma tensão entre as pernas.

Às vezes, Cecily tentava até enxergar além das vinganças e se questionava como sua vida seria quando tudo aquilo acabasse, porém tais cenários eram mais turvos. Ela notou que Fujiwara só falara das suas ideias; gostaria de ter demonstrado presença de espírito e feito mais perguntas. Talvez ele fosse anunciar aos superiores que fora Cecily quem fizera tudo acontecer — talvez a proclamasse sua parceira e inspiração. Talvez Fujiwara irrompesse na casa dela como um herói conquistador e imprensasse Cecily contra a parede com um desejo declarado, enquanto Gordon observaria, patético e traído. Tudo isso, por sua vez, era pouco realista, até mesmo ridículo. Às vezes, ela tinha curtos acessos de pavor — preocupava-se que, quando os japoneses chegassem, a vida voltaria à normalidade e seria ocupada pelos acontecimentos da família: as crianças a serem controladas, o marido a ser atendido, as tragédias da domesticidade tediosa mais uma vez revelando sua feiura. Nos dias em que a dúvida predominava, Cecily desejava poder suspender o tempo, viver para sempre nos momentos iluminados do triunfo iminente de Fujiwara e dela própria, tomada pela adrenalina.

Então, tão rápido quanto havia surgido, o interesse dos vizinhos por Lina morreu. Conforme a curiosidade passou, a mulher foi simplesmente expulsa dos círculos sociais. Gordon insistia que Cecily também se afastasse dela, preocupado que o segundo fracasso de Lina pudesse contagiá-los.

Mas Cecily o ignorou. Todo dia ela aparecia à porta de Lina com comida. Todo dia ficava ouvindo os assuntos de sempre. Todo dia consolava, reconfortava e abraçava a amiga. E todo dia se perguntava quanto tempo mais teria que esperar para que Fujiwara trouxesse o novo mundo a ela.

20

ABEL

Campo de trabalho de Kanchanaburi, na fronteira entre Birmânia e Tailândia
29 de agosto de 1945
Malásia ocupada pelos japoneses

Quando Abel era pequeno, a mãe tinha ensinado que, na história, líderes emergiam no vácuo e no caos. Ela tinha dito que isso se devia ao fato de, no fim das contas, os homens só quererem que alguém lhes dissesse o que fazer. Abel sempre discordara daquela premissa — odiava que lhe dissessem o que fazer, e às vezes, mesmo quando concordava com a instrução, sentia-se obrigado a desafiar o instrutor. Quando dissera aquilo à mãe, ela tinha rido e dito: "Isso só significa que você vai ser um líder".

Compreender a força e a relevância do próprio carisma, antes mesmo de se ter idade suficiente para nomear o sentimento, era algo poderoso. Abel aprendeu que tinha poder, que seus atributos chamavam a atenção das pessoas quando entrava num lugar, que elas falavam a seu respeito muito depois da sua partida, que nunca se esqueciam dele. Abel nunca chegou a entender o motivo — afinal, não era o mais atlético, nem o mais divertido, nem o mais inteligente (embora algumas pessoas pudessem dizer que era o mais bonito, embora isso não fosse ponto pacífico) —, porém, na escola, era o líder do grupo, aquele a quem as pessoas se adaptavam, aquele que todos os meninos queriam ser, aquele que se safava das consequências das travessuras. Um professor que deixou pregar uma pegadinha especialmente notória nele disse que o aluno era um traquinas charmoso. Abel tivera que perguntar à mãe o que isso significava.

A mãe se virou com o sorriso indulgente que reservava a ele. "Seu professor está confundindo carisma com charme."

"Ca-ris-ma?" Abel repetiu a palavra, sentindo-a na língua. O movimento pouco familiar dificultado pela saliva.

"Isso." Ela riu e puxou a orelha dele. Então, pensando que o filho não estava ouvindo, disse: "Conheci alguém assim no passado".

"Quem, mamãe?"

A mãe corara. Ele nunca tinha visto a ponta das suas orelhas tão vermelhas. "Nada. Ninguém. Só um homem que eu conheci."

Claro que essa necessidade de desafiar e liderar foi o que o deixou em apuros no campo logo de início. Para Abel, era difícil obedecer como os outros faziam e simplesmente instalar trilhos, carregar peso num ritmo constante, ficar em silêncio e não ser notado. Ele ficava surpreso que os demais apenas aceitassem a hierarquia: os japoneses como escravizadores e os meninos como escravizados. No entanto, se na escola seu carisma era celebrado e os meninos o seguiam, no campo os companheiros morriam de medo dele. "Vamos todos morrer por sua culpa", Rama dissera nos primeiros meses. Como todo o resto, carisma e rebeldia podiam ser tirados de alguém. Todo animal, não importava quão feroz ou selvagem fosse, podia se tornar uma sombra diminuta de si mesmo se apedrejado o suficiente. Todo animal podia ser silenciado — no caso de Abel, com a doçura amarga da bebida.

"Você era diferente", Freddie disse no dia seguinte ao incidente com Akiro no teatro. Abel sentiu cheiro de merda à sua volta e percebeu tarde demais que vinha dele. A última coisa de que se lembrava era do ruído de celebração, de chutes, de ossos quebrando, antes que uma doce escuridão o tomasse.

Como pode ter achado que eu queria fazer isso?, Abel quis dizer a Freddie, mas as palavras não se formaram na sua boca. *Me deixe em paz!*, ele tentou outra vez, porém Freddie só balançou a cabeça e assentiu para alguém à distância. Um dos meninos chegou correndo. Abel sentiu o frio agudo da água o atingindo, depois balde após balde escorrendo do seu corpo enquanto os garotos, seguindo as instruções de Freddie, lavavam a merda — a merda *dele* —, e qualquer dignidade que ali restasse.

A princípio, Abel pensou que seria tratado como um pária depois de se recusar a matar Akiro, que os meninos o chutariam e socariam da mesma forma que tinham feito com o supervisor, até que ele implorasse por misericórdia. De muitas maneiras, a realidade foi pior. Começaram a tratá-lo como uma espécie de soldado caído, fraco, a ser protegido, mantido à distância, tratado com delicadeza. Todo dia, ele encontrava comida perto da cabeça quando acordava. Sempre que se levantava para esvaziar a bexiga, várias cabeças se viravam para se certificar de que ele não ia cair, e quando caía, o que acontecia com frequência, sempre havia uma pessoa para oferecer um braço, tirá-lo do chão, ajudá-lo a se manter de pé. Quando tal papel cabia a Freddie, Abel ainda conseguia suportar a constância da sua ajuda. Era até tranquilizador ver o amigo ali depois de acordar de um dos torpores bêbados, ouvir o tom suave daquela voz, um lembrete de que Abel continuava bem. Porém, como um comandante cercado por seus tenentes, Freddie parecia ter delegado a função aos outros meninos do campo. Eles olhavam para Abel com pena, baixavam a voz quando passava, davam tapinhas nas suas costas como se fosse um animal ferido. E como era devastadoramente humilhante ter suas fraquezas expostas e reconhecidas daquela maneira. Abel tinha vontade de mergulhar em si mesmo e se esconder, mas também de quebrar todas as mãos que tentavam consolá-lo.

Pelos sussurros, Abel descobriu que, depois de tudo, Freddie instruíra os meninos a enterrar o corpo de Akiro perto da bananeira. A localização não era aleatória. Muitos acreditavam que bananeiras eram assombradas pelo espírito de uma mulher vingativa. Por isso, costumavam ficar longe da que havia no campo, convencidos de que um espírito raivoso ia atacá-los e cortar seus genitais se tivesse a oportunidade. Abel imaginava que Freddie tinha considerado uma punição de acordo para Akiro ser assombrado no além-vida por um fantasma que tinha a mutilação como propósito. Ele mesmo, no entanto, não tinha medo. A mãe o havia criado com base na história e na ciência, portanto histórias do folclore sobre assombrações não o incomodavam. A bananeira era seu refúgio quando precisava de sombra, solidão, silêncio ou um lugar onde beber sem ser alvo de olhares. Agora até mesmo a árvore o abandonara. A ideia de descansar perto da cova rasa em que se encontrava o corpo em decomposição de Akiro era aterrorizante.

Os soldados japoneses que ficaram no campo davam amplo espaço aos meninos. Abel não sabia se imaginavam que Akiro tinha desertado, como muitos outros antes dele, ou se desconfiavam ou até mesmo sabiam o que havia acontecido. Qualquer que fosse a verdade, mantinham distância e se atinham a seus alojamentos, um ou dois sempre se esgueirando à noite, com a mala cheia, e pegando a estrada em busca de um futuro melhor.

Com a deserção contínua dos soldados japoneses, os suprimentos — comida e todo o resto — se esgotavam e não eram repostos. Caminhões chegavam a cada tantas semanas, de modo que os meninos precisavam carregar sacos de arroz nas costas, depositando-os sem derramar um único grão, para não apanhar. Nada mais chegava por ora. A princípio, os meninos saquearam os alojamentos dos soldados que tinham ido embora e ficaram encantados em encontrar petiscos e iguarias inéditas. Eles se sentavam em círculos depois dos shows de talentos e todos davam uma mordida nas comidas desconhecidas, alguns assentindo em aprovação e outros fazendo cara de nojo. Até que isso acabou também. Alguns dos meninos da cozinha se aventuravam, encontrando ervas, frutos e raízes nas árvores do campo. Mas na maior parte do tempo, eles tinham fome, e como repetiam o prato uma ou duas vezes, sem o racionamento estrito imposto pelos japoneses, logo o estoque começou a ficar perigosamente baixo. Tudo isso Abel ficava sabendo por fofocas, sem tomar parte delas. Ele comia uma vez ao dia, porque assim ficava bêbado mais rápido. O álcool era a única coisa que parecia não ter fim — vários engradados de vinho de palma haviam sido descobertos no alojamento dos soldados, pelo que Abel ficou agradecido.

Fora naquela lacuna de liderança que Freddie emergira; Freddie, o menino magro de fala mansa, que antes era o alvo preferido dos soldados japoneses. De alguma maneira, aquele mesmo garoto se tornara o cabeça dos meninos perdidos do campo de trabalho de Kanchanaburi. Apesar do seu entorpecimento, Abel ficou impressionado ao testemunhar o amigo montar uma programação para que sempre houvesse três meninos de sentinela. Antes da partida do último soldado japonês, Freddie instruíra um dos companheiros a roubar um rádio que crepitava em japonês a cada poucas horas. A maioria não falava japonês, mas os que falavam parte do idioma traduziam o melhor que podiam, extraindo palavras da estática. "Bomba." "Rendição." "Estados Unidos."

As reações no campo eram mistas.

"Vão nos salvar!", alguns diziam.

"Vamos morrer de fome", outros diziam.

"Fomos esquecidos", Freddie dizia. "O que significa que teremos que cuidar de nós mesmos."

Eles discutiam, e as vozes se afogavam umas às outras, em meio às moscas zumbindo, ao calor e ao ar brutal.

"A comida está acabando", disse Rama, batendo na barriga com pesar. "Não sei como vamos conseguir mais."

"Os deslizamentos de terra estão piorando", alguém comentou. "É como se estivessem nos apagando."

Sem trabalho a fazer e sem trilhos a instalar, os dias no campo foram ficando mais longos e preguiçosos. Uma energia inquieta ricocheteava pelas paredes — os meninos, acostumados ao terror e ao empenho de encontrar maneiras de sobreviver, agora não tinham objetivo. O excesso de energia nervosa os levava a brigar. Todo dia havia conflitos pela menor das ofensas, pelo motivo mais tolo — *você roubou minha comida, você me olhou atravessado, você roubou no jogo*. A seriedade das brigas variava. Embora a maioria fosse de simples resolução e não deixasse nada pior que alguns hematomas, de vez em quando alguém era deixado sangrando no chão, ferido e com dificuldade de respirar. Parecia irônico a Abel que toda a tortura e a dor que temiam — e contra as quais sonhavam se rebelar — os tivesse transformado exatamente no que os japoneses queriam: homens que, pela força, se tornaram submissos.

Abel, contudo, não precisava se preocupar consigo mesmo. Para escapar dos olhares de pena, ele bebia, e os outros o deixavam em paz. Imaginava que devia ser grato; não se encontrava em condições de enfrentar ninguém. De vez em quando, torcia para que alguém o empurrasse. Se o evitavam, era porque presumiam que ele perderia em uma briga, tão destruído que nem valia a pena como oponente.

"Preciso de você", Freddie disse baixo para ele uma manhã. Era cedo, e em algum lugar um galo cantava. O céu continuava escuro, a crista laranja bem distante, como se o sol não conseguisse se levantar sozinho, tal qual Abel. Sentado do lado de fora do alojamento, as costas dele se mantinham sustentadas por uma pilha de madeira. Era como um animal calado, que se escondia dentro, debaixo e em volta de estruturas, torcendo para não ser encontrado. No entanto, Freddie o encontrou, claro.

"Vá embora", Abel disse. Ele não precisava de um sermão, e não queria ouvir um. Não conseguia olhar para Freddie sem sentir a vergonha tomando conta do seu corpo, e isso o deixava doente.

"Tenho que conversar com alguém. Não sei o que fazer. Precisamos de um plano. Acho que estamos encrencados."

Freddie soava calmo, porém seus olhos, daquele azul familiar que reconfortara Abel, traíam o tom constante da sua voz. Eles se movimentavam de uma maneira incomum, carregando por trás das íris a ansiedade ao ser confrontado pela responsabilidade de quase cem meninos do campo.

"Você não precisa cuidar deles", Abel disse, irritado. "Quem morreu e fez de você o Cristo aqui?"

Freddie fez uma careta, como se sentisse o impacto daquilo.

"O que aconteceu com você? Como foi que ficou... assim?"

Abel queria perguntar *assim como?*, porém decidiu que não se importava mais com o que Freddie pensava. Ele tomou um gole e sentiu a bebida descer para o estômago vazio, deixando uma queimação no seu encalço. Abel imaginou um caminho dourado se abrindo no seu interior.

Freddie não disse mais nada, o que o deixou furioso. Abel já estava cansado de todo mundo tentando protegê-lo, e a ideia de que Freddie protegesse não apenas seu corpo, mas também seus sentimentos, era insuportável. Ele não precisava disso, muito menos da parte de um menino magrelo como Freddie.

"ASSIM COMO?", Abel perguntou, surpreso com o volume e a clareza da própria voz. Se Freddie experimentasse insultá-lo, ia ver o que era bom.

"Precisamos partir", Freddie disse, praticamente não passando de um suspiro. "Antes que seja tarde demais."

Para quê?, Abel pensou. *Para quem?* Contudo, quando ele conseguiu organizar seus pensamentos, Freddie já tinha ido embora.

Os dias que se sucederam foram bem movimentados. Freddie estava no comando de tudo, claro. Abel ficou vendo incrédulo os mesmos meninos que há pouco batiam uns nos outros se organizarem, formando linhas de montagem para criar fardos de suprimentos e os amontoar em pilhas. Cada fardo continha comida, água, panos que Abel imaginava que fossem ser usados como ataduras caso necessário e outros itens que ele não distinguia. Freddie marchava de um lado para o outro, feito o dono do lugar, supervisionando tudo — *mais neste, trabalhem depressa, somente o necessário, precisamos seguir em frente* etc.

"O que está acontecendo?", Abel perguntou a Vellu, que tentava enfiar um acordeão em seu fardo.

"Vamos nos mandar daqui. Freddie disse que precisamos partir logo, pegar a estrada."

A *estrada*, Abel pensou, ressentido. Fora ele quem pensara naquilo primeiro. Uma semana antes, tinha se perguntado se os meninos deviam se revoltar contra os japoneses e partir, fazer o caminho de volta para casa. Entretanto, ruminar bêbado não contava. Abel imaginou que devia ajudar — concordava em princípio que precisavam partir, que a qualquer momento um tanque japonês ia passar por cima da cerca e atirar em todo mundo, porque eles não eram mais necessários. Mas mesmo algo tão simples quanto ficar de pé o deixava tonto. Às vezes, quando escolhia um lugar ruim onde passar o dia, via-se no meio das atividades. Os meninos o contornavam, carregando suprimentos, conversando alto, e o barulho ferroava seu cérebro, fazia sua cabeça doer, deixava-o frustrado. Às vezes, alguém murmurava "Vamos", e o levava pelas axilas até um ponto mais distante. Mas, em geral, ignoravam Abel; os gemidos bêbados dele o tornavam inútil para o processo e, portanto, invisível.

Depois de dois dias de preparação frenética, Rama irrompeu da casinha, com a calça toda retorcida, segurando o rádio que vinha ouvindo.

"O imperador Hirohito vai entregar a Malásia!", ele gritou, e sua voz ecoou pelo campo.

Outras vozes começaram a gritar fervorosamente. "O que fazemos, aonde vamos, será que vão nos resgatar, quem vai nos resgatar?"

A inquietude se espalhou pelo campo. Como sempre, em meio ao pânico fora de controle, veio a voz da razão.

"Partiremos amanhã. Já temos fardos suficientes." Era Freddie, com o tom tão tranquilo e baixo que os meninos foram apaziguados. Abel foi o único a identificar um tremor ao fim.

21

JASMIN

Bintang, Kuala Lumpur
29 de agosto de 1945
Malásia ocupada pelos japoneses

No décimo terceiro dia da estada de Jasmin com o general Fujiwara, Yuki não apareceu no carrinho de mão, o ponto de encontro das duas. Jasmin tinha se esgueirado da casa do general sem ser vista e percorreu a estrada saltitando até chegar à placa de boas-vindas. As coisas pareciam um pouco mais movimentadas do que o normal, até agitadas, e havia mais soldados patrulhando com suas botas pesadas, porém Jasmin mal prestava atenção neles. As pessoas não a notavam, e se muito não se importavam. Ela notou no mesmo instante que o lençol não cobria o carrinho de mão como de costume. Em vez disso, estava caído para um lado, expondo metade do azul brilhante da pintura. A princípio, achando que era uma pegadinha de Yuki, puxou o pano com tudo, dando risada e imaginando que a amiga estaria escondida lá dentro, pronta para assustá-la. No entanto, o lençol esvoaçou, sozinho, e caiu no chão. Jasmin subiu no carrinho de mão e aguardou. Yuki devia estar atrasada e logo apareceria. Ela cobriu o carrinho, como a amiga costumava fazer, encolheu-se e pegou no sono, sentindo o ar quente e úmido à sua volta. Não havia motivo para preocupação. Yuki logo voltaria.

"Mini. Mini."

Os olhos de Jasmin se abriram na mesma hora. Ela soltou um bocejo e se deu conta de que estava com calor e com sede, sua língua grudando no céu da boca. "Yuki?"

Yuki estava agachada diante dela no carrinho de mão, com a coluna curvada. Tinha vergões compridos e saltados nos braços.

"Dói", Yuki disse, e nada mais. Lágrimas rolaram dos seus olhos. O movimento fez sua camisola subir, e Jasmin viu um corte comprido na coxa esquerda.

Jasmin desviou o rosto. Não suportava olhar. "O que aconteceu, Yuki?"

"Um tio bateu em mim."

Yuki se jogou na direção de Jasmin, que envolveu a amiga nos braços. "Vamos embora?" Yuki soluçou. "Estou com medo."

Elas ficaram abraçadas, o coração de Jasmin tão machucado quanto o corpo de Yuki.

Quando as duas meninas chegaram à casa do general aquela tarde, conseguiram entrar discretamente, sem serem notadas. Jasmin ouviu o barulho do criado nos fundos, socando algo no pilão, talvez gengibre, *cili padi* ou outro ingrediente para o jantar. O som rítmico do fundo redondo batendo contra o almofariz parecia, aos ouvidos de Jasmin, um coração palpitando de maneira reconfortante. Ela estava morrendo de medo por ter trazido Yuki; sabia que o general não gostaria disso, tampouco gostaria de Yuki. Porém, não tinha alternativa. Não podia suportar os soluços de choro da amiga, e caretas, brincadeiras e risadinhas não melhorariam a situação. Jasmin precisava tirar Yuki daquele lugar ruim, com as meninas de olhos mortos e os soldados seminus, e não havia nenhum outro lugar aonde ir. Apoiada em Jasmin respirando com dificuldade, Yuki se mantivera em silêncio durante a caminhada, como se precisasse reunir toda a sua energia para dar aqueles passinhos. Aquilo nem se comparava à primeira vez em que correram lado a lado, quando quem não acompanhava direito era Jasmin. O sangramento no olho inchado de Yuki havia cessado, porém um hematoma azul florescia ali, fazendo Jasmin estremecer toda vez que olhava para a amiga.

Nos aposentos do general, Yuki olhou em volta, chocada. "Esta casa é enorme!", ela sussurrou. "Você está morando aqui?"

"Xiu", Jasmin fez, com medo de que o criado ouvisse.

De mãos dadas, as duas se esgueiraram até o quarto de Jasmin. À porta, Yuki arregalou os olhos, e Jasmin reconheceu o deslumbramento de quando ela mesma tinha sido levada ali pela primeira vez. Acostumada com o colchão simples que dividia com a irmã, Jasmin ficara surpresa ao se deparar com uma cama firme de dossel comportando um colchão grosso. Nunca vira nada tão grandioso. Ela se lembrava de ter afundado nos lençóis e se perguntado se era daquele jeito que as fadas se sentiam nas nuvens. Logo embarcara em um sono tão profundo que, ao acordar na manhã seguinte, seu rosto estava todo marcado pelo travesseiro.

As meninas subiram na cama e Yuki se deitou, abrindo os braços como um pássaro abriria as asas. Jasmin notou quando o pescoço e os pulsos sujos de Yuki, além dos cortes no rosto, deixaram marcas marrons nos lençóis, manchinhas que se espalhavam como germes. Ela fez uma careta, mas não disse nada e se deitou ao lado da amiga.

"Quero ficar com você para sempre", Yuki murmurou no cabelo da outra.

Jasmin mordeu o lábio. Receava que isso pudesse acontecer, que Yuki visse a bela casa e pedisse para ficar.

"Não sei, Yuki", ela falou, hesitante.

"É só você pedir ao general! Tem tantos quartos!", Yuki exclamou, como se fosse a melhor ideia do mundo. "Aí vamos poder brincar todo dia!"

A conversa fez o estômago de Jasmin se contorcer em um nó. Ela amava Yuki, de verdade. Era como se fosse sua outra metade. Quando estavam juntas, ela se sentia completa; quando estavam separadas, ficava em falta, como folhas soltas ao vento. Jasmin compreendia que algo ruim acontecia onde Yuki morava e queria ajudar. Precisava salvá-la, salvar a outra metade do seu coração. No entanto, ela também sabia que o general não gostaria do rosto cheio de cicatrizes da menina, que ele não ia querer mais gente na sua casa além de Jasmin, que era especial. Certamente o general odiava sujeira, odiava desordem. Tinha visto quando ele encontrara uma mancha no uniforme do criado. À noite, Jasmin ouvira o criado esfregando o uniforme sem parar, pegara no sono ao som da água correndo.

Jasmin estava preocupada que levar Yuki ao general, com seu cheiro, sua sujeira, sua voz alta, acabaria se voltando contra ela própria, que se o desagradasse ele fosse parar de contar histórias, que a cama grande e confortável deixaria de ser sua. Então o que faria? Para onde iria? Precisaria de tempo para explicar tudo a ele. Sabia que Yuki não podia ficar, que teria que fazer com que ela saísse da cama e da casa e voltasse para aquele lugar assustador. Porém, cuidaria disso depois. Por ora, só pegou a mão de Yuki e apontou para o mosquiteiro, que havia sido estendido acima da cabeça delas pelo criado. Analisando o padrão errático da trama, ela perguntou: "Yuki, o que acha que parece? Para mim, é como a bunda de um elefante!".

Yuki gargalhou e fechou os olhos. Em minutos, estava dormindo, e logo Jasmin pegou no sono também, o cheiro almiscarado do cabelo oleoso da menina formando um escudo em volta delas.

22

CECILY

Bintang, Kuala Lumpur
1938
Malásia ocupada pelos britânicos

O bebê de Cecily chegou primeiro, pardo e careca, em uma tarde quente e sem nuvens de janeiro. Quando a parteira entregou a menininha, Cecily olhou para o rostinho vermelho e tentou discernir sua linhagem, virando o pacotinho de um lado para o outro, em busca de qualquer indício de Fujiwara. Não dava para saber. *Como daria?*, Cecily se perguntou. Para a irritação de Gordon, Lina irrompeu na casa e tirou a parteira da frente com uma agilidade surpreendente, apesar da gravidez avançada.

"O que está fazendo aqui?", Gordon perguntou, horrorizado. Ele continuava preocupado que o pincel que havia marcado Lina socialmente acabaria por marcá-los também.

"Cecily! Ah, que menininha mais linda, olhe só para o rosto dela." Sorriu por se tratar da primeira vez que via a antiga alegria no rosto da amiga desde que Fujiwara fora embora. "Como vai chamá-la?", Lina perguntou, tocando um dedo levemente no bracinho gordo.

"Estamos pensando em dar o nome da minha mãe", Gordon disse, pondo-se à frente de Lina para pegar a bebê. "Agatha. Podemos chamá-la de Aggie."

Não, não, não, Lina fez para Cecily, sem produzir som, às costas de Gordon. Apesar de fatigada, Cecily riu; também odiava o nome. A bebê de pele parda se remexeu na mantinha, fazendo Lina rir. "Viu? Ela também não gosta", Lina sussurrou para Cecily quando Gordon se virou.

Incomodado com o barulho, o marido saiu do quarto. Lina subiu na cama de Cecily e se deitou.

"E o seu, como vai se chamar?", Cecily perguntou.

"Bem, se for menino, Bingley quer Aston." *Quer*, Cecily notou. Lina estava falando no presente. Como se Fujiwara continuasse por perto.

"Aston? Como o carro inglês?"

O queixo de Lina tremeu. "Ultimamente venho torcendo para que seja uma menina", ela sussurrou. "Não sei se consigo... se sei como criar um menino... sozinha."

Por baixo da coberta fina, Cecily segurou a mão de Lina.

"Desculpe..." Lina agarrou firme a mão da outra. "É o seu dia. Não devo trazer minhas confusões para cá."

As duas ficaram em silêncio. A bebê de Cecily deu uma levíssima tossida e o rosto de Lina relaxou, seus olhos se abrandando ao observar a menina se mover.

"Que tal um nome de flor?", Lina sugeriu. "Rose?"

Cecily considerou aquela opção. "Parece forte demais."

"Lily."

"Tinha uma menina metida na escola que se chamava Lily. Eu a odiava."

Lina deu risada. "Estou certa de que ela fazia por merecer."

"E Jacaranda?", Cecily sugeriu.

"De jeito nenhum", Lina disse. "Você não é boa nisso! Sorte a sua poder contar comigo."

À distância, o sol começava seu mergulho silencioso. Elas permaneceram ali, deitadas, cochichando entre si e sussurrando para a bebê. Por um momento, tudo continuava igual como sempre fora; talvez, apenas talvez, as coisas fossem ficar bem.

O bebê de Lina nasceu cinco dias depois, no meio da noite, tão no começo do ciclo lunar que não dava para ver nada da lua no céu.

Quando Cecily recebeu a mensagem concisa e alarmante da parteira, Gordon protestou, zangado e em alto volume. "Já está tarde. As pessoas vão comentar. Por favor, espere até de manhã."

Cecily o ignorou. Algo na mensagem — rabiscada com uma caligrafia irregular em um pedaço de papel rasgado — a preocupava.

ela quer você

Quando Cecily chegou, um silêncio lúgubre dominava a casa dos Chan. Os pelinhos do seu braço refletiam o branco implacável da luz do teto.

"Você é da família?", perguntou a parteira, uma mulher pequena e seca a não ser pelas bochechas, onde a luz destacava espinhas oleosas de maneira cruel. "Você é da família?", ela repetiu, com severidade. "Preciso de alguém da família." Cecily balançou a cabeça. "Alguém da família virá?"

Cecily desviou o rosto, sem querer engrandecer o inquérito da mulher com uma resposta direta. "Sou amiga dela. A amiga mais próxima que Lina tem. O que está acontecendo? Por que mandou me chamar?"

A parteira de pele oleosa deu meia-volta sem dizer nada, o que Cecily presumiu que indicasse que devia segui-la.

O quarto de Lina cheirava a sangue, suor e exaustão, não muito diferente do de Cecily poucos dias antes. Ainda assim, recuou diante do impacto do odor. Parecia penetrar em tudo, fazendo-a sentir náuseas e claustrofobia.

Ela viu a cabeça de Lina acima do mar de cobertores, o cabelo grudando no rosto, que brilhava de suor, os olhos fechados. Quando Cecily se aproximou, além da palidez do rosto, notou o tom azulado dos seus lábios ressecados.

"Acabou? Onde está o bebê?", Cecily perguntou.

Algo naquele quarto pungente rangeu, e Cecily olhou em volta, preocupada. Estava tudo parado demais. Durante seu parto, a casa efervescera em atividade, uma energia frenética tomara conta do ar, as crianças e os outros membros da família implorando por notícias entre os gritos e as contrações. Porém, na casa toda branca de Lina, um calor mudo obscurecia tudo.

"Aconteceu alguma coisa?", Cecily perguntou.

A parteira apontou para uma mulher mais jovem, que passou um embrulhinho a Cecily. Quando ela foi pegar o bebê, seus dedos roçaram os da outra, que estavam frios e úmidos. A mulher não retribuiu o olhar.

O rostinho da bebê parecia esmagado, como se apenas um lado tivesse se enchido de ar. O outro lado era amassado, sulcado, manchado. Ela se mexeu dentro da mantinha, com as pálpebras tremendo. O olho do lado do rosto cheio de cicatrizes se arregalou.

Cecily se sentou, porque não confiava nas próprias pernas. "O que você fez?", ela sibilou para a parteira. "Foi você quem fez isso com a menina?"

"A bebê estava sufocando", a parteira disse, com a voz baixa e trêmula, então apontou para Lina. "Ela não parava de dizer que tinha que esperar pelo marido. Insistia nisso. E ficava segurando a criança."

"Vai culpá-la?" Cecily sentiu os olhos faiscarem. Precisou reunir toda a sua força de vontade para não erguer a voz no quarto cheirando a ferrugem. Atrás dela, Lina se virou na cama.

"Precisei usar o fórceps para tirar a bebê", a parteira se explicou.

"Isso explica o rosto dela? Ou já estava assim antes?", Cecily perguntou. Aquilo a horrorizava, a ideia de que a menina apodrecera dentro da barriga, marcada pela tristeza da vida que ainda nem havia começado.

A parteira de pele oleosa ignorou a pergunta. "Fiz tudo o que pude. Ela sangrou demais."

"Espere, está dizendo que...?" Cecily se sentou na beirada da cama. Ela passou os dedos pelo rosto cansado de Lina e ficou preocupada com o calor irradiado pelas bochechas. Só então compreendeu por que tinha sido chamada: não por causa da bebê desfigurada, mas por causa de Lina.

"Quanto tempo ela ainda tem?", Cecily controlou a voz para que um tremor não a entregasse.

A parteira desviou os olhos; seus ombros se ergueram de maneira desigual, como se estivesse pronta para se defender. "Não muito."

"Ele não veio, Cecily", Lina murmurou da cama. "Eu queria que viesse. Rezei para que viesse. Sabia que não viria, mas... não é errado acreditar, é? Procurei acreditar. Por ela."

"Shhh", Cecily fez. Quando entregou a bebê para Lina, sentiu seu coração se partindo diante do horror daquilo tudo: Lina e sua bebê desfigurada, o pior tipo de dano colateral.

A mãe fez carinho no lado do rostinho que era macio, liso, brilhante e sem marcas.

Cecily foi até a porta. "Fique aqui, Lina. Vou chamar um médico de verdade. Não podem te deixar assim."

"Não", Lina sussurrou, então abriu os olhos. "Venha aqui. Por favor."

Cecily voltou para a cama e levou a mão à bochecha da amiga. O contraste entre a face branca como leite e sua própria mão parda a lembrou do passado, quando Lina pegara sua mão e a puxara pela festa. Cecily recordou como aquela mulher, que parecia não sentir vergonha, que parecia iluminar qualquer cômodo em que entrasse, a impressionara.

"Não vá. As meninas podem ser irmãs. Venha, vamos pensar nos nomes", Lina disse, fraca, tocando um espaço limpo na cama. Ao ver que a amiga hesitava, disse: "Cecily, como pode continuar chamando sua filha de 'bebê'? Ela tem cinco dias." Lina deu risada, depois fechou os olhos, exausta. "Por favor, fique comigo."

Cecily piscou em meio às lágrimas que não percebia. "Daisy?", ela sussurrou.

"Britânico demais." A mão de Lina, que até então acariciava a filha, caiu pesada sobre a coberta, como se não aguentasse mais o esforço.

"Hyacinth?", sugeriu Cecily.

"Você..." A respiração de Lina era lenta e dificultosa. "Você quer que a menina vire uma romancista?" Ela conseguiu abrir um sorrisinho, uma fresta de sol naquele quarto opressivo.

Cecily piscou furiosamente; as lágrimas obscureciam tudo. A dor que sentia era tamanha que partiu seu coração e a deixava trêmula. "Jasmin?"

"Jasmin." Lina sentiu o nome na língua. "Adorei. É uma flor tranquila, com cheiro de luz do sol. Você devia... você devia escolher esse." Então ela segurou a mão de Cecily com tanta força que os dedos chegaram a doer. "Estou tão cansada, Cecily. Pode cuidar da minha filha até ele voltar, por favor?"

A morte foi muito mais lenta do que Cecily esperava. Nas horas seguintes, ela, a parteira e a auxiliar assustada fizeram vigília. A respiração de Lina ficou mais lenta conforme ela perdia a consciência. Lina ficou ali deitada, como uma casca pálida, sem se mexer por horas, a não ser pelo leve silvo da sua respiração cada vez mais vaga, até que a parteira pegou sua mão flácida, procurou por pulsação e declarou que ela tinha morrido. Havia algo de indecente na natureza prolongada disso tudo — era como se tivessem ficado observando a alma de Lina se desnudar até que nada restasse além das mais cruas humilhações.

"Se você não é da família...", a parteira disse, mais simpática depois de terem sido forçadas a encarar a intimidade da morte juntas, "... o que devo fazer com a criança?"

Não havia mais necessidade de subterfúgios, não havia mais necessidade de existir em um espaço aquoso de meias-verdades entre Lina e Fujiwara, não havia mais necessidade de se dividir em duas. Era hora de fazer uma escolha. No quarto abafado, Cecily soube; soube ao adentrar e sentir o odor da imperfeição; soube muitos anos atrás, quando Fujiwara falara sob a lua branca a respeito do mundo novo e melhor que queria construir.

"E então?", a parteira insistiu, pegando a menininha da cama.

Cecily se virou para a parede e ficou cutucando a tinta branca descascando, da mesma cor do rosto desfigurado. Então assentiu para a parteira. "Não sou da família. Já tenho três filhos. Tome as providências necessárias. Outras providências."

Nunca houvera outra maneira, Cecily pensou. Atrás dela, a bebê com cicatrizes no rosto produziu um ruído baixo.

23

CECILY

Bintang, Kuala Lumpur
29 de agosto de 1945
Malásia ocupada pelos japoneses

Quando os japoneses chegaram em 1941, Gordon fora hostil. Ainda não tinha se recuperado da revelação de que o simpático comerciante que conheciam como Bingley Chan na verdade era um general japonês que pretendia conquistá-los. Quando o comboio militar atravessou a cidade, ele se recusou a sair, determinado a permanecer em uma cadeira arredondada de vime. "Não", Gordon disse. "Não vou me curvar diante de um vigarista duas-caras."

Cecily explicou, primeiro com paciência, depois com raiva, que era necessário demonstrar lealdade ao novo governante. Mesmo sem pular de alegria, ele precisava pensar no próprio futuro e no futuro da sua família. Só assim Gordon se juntou a ela na porta, embora tivesse mantido os olhos fixos no chão, recusando-se a assistir ao desfile que se aproximava.

Por semanas, Gordon se reuniu nas casas de antigos colegas, para tomar o que restava do seu estoque de uísque e pensar em estratégias para que os britânicos recuperassem a Malásia dos japoneses.

"Os japoneses não têm navios, então a melhor opção é um ataque da Marinha", proclamou Andrew Carvalho, o vizinho da casa ao lado.

"Somos importantes demais para a Coroa, não vão nos entregar a um bando de bárbaros!", o sr. Lingam falou.

"Na verdade, ouvi de fonte confiável que o serviço secreto britânico destacou espiões que vão derrotar os japoneses a partir de dentro!", anunciou o sr. Tan, com a voz alta e muito convicta.

O que ele sabia sobre espiões?, Cecily pensou, desdenhosa.

No entanto, conforme os estoques de uísque minguavam, a comida se tornava escassa e mais burocratas britânicos eram capturados e mandados para o campo de prisioneiros de Changi, os homens começaram a temer a possibilidade de serem os próximos. Histórias das torturas desumanas praticadas contra os suspeitos de traição passaram a chegar a eles. Para Gordon, a última gota foi quando os soldados japoneses foram atrás do representante britânico, Lewisham, e o levaram embora com os punhos amarrados, como se fosse um animal. Cecily viu como os lábios do marido se contorceram de agonia ao observar o europeu que tanto admirava ser forçado a implorar pela vida usando apenas as roupas de baixo. Nos dias que se seguiram, Gordon, que sempre parecera incapaz de calar a boca, mal dizia uma frase completa.

Com o passar dos anos, tanto ela como o marido mudaram. Em Cecily, a mudança se manifestou como uma conduta errática. Ela falava sem parar ou ia de um lado para o outro da casa em rompantes de produtividade — cozinhando, limpando, remendando —, depois abandonava suas tarefas ao sentir uma escuridão insuportável tomar conta de si, deixando para trás resquícios da vida doméstica: pedaços de carne parcialmente crus no óleo, roupas lavadas pela metade no balde, potes de conservas abertos e forrados de formigas.

O pior de tudo era a raiva. Cecily a sentia borbulhando dentro de si, espirais de fúria brotando no peito, tão forte que os dedos dos pés e as orelhas esquentavam. Ainda que tentasse controlá-la e sufocá-la, a raiva preenchia seu corpo, gritando para ser liberada. E Cecily a liberava. Às vezes, nem se lembrava das coisas terríveis que dissera, só da sensação de recompensa quando registrava mágoa no rosto de Gordon ou das crianças. Era a desolação deles que ficava com ela, tanto que depois Cecily passava dias recolhida no quarto. Como quando Gordon saiu atrás de rações e voltou com testículos de boi, provocando uma gargalhada infantil de Abel. Cecily gritou tão alto que o barulho ecoou na sua cabeça. Depois viu o rosto do filho corar de dor e choque. À noite, Cecily acordou e foi até o quarto de Abel, que dormia, para tirar seus cachos do rosto claro, e chorou por toda a dor que era incapaz de conter. Cecily não sabia como dizer a eles que sua raiva não era das coisas que faziam, e sim do que ela própria tinha feito para que tudo chegasse a esse estado.

Enquanto a raiva a fazia crescer, Gordon encolhia, e sua pele pendia onde costumava ser recheada, como no papo, nos braços, em volta dos olhos. Mais que isso, sua personalidade encolhia. Gordon sempre fora um homem obcecado por subir os degraus institucionais e sociais que governavam suas vidas. Sem a dominação britânica, ele ficava à deriva. Ainda assim, diferente de Cecily, cumpria suas obrigações. Toda manhã, seguia até a fábrica de chapas de metal à qual tinha sido designado, voltando no fim do dia com as mãos machucadas e um saco cheio de carne. No entanto, era como se um interruptor tivesse sido apagado dentro dele. Gordon não dormia mais na cama do casal, preferindo se encolher numa esteira no canto do quarto. Ele não absorvia nada; seus olhos viviam nublados. A única coisa que o trazia de volta ao mundo por um momento era Jasmin, que subia no colo do pai e cantarolava uma música desafinada, fazendo um sorrisinho surgir no seu rosto vazio e cansado. Quando ela fugiu, ele deixou de existir. Sua luz se extinguiu por completo.

O médico balançou a cabeça. "Talvez", ele disse, dirigindo-se a Jujube e evitando olhar para Cecily, que estava com os cabelos desgrenhados e não usava roupa de baixo, "seja melhor assim. Talvez seja mais tranquilo para ele."

Quando a tosse começara, Gordon ficara preocupado, verificando a palma ou o lenço em que tinha acabado de tossir atrás de sangue, imaginando se não seria tuberculose. Porém, quando se tornou habitual, ele parou de cobrir a boca e passou a deixar que o acesso de tosse terminasse, chiando e arfando. Passado um tempo, o eco das tossidas se tornou um ruído da vida doméstica tanto quanto a voz das crianças.

Dez dias depois da fuga de Jasmin, o chiado ficou muito ruim e os lábios de Gordon tinham um tom arroxeado. Ele era um acadêmico, feito para o trabalho burocrático, para os números, e não para o trabalho braçal. Os turnos na fábrica de chapas de metal estavam cobrando seu preço — o homem que costumava irritar Cecily com seu aspecto roliço e sua pompa tinha sumido, e em seu lugar havia um fantasma cansado e tossindo. Então Gordon entrou em coma. De maneira tão casual, tão discreta, que Cecily soube que ele não podia ter previsto.

"Como assim?", Jujube perguntou, querendo que as palavras do médico fossem mais precisas.

Cecily observou a filha mais velha esfregar os olhos com força, sem se dar ao luxo de derramar uma mísera lágrima. Diferente dos pais, Jujube não tinha se entregado e era a única que mantinha a casa de pé. Era ela quem encontrava maneiras de pôr comida na mesa, fora ela quem chamara o médico quando não conseguira acordar o pai, era ela quem procurava por Jasmin todo dia, e Cecily sabia disso. Ela queria abraçar a filha mais velha, lembrá-la de que era apenas uma menina, que podia perder o controle, podia sentir. No entanto, manteve os braços junto ao corpo. O sofrimento de Jujube, como todo o resto, era culpa de Cecily, e nem todo o consolo do mundo poderia ajudar.

"Os pulmões dele não estão funcionando bem. Será menos doloroso assim, com ele em casa, descansando", o médico disse a Jujube, passando dois dedos pelo cabelo e se recusando a explicitar o óbvio. Cecily se deu conta de que, mais uma vez, como havia acontecido sete anos antes com Lina, que ela esperaria um inocente desavisado ceder sua vida à causa em que ela não via mais sentido.

"Meu pai vai... morrer?", Jujube perguntou, piscando depressa.

"Sim", Cecily confirmou, ao mesmo tempo que o médico dizia: "Só... mantenha seu pai confortável".

Então o médico saiu apressado da casa fedida e abarrotada, olhando para qualquer coisa que não fosse as duas mulheres.

Em coma, com o rosto amarelado embalado pelos travesseiros, respirando de maneira irregular e sibilante através dos lábios entreabertos, Gordon parecia quase em paz. *E talvez estivesse mesmo em paz*, Cecily pensou. Desejou poder trocar de lugar com ele, desejou poder extinguir a terrível constatação de que sua família, antes composta de cinco, agora consistia apenas nela e em Jujube.

"Por que isso está acontecendo?", Jujube sussurrou. Dessa vez, não foi rápida em esfregar os olhos e duas lágrimas escaparam.

Cecily sentiu culpa na ponta da língua, a história longa e tediosa da sua traição tentando sair dela, o sofrimento da filha a incitando a ser honesta. Então pegou a ponta da língua entre os dentes e mordeu até sentir gosto de sangue. *Não*, disse a si mesma. Em três anos, a família havia perdido três pessoas, esse era o custo da mentira de uma nova Ásia. Jujube não entenderia, nunca entenderia.

Então Gordon tossiu, uma tosse alta e cheia de catarro que ecoou pelo quarto. Jujube se virou. "Pai", ela disse, com os olhos esperançosos, torcendo para que ele acordasse.

No entanto, os de Gordon permaneciam fechados, e continuaram assim. Elas ainda não sabiam, mas uma semana depois ele pararia de tossir e de respirar de vez.

24

30 de agosto de 1945
Duas semanas antes da rendição japonesa na Malásia

ABEL

Nas raras manhãs em que conseguia acordar cedo, Abel gostava de assistir ao nascer do sol. Era o único momento em que o campo ficava tranquilo e o único em que ele não se sentia uma enorme decepção para si mesmo e para os outros. Abel bebericava uma garrafa de vinho de palma, imaginando que era o café preto e amargo que a mãe costumava fazer pela manhã, e que ele bebia quente demais, porque nunca aguentava esperar, a tortura da queimação descendo pela garganta quase prazerosa. Algumas manhãs no campo, Abel sentia um levíssimo vento espreitando à distância, seu movimento parcialmente sufocado pelo barulho dos grilos. Naquela manhã em particular, estava garoando. Gotas de chuva finas atingiam seu pescoço e suas costas. O que o lembrava de que, no mínimo, estava vivo.

Porque a verdade era que, ainda que bebesse para esquecer toda a dor, com as lembranças indesejadas exigindo cada vez mais vinho de palma para ser afastadas, Abel não queria morrer. Ele resmungava que queria que os outros deixassem que se matasse, algo que fazia Freddie desviar os olhos e se entristecer. Porém, isso era mentira.

O campo fazia Abel confrontar sua mortalidade todos os dias. Quando Akiro batia nele com mais força que de costume, Abel desejava ser uma daquelas pessoas que queriam mesmo morrer. Não seria difícil, com seu corpo tão fraco e permeado de machucados. Seria tão simples quanto subir em uma árvore e se jogar lá do alto, ou cortar os pulsos com um dos muitos instrumentos afiados que havia no campo. No entanto, a incerteza da morte o assustava. Abel se perguntava em relação às pessoas que abandonaria. Sua família o amava, principalmente a mãe. A ideia de que sua morte poderia machucá-la o deixava paralisado; Abel não suportava pensar no sofrimento dela.

O medo de morrer, portanto, o levava a fazer o mínimo para sobreviver. O que implicava se lembrar de comer de vez em quando e encontrar abrigos seguros, longe do perigo dos deslizamentos de terra ou da queda de pedaços de madeira. O que, naquela fatídica manhã, enquanto a garoa nublava o céu cinza e deixava o ar úmido, levou Abel a ser o primeiro a avistar os aviões em formação, suas asas cortando o ar como um bando de pássaros brancos contra a bola laranja que era o sol, esforçando-se para se levantar. A bebida girou no seu estômago, o azedume familiar criou um nó de gás e um zumbido começou a ressoar na sua cabeça. Ainda assim, mesmo entorpecido, ele soube. Ele soube. Seu corpo se desemaranhou, disposto a sobreviver, seus joelhos estalaram e doeram quando Abel se levantou e pôs um pé na frente do outro.

Corra, seu corpo gritou. *Corra*.

JUJUBE

Não seria exagero dizer que tudo na vida de Jujube estava permeado pelo desespero. Fazia quase duas semanas que Jasmin tinha fugido, e alguns dias ela ficava tão sobrecarregada pelo medo do que poderia ter acontecido com a irmã que não conseguia respirar. A doença do pai havia se agravado tanto que ele se encontrava imóvel na cama, com os olhos fechados, em coma. Restavam-lhe poucos dias, o médico havia dito na véspera. Depois que ele fora embora, Jujube ficara ao lado da cama do pai, tentando se convencer a falar com ele, para lembrá-lo da sua voz, para implorar que voltasse. Contudo, ela não soubera o que dizer, ou como expressar a fúria ardente que entalava na sua garganta todo dia, quando pensava no que haviam feito para merecer tudo aquilo. Jujube ficara ali, sentada em silêncio, observando as sombras na parede, o único eco no cômodo sendo a respiração dificultosa do pai.

A mãe passava dias em completo silêncio, mal comendo, mal saindo do banquinho à janela do seu quarto. Então, de repente, começava a falar, em um fluxo incessante de informações misturadas e confusas. Ela murmurava como uma maníaca sobre "ir vê-lo" e sobre como "é isso que ele faz com as mulheres". A princípio, Jujube pensou que a mãe estivesse se referindo a Gordon e tentara argumentar. "Papai está doente e precisa descansar." No entanto, a mãe a dispensava impaciente com um gesto, de olhos desfocados. "Ele está em dívida comigo", murmurava. Então Jujube ia embora e, resignada, fechava a porta sem fazer barulho.

Jujube torcia para que, como no passado, a mãe voltasse a melhorar. Daquela vez, no entanto, as coisas só pioravam. A mãe estava esquelética, porque comia pouco, mas também inchada, porque seu sono era inconstante. À noite, Jujube a ouvia andando de um lado para o outro, as tábuas de madeira do piso rangendo como se houvesse ratos nas paredes. Quando o sol nascia, a mãe estava exausta e dormia por uma ou duas horas antes de retornar à vigília na janela.

Na casa de chá, Doraisamy saiu da cozinha e estalou os dedos de maneira irritante diante do nariz de Jujube. "Olá, olá, você está aí? Não vai fazer seu trabalho? Sabe que tem mil moças querendo substituir você?".

Ela precisou de toda a sua força de vontade para não morder os dedos de Doraisamy. Em vez disso, tirou o avental e o entregou a ele, junto do pano que tinha nas mãos. "Desculpe, mas tenho que passar em casa no almoço. Volto logo."

"Juro que vou mandar você embora", Doraisamy gritou às suas costas. Então, como se repensasse suas opções em tempo real, acrescentou: "É melhor estar de volta em uma hora!".

Quando Jujube chegou em casa, o sol brilhava quente no céu do fim da manhã. Sua blusa estava colada às costas, e as manchas disformes de suor marcariam o algodão, deixando o tecido fino transparente.

"Mãe?", ela chamou. Fazia aquilo por hábito. A mãe, recolhida ao quarto, quase nunca respondia. "Vim para casa mais cedo. Posso fazer o almoço!"

Jujube ouviu um barulho e congelou. A mãe surgiu com um vestido marrom com uma leve mancha amarela na frente; Jujube nem queria saber do quê. A mulher cheirava a peixe podre. O cabelo estava oleoso e todo emaranhado.

"Mãe", Jujube voltou a falar, com o coração acelerado. "Você saiu do quarto hoje. Como está se sentindo?"

"Sinto muito, minha filha, mas preciso contar a alguém."

"Contar o quê? Por favor, mãe."

Jujube puxou a mãe para o banheiro e tentou pegar água do tanque com a concha vermelha para lavar o cabelo fedido dela. Com uma força surpreendente, a mãe se soltou e se afastou da menina.

"Sei quem pode encontrar sua irmã. É tudo culpa minha. Mas ele pode ajudar. Vai ajudar", a mãe dizia, incoerente.

"Mãe, você não está fazendo sentido. Você sabe que Jasmin fugiu. Foi culpa minha, e não sua." Era a primeira vez que Jujube admitia isso em voz alta. Ela engoliu a culpa entalada na garganta e piscou para afastar a imagem do rosto suplicante e banhado de lágrimas de Jasmin ao ser enfiada no porão.

"Anos atrás, ajudei um homem, um homem mau, Jujube. Tenho que consertar as coisas", a mãe prosseguiu, sem demonstrar ouvi-la.

A exaustão de Jujube tomou conta dela. Não tinha mais forças para discutir com a mãe. "Por favor. Vou pôr você na cama e fazer a comida, mãe. Agora chega." Ela passou a mão nas costas da mãe, talvez com um pouco mais de força do que pretendia. Estava muito, muito cansada.

Sem aviso, a mãe a empurrou com força no chão molhado do banheiro. Um clarão inundou dos olhos de Jujube quando o baque se espalhou pelo seu corpo. Antes que pudesse registrar que o som era da sua cabeça batendo contra o cimento, o mundo todo se apagou.

CECILY

O cheiro familiar de grama e jasmim atacou suas narinas quando Cecily se aproximou da enorme casa branca. Ela ainda pensava nela como a casa do representante britânico, onde conhecera Fujiwara, como Bingley Chan. O lugar não estava tão diferente quanto as circunstâncias atuais sugeriam; a magnitude diante de tudo nos limites da cidade; o caminho longo e íngreme; o gramado bem cuidado. Os anos haviam desgastado um pouco a fachada clara, mas no geral sua majestade não havia se perdido. E pensar que ela já frequentara aquela residência como convidada do representante britânico, com belas roupas, importante o bastante para celebrar, para ficar na varanda e inalar o frescor da chuva enquanto tocavam música. Cecily baixou os olhos para si mesma. Os dedos dos pés estavam secos e expostos pelos chinelos velhos, a unha do dedão do pé direito estava enrugada e em tons de verde e cinza por conta da micose. Ela usava um vestido marrom de ficar em casa — o mesmo dos dias anteriores, porque não tomara banho, só ficara se balançando para a frente e para trás no quarto. Cecily sentia seu próprio cheiro. Azedo, amargo, podre. Era uma sombra da mulher que Fujiwara conhecera, histérica em vez de calma, arruinada em vez de forte.

Como se tivesse pena dela, o sol do fim da manhã mergulhou atrás das nuvens. Cecily dava passos largos e levantava bem as pernas para subir o caminho construído para carros, e não para os membros trêmulos de uma mulher devastada. Mesmo sem sol, o ar estava quente, e o vestido se agarrava ao corpo nas manchas de suor das axilas, atrás dos joelhos, entre os seios. Ela sentiu uma gota de suor que rolou do lábio superior até a boca ofegante.

Cecily sabia que já devia ter ido falar com Fujiwara. No entanto, quando seu cérebro se embaralhava desse jeito, o tempo passava de uma maneira estranha, como se tudo se misturasse com os sonhos. Jasmin logo entraria em casa, muito em breve, ela acreditava a cada dia, e às vezes conseguia se convencer de que ouvira a risada estridente da filha ecoando pela casa. Então ela acordava, e o desespero a imobilizava no lugar quando era lembrada repetidas vezes do que havia acontecido. De como tinha encaminhado tudo.

Quando chegou ao topo, Cecily pisou na varanda familiar, a mesma de onde ouvira a melodia incandescente de Billie Holiday tantos anos antes.

"Senhora?" Um criado vestido de cinza chegou à varanda e olhou Cecily de alto a baixo.

"Preciso falar com o dono da casa", ela disse, pisando na direção do garoto, que ergueu as mãos como que para se proteger — se da sua pessoa ou do seu cheiro, Cecily não sabia.

"Fique aqui", o criado disse, como se ela fosse um cachorro. Então entrou pela porta.

Contudo, Cecily não tinha muito mais a perder. Ignorando a ordem, ela marchou na direção do criado e cruzou o limiar da porta enquanto ele insistia: "Não, não, fique aqui". Ela parou na entrada.

A casa parecia diferente quando não estava decorada para festas. O teto era alto e arqueado, e uma brisa convidativa soprava pelas paredes, mantendo o lugar mais fresco que o exterior. Era tanto um alívio como um lembrete incômodo da oleosidade do seu corpo, cercado pelo próprio cheiro. Cecily murmurou para si mesma as frases que tinha treinado: "Ela pode ser sua filha, pode ter seu sangue. Ajude-me a encontrá-la, por favor".

JASMIN

Na cama com dossel na casa do general Fujiwara, a barriga de Jasmin e de Yuki roncou de fome em uníssono. As duas tinham dormido tanto que uma boa parte do dia seguinte já havia se passado. Jasmin sentiu a queimação do ácido no seu estômago. Yuki riu, porém a outra a silenciou com "xiu", preocupada que alguém pudesse ouvir. O quarto estava úmido, e o cheiro de Yuki era ainda mais pungente no ar estagnado. Jasmin, que continuava grogue de sono, ainda não tinha pensado no que fazer em relação à convidada.

"Estou com fome", Yuki disse.

O longo corte na perna de Yuki havia parado de sangrar e já estava começando a formar casquinha. Jasmin desviou o rosto. Tinha pena de Yuki, mas também estava frustrada. Estava correndo risco por trazê-la à mansão do general. E não recebera nenhum agradecimento.

"Fique quieta, por favor", Jasmin pediu.

"Estou com tanta fome que poderia comer seu braço!" Para ilustrar, mirou na parte mais carnuda do braço direito de Jasmin e fingiu mordê-la. "Nham-nham!"

"Pare!", Jasmin gritou. Não estava com paciência para as brincadeiras tolas de Yuki. Havia coisas demais em jogo, e os pensamentos que giravam na sua cabeça eram tantos que ela era incapaz de controlá-los. Estava com medo, porque sabia que o general chegaria. Um terror crescente ameaçava sufocá-la — de que ela perdesse os dois, Yuki e o general.

"Por que está sendo assim horrível?", Yuki gritou de volta. As marcas vermelhas nos seus braços, acusadoras, pareciam olhar de volta para Jasmin.

CECILY

Os gritos das meninas cortaram o ar. Cecily se levantou da cadeira de vime e os chinelos quase a fizeram tropeçar. Era inconfundível. Ela podia não distinguir as palavras, mas eram meninas. Aquele era o tom de voz esganiçado e gorgolejante de crianças.

O criado também ouviu, e foi correndo na direção de Cecily, a confusão estampada no seu rosto jovem.

"O que foi isso?", Cecily perguntou, alto e devagar. "Tem meninas aqui?" Ela nunca tinha pensado que Fujiwara pudesse ser como os homens horríveis que batiam em sua porta procurando por *guniang*, o tipo de homem que mantinha meninas pequenas presas no próprio lar. O criado adentrou depressa o corredor, e Cecily foi atrás dele.

"Não!", o menino disse a ela, acenando sem sucesso, e seu inglês era insuficiente para reforçar a proibição. Cecily correu até o fim do corredor, até o quarto onde o som das meninas gritando era mais claro. Conforme se aproximava da porta, a fúria crescia — *ia matar Fujiwara*, pensou. Aquele homem não só deixava um rastro de morte no seu encalço, como ainda tirava a inocência de meninas daquela maneira. Ela cerrou os punho.

"Não!", o criado voltou a gritar, correndo para alcançá-la, puxando-a pelo vestido.

Cecily se virou para se soltar; tinha um único propósito: precisava chegar às meninas. A porta do quarto rangeu ao abrir. Olhos emergiram na luz branca da manhã. Uma camisola esvoaçou.

"Mamãe?"

JUJUBE

Jujube não sabia quanto tempo tinha ficado desmaiada, mas quando voltou a si a mãe tinha sumido, a frente do seu corpo estava ensopada e a concha vermelha repousava no seu peito, como um ferimento sangrando. Com os ouvidos zunindo, ela se levantou do chão escorregadio e, de alguma forma, cambaleou até lá fora e chegou ao armazém chinês, onde tia Mui guardava alguns potes e tio Chong retocava a placa.

"O que aconteceu, menina, o que aconteceu?", tia Mui gritou, saindo de trás das prateleiras com uma agilidade surpreendente para uma senhora da sua idade. Jujube, sentindo-se tonta, dolorida e exausta, apenas se sentou ali, notando com certa satisfação que gotas de sangue caíam no chão formando círculos perfeitos. Tia Mui mandou tio Chong ir à farmácia, e ele voltou com um saco cheio de unguento, cremes e gaze. Os dois idosos conseguiram pôr Jujube num banquinho, passaram um creme de cheiro forte no ferimento na cabeça dela e cobriram com gaze. Tia Mui não parava de falar. "Precisamos levar você ao médico", "Onde está sua mãe?", "Você comeu hoje?". Jujube ficou em silêncio, "parecendo ter uma máscara no lugar do rosto", como tia Mui diria depois a todos que entrassem no armazém.

Passada uma hora, de volta à casa de chá, Jujube levou os dedos à gaze que tia Mui tinha prendido na lateral da sua cabeça, absorvendo a umidade da ferida e o unguento que a mulher tinha aplicado, enquanto notava a aversão estampada no rosto de Doraisamy.

"O que aconteceu com você? Não pode trabalhar no salão assim", ele disse.

Parecia irônico a Jujube que não pudesse trabalhar no salão daquele jeito quando os clientes ultimamente apresentavam diferentes tipos de ferimentos: alguns decorrentes do excesso de bebida, alguns resultantes do combate com a guerrilha na mata, alguns simples hematomas depois de trocar socos com outro soldado. O desejo de machucar, Jujube imaginava, nascia do desejo de controle, de ver a certeza da mancha azul se espalhando pela bochecha inchando. Nos últimos tempos, ninguém controlava nada — o rádio atualizava sobre rendições, sobre perdas gigantescas sofridas nas áreas ocupadas pelos nazistas, sobre insurreições locais nos territórios ocupados pelos japoneses. Os fragmentos de notícias deviam dar esperança, porém a ideia de estar livre dos japoneses soava como um conceito tão distante que Jujube nem conseguia imaginar aquilo.

Dia após dia, ela se arrastava, certamente viva, com membros e corpo intactos, porém com cada vez mais dificuldade de controlar os pensamentos. À noite, durante o sono, eles giravam na sua cabeça como cupins irrepreensíveis na parede. Às vezes, mostravam-se tão óbvios a ponto de ser risíveis, imagens de corpos quebrados e sem rosto que ela reconhecia como dos irmãos; às vezes, eram mais insidiosos, palavras estáticas murmuradas no rádio ou nas páginas de livros cujas letras não conseguia ver; às vezes, via-se cara a cara consigo mesma, o reflexo tão decepcionado com Jujube quanto ela mesma. Se tinha uma coisa que os sonhos não eram, era esperançosos. Eles nunca vislumbravam um futuro em que sua família voltava a se reunir.

CECILY

A primeira coisa em que Cecily pensou foi: isso é fácil demais. Uma versão limpa e feliz da sua filha Jasmin se encontrava à sua frente, com o rosto contorcido de incredulidade infantil. Ela não tinha se dado conta até aquele momento do quanto sentia falta da inocência na voz aguda e anasalada da caçula, como se ela mantivesse uma narina fechada o tempo todo. O mundo pareceu sair do eixo enquanto o corpo de Cecily reconhecia toda a dor e a negligência pelas quais havia passado, seu estômago vazio, sua mente turva com o ataque violento do alívio e do terror. Agindo apenas por instinto, Cecily se agachou e puxou a filha para os braços. Sua respiração parecia sair com raiva, até que percebeu que chorava aos soluços nos ombros estreitos de Jasmin. Cecily puxou o cabelo da menina, que havia crescido um pouco desde a última vez que cortara, inspirou o aroma leitoso da sua pele, o qual não a abandonara mesmo que não fosse mais um bebê.

"Venha", Cecily disse no cabelo da filha. "Temos que ir embora daqui agora mesmo."

Ela tinha muitas perguntas. Fujiwara estava mantendo Jasmin ali? A filha tinha ido parar naquele lugar por acaso? Ele fizera algo a ela? Cecily pensou que poderia matá-lo. E mataria. Mas primeiro precisava tirar Jasmin de lá. E levá-la para longe.

As sombras nas paredes indicavam que uma tempestade estava se formando. O ar estava pesado e parado, à espera. Um raio iluminou o corredor escuro. Cecily notou que Jasmin estremecia, porém, a menina não se encolheu como fazia sempre que um raio caía. Sua menininha ficara mais corajosa.

Cecily não tinha um plano para aquele cenário. Achara que teria que implorar para que Fujiwara a ajudasse a encontrar Jasmin. Não esperava que a menina simplesmente estivesse ali, pronta para ser levada. As duas podiam simplesmente ir embora daquela casa branca amaldiçoada. Cecily não imaginava como passariam despercebidas ou como impediria Fujiwara de ir atrás delas. Não importava; sua família era a única coisa que existia, e ela precisava dar um jeito de reunir todos. Cecily pensou em como Jujube ficaria feliz em ver a irmã. Sentiu um aperto no coração ao se lembrar do confronto com a filha mais velha. Ela sabia que não devia ter empurrado Jujube, porém ficara furiosa, como um animal, como alguém completamente diferente, e não conseguiu se controlar. Ficaria tudo bem. Ela consertaria tudo quando chegasse em casa com Jasmin. Tudo seria perdoado.

"Venha", Cecily disse, com os dedos firmes no pulso fino de Jasmin. "Mamãe vai fazer tudo melhorar."

JASMIN

Jasmin já tinha visto a mãe em diferentes estágios de um colapso nervoso. Quando Abel não voltara para casa, ficou agachada junto à janela dia após dia, como um animal aguardando o retorno do seu dono. Ela se sobressaltava com cada barulhinho e perguntava a quem passasse se havia visto ou tido notícias dos meninos da cidade que desapareceram. Quando conseguia qualquer informação — por exemplo, que um caminhão lotado de meninos foi avistado saindo do bairro, ou que um dos professores da antiga escola de Abel estava enganando os meninos para que fossem com os japoneses —, ela corria para fora e gesticulava com fervor enquanto interrogava todas as possíveis fontes, atrás de notícias de Abel. No entanto, os dias se passaram sem que Abel voltasse e sem que houvesse notícias dele. Jasmin ouvia a mãe chorando, o volume variava de fungadas baixas a gritos altos que o pai se esforçava ao máximo para tranquilizar.

No entanto, o abandono da mania de limpeza nunca havia sido um sintoma da angústia da mãe. Nos quase oito anos de vida de Jasmin, a mãe sempre tinha se levantado logo cedo, vestido a roupa e mantido a casa e a si mesma em ordem. Com a ocupação japonesa, algumas mães da vizinhança ficaram arrasadas, porém a mãe de Jasmin se mantinha sempre limpa, com roupas bem passadas a ferro. Naquele dia, no entanto, ela estava com um vestido de ficar em casa que Jasmin nunca tinha visto tão sujo e que cheirava aos peixes que às vezes apareciam mortos na fossa depois de uma tempestade.

"Quem é essa?", Yuki murmurou atrás de Jasmin. A menina empurrou Yuki para fora de vista, de volta à escuridão do quarto.

O criado soltou um som gutural, que Jasmin sabia o que queria dizer "Quem está aí com você?". Ele gesticulou com ambas as mãos, agitado, para as múltiplas visitantes indesejadas. Estava na cara que se preocupava com o que o general ia dizer quando chegasse. À distância, o sol havia se escondido e o céu se preparava para a chuva.

"Procurei por você em toda parte!", a mãe de Jasmin disse, com a voz aguda e falhada, sem notar Yuki. Então, para a confusão de Jasmin, ela começou a chorar, seus berros e soluços altos ecoando pela casa. A mãe estendeu os braços para Jasmin e tentou abraçá-la de novo, mas a menina se encolheu. O cheiro era ruim demais. Como aquela podia ser sua mãe?

Todos ouviram o que aconteceu a seguir: a porta se abrindo e fechando, os passos se aproximando pelo corredor. Sem fôlego, o criado correu na direção do patrão, pronunciando uma série de palavras em japonês que Jasmin não compreendia. Atrás dela, o corpo de Yuki enrijeceu.

"Ele está dizendo que tem uma louca na casa", ela sussurrou para Jasmin.

"Ela não é louca. É minha mãe", a menina retrucou.

Com duas passadas largas, o general atravessou o corredor e arrancou o criado do caminho. Ele parou para observar a cena à sua frente. Atrás de Jasmin, Yuki tentou voltar para a sombra.

"Então estamos todos aqui", o general disse, com o rosto impassível, a voz tão serena que deixou Jasmin com vontade de fazer xixi de tanto nervoso. Na penumbra, Yuki agarrou o pulso da amiga com força.

CECILY

O que Cecily notou primeiro foi a postura dele. Embora não fosse alto, Fujiwara sempre se mantivera ereto e rígido, um homem sem a flexibilidade para se recurvar languidamente. Tinha a postura perfeita de um homem no controle, um homem que separava as coisas e gostava de ordem, um homem com um compromisso inabalável ao que quer que o envolvesse — idealismo, desprezo ou fé. No entanto, o homem diante dela era um homem curvado, como se alguém tivesse usado uma chave de fenda na base da sua coluna e soltado a corda rígida que o mantinha naquela posição, fazendo seus ombros caírem para a frente. A qualquer outra pessoa, ele parecia um homem com uma leve corcunda, porém isso deixava Cecily pasma. A protuberância conferia ao seu andar uma dificuldade com que ela não estava acostumada, uma falta de jeito que a surpreendia pela fragilidade.

A segunda coisa que ela notou foi a ausência de cheiro. O aroma de creme de hortelã que sempre o seguia, fora o cabelo penteado e brilhante, eram a sua marca registrada, algo a que o corpo de Cecily respondia, uma escravização por si só. Porém, o único aroma que o cercava era o dela, azedo e oleoso, por falta de banho. O cabelo do general Fujiwara caía sobre a cabeça de qualquer jeito, com a franja o fazendo parecer um menino preso no corpo de um velho. Ele a encarou, com olhos de aço. Não importava o quanto tivesse mudado, ainda era um homem que gostava de fazer as coisas nos próprios termos, e Cecily tinha se intrometido, invadido sua casa, trazido sua loucura, suas manchas e seu odor ao gramado dele.

"Cecily..."

Ela não deixaria que Fujiwara tivesse o privilégio de falar primeiro. "O que está fazendo com minha filha?", Cecily sibilou, então estendeu a mão e puxou Jasmin com força.

"Não, mamãe, eu não quero", Jasmin gritou. Cecily ficou surpresa quanto à resistência dela e à força com que sua filha mais nova se soltava. Isso vindo de uma menina que sempre vivera para agradar todos à sua volta.

"Como vê, não sou eu que a mantenho aqui. Ela sempre foi livre para partir", Fujiwara disse.

Cecily sentiu algo acontecer dentro de si, como se a corda que sustentava sua sanidade estivesse se desfazendo. Fujiwara a havia transformado naquela mulher, naquela miserável a quem não restava nada além dos seus gritos. O último fio estourou e ela foi para cima de Fujiwara, com as mãos estendidas e o cabelo emaranhado.

"Não, mamãe, não!", Jasmin gritou. "Ele não fez nada comigo!"

Com uma patada, Fujiwara se afastou de Cecily. O rosto se revelou em sua aversão — do fedor dela, da demonstração repugnante de emoção. O criado se encolheu na escuridão do corredor, gritando, sobrecarregado pelo caos. Cecily pensou ter ouvido duas vozes distintas de meninas gritando.

"Pare, pare", uma menina gritou, e quando Cecily se virou para olhar a criatura que se agarrava a sua perna e tentava afastá-la de Fujiwara, percebeu que não era Jasmin. Seus olhos pousaram no topo de uma cabecinha com testa larga. Quando a criança se virou para encará-la, Cecily viu o olho caído e a bochecha pálida marcada por bexigas furiosas e cicatrizes manchadas. Ela encarava um segredo que há muito tempo considerava morto.

JUJUBE

Na casa de chá, Jujube tirou o curativo com todo o cuidado. Embora o corte tivesse secado, latejava, insistente. Ela soltou os grampos que costumavam prender seu cabelo e deixou que caísse no seu rosto. Estava todo emaranhado, porém cumpriria o propósito de cobrir o machucado. Exaurida pelo esforço, ela se sentou na cozinha, contemplando a raiz de mandioca que despontava do saco na bancada, sua casca grossa de um tom de marrom que não era muito diferente do tom da sua pele.

A mente dela — que desde a fuga de Jasmin se tornara um poço sempre agitado — parecia diferente, mais tranquila. Era como se bater a cabeça no chão do banheiro tivesse trazido de volta o foco notável e a racionalidade pelos quais sempre fora conhecida. Parecia que Jujube podia ver claramente outra vez e que recuperaria o controle, como se criasse ela mesma um hematoma em alguém, provocasse uma dor que pudesse apertar, sentir, observar e segurar nos dedos.

Jujube sempre achara que a tendência para cometer um assassinato era algo gradual, uma névoa que espreitava e se espalhava na cabeça de alguém até que ficasse tão densa que precisasse ser liberada. Nela, por sua vez, o impulso surgira de repente. Chegara sem aviso e se gravara de maneira tão indelével que era tudo em que conseguia pensar. Jujube sabia, claro, que assassinato era crime, que considerar a possibilidade já era um crime. Aquela clareza mental, no entanto, a entusiasmava. Por um longo tempo, ela se sentira desorientada, consumida pela amplitude das suas emoções, incapaz de enxergar além delas, porém agora tudo parecia simples. Também parecia justo. Nenhum deus permitiria que vivessem daquela maneira, concentrados dia a dia em não morrer, enquanto a dignidade da esperança ficava reservada a seus opressores. Ela pensou com amargura na amada filha do sr. Takahashi, na sua ambição, nas suas roupas despreocupadas, no seu desejo de ajudar os outros porque tinha a sorte de sobrar espaço em seu coração para empatia.

Semanas antes, na casa de chá, o sr. Takahashi tinha se declarado um pacifista. "Não acredito nos métodos deles. Há maneiras melhores."

"Os métodos deles indicam que não acham que merecemos viver", Jujube argumentara.

O sr. Takahashi ou não a ouvira ou fingira que não. Ele soprou o chá antes de dizer: "Os europeus não deveriam vencer sempre".

E o que tornava pessoas como Jujube e sua família prêmios a serem conquistados, gado a ser abatido, filhas a serem estupradas, animais a serem deixados sem comida para morrer? Escravizar não era apenas pessoas de raças diferentes se comprando e se vendendo. O inimigo ter a sua cara — reconhecer-se no inimigo — tornava tudo ainda pior, porque você via refletido nele toda a sombra que continha em si. A cada dia, havia pessoas esquartejadas como carne na rua, campos cheios de corpos enterrados, alguns vivos sobre outros nas valas. Jujube tinha pesadelos com os irmãos tentando inutilmente sair de uma passagem estreita cheia de corpos, em busca de ar. O buraco no seu coração ameaçava engolfá-la se não fizesse alguma coisa, qualquer coisa, para sentir que detinha algum poder, para se lembrar de que ainda possuía algo que os japoneses não podiam tirar dela.

O sr. Takahashi tinha mudado? Ou quem mudara fora ela, por causa de tudo o que havia perdido? Ou tinha sido a separação dos seus destinos — que a filha dele estivesse viva enquanto outra pessoa fora tirada dela — o obstáculo eternamente no caminho da sua amizade? O sr. Takahashi talvez tivesse sido um bom homem, porém um bom homem que acreditava em uma coisa ruim era um homem ruim, e ela não tinha certeza se podia perdoá-lo, tanto quanto não sabia se podia perdoar os outros.

CECILY

A menina com o rosto manchado resistiu, com uma sobrancelha bem franzida, e a outra, imóvel do lado errado do rosto. Cecily notou que seus braços estavam cobertos de sinais de uma surra, a pele pálida repleta de vergões, hematomas e marcas de mãos.

"Como? Quem é essa?", Fujiwara perguntou.

O criado pareceu alarmado, provavelmente receoso de ter deixado não uma, mas duas desconhecidas descontroladas entrarem na casa imaculada do general. Lá fora, uma leve garoa começou a cair.

Cecily sabia que, em seu lugar, a maioria das pessoas teria pensado com frequência sobre a menina abandonada, sobre o pedido de Lina no seu leito de morte que havia desrespeitado. No entanto, embora se sentisse profundamente culpada a princípio, com o passar dos anos a culpa se reduzira a leves pontadas que Cecily era capaz de reprimir.

"Você já tirou o bastante de nós. Agora tem que nos deixar ir", Cecily disse.

"Tirei?" A voz de Fujiwara soou perigosamente baixa. "Tudo o que fiz foi tentar tornar o mundo melhor. Houve uma época em que você compreendia isso." Os lábios dele se franziram de aversão.

A filha dela, pequena e magra, estava à porta do quarto, com os olhos úmidos e confusos fixos nos dois adultos. O coração de Cecily palpitava. Ela não entendia o que Fujiwara queria, porém tinha que afastar a menina dele, ou Jasmin seria sugada para o vórtex tóxico que ela agora compreendia que o general era, um homem que destroçava as mulheres que o amavam até que se tornassem versões tão distorcidas de si mesmas que nem elas próprias conseguiam se reconhecer. Ela o considerara transformador, um homem que a imbuíra de ideais, dera-lhe um propósito, tornara-a maior. Por outro lado, via que o problema era que Fujiwara pensava o mesmo: acreditava que tinha tornado Cecily, Lina e o mundo melhores. Fora a ilusão — de que ele era um bom homem, um idealista que simplesmente fazia o que era certo — que destruíra a todos. Ela precisava proteger Jasmin daquilo — Jasmin, que era tão inocente e ávida a aceitar amor quanto a mulher que havia escolhido seu nome tantos anos antes.

O lábio inferior da menina começou a tremer. Por instinto, Cecily estendeu os braços. Fujiwara, no entanto, foi mais rápido, abraçando-a de modo que o nariz dela roçou um botão do seu uniforme.

Ele se dirigiu a Jasmin com uma ternura que surpreendeu Cecily. "Quem é essa sua amiga, Jasmin, e por que ela está aqui?"

A menina se afastou de Fujiwara e endireitou a coluna tanto quanto seu corpo diminuto permitia. "General...", ela começou a falar.

Apesar de tudo, o desejo de Jasmin de estar à altura do momento fez Cecily sentir algo dentro de si que resultou num sorriso. Ela notou que Fujiwara olhava para Jasmin com uma indulgência suave que nunca vira nele. Cecily forçou os lábios a se contraírem para tirar o sorriso do rosto. Não era hora para aquele tipo de coisa.

"Sim, Jasmin, o que posso fazer por você?" Fujiwara se ajoelhou para olhar nos olhos dela e levou dois dedos ao queixo dela. Cecily podia sentir aquelas falanges, lembrava como os calos nas pontas contrastavam com a maciez das juntas.

"Esta é minha amiga Yuki", Jasmin disse, apontando para a outra menina. "Algo ruim aconteceu com ela e quero ajudar."

Yuki. Cecily revirou o nome na mente, aproximou os joelhos do peito e só então percebeu que tinha se sentado no chão. A menina permanecia de pé, com os braços cruzados. Fujiwara franziu a testa para olhar para Yuki, demorando-se no seu vestido esfarrapado e nas cicatrizes.

Jasmin prosseguiu depressa. "Ela mora um pouco adiante, atrás da placa de bem-vindos, onde tem meninas com cara de tristeza por toda a parte, e homens que parecem bravos. Às vezes Yuki se machuca e eu fico chateada, porque ela é minha melhor amiga, e elapodeficarcomagenteporfavor?"

As palavras saíram de Jasmin com as primeiras lágrimas. Ela estendeu uma mão para Yuki e as duas ficaram diante de Fujiwara, com as pernas e os dedos cruzados, sentadas com a coluna ereta, parecendo dois cogumelos.

Isso poderia ter acontecido de outra maneira — ela poderia ter trombado com a menina na rua, passado os olhos por aquele rosto familiar, fugido e vivido para sempre com aquela culpa. Ou um dia um policial poderia aparecer à sua porta com um atestado de óbito, prendido suas mãos atrás das costas e a levado. A própria menina poderia ter aparecido, exigindo saber por que fora abandonada. Que tudo confluísse de maneira tão poética e organizada — na casa branca espaçosa onde conhecera Fujiwara, com as duas garotas de braços cruzados, proclamando-se melhores amigas — parecia cruel na sua trivialidade, a narrativa tão perfeitamente circular que chegava a ser absurdo. No entanto, talvez a única verdade inevitável fosse que todas as mentiras acabavam sendo reveladas. Havia uma menina desfigurada à frente deles, pela qual ela e Fujiwara eram responsáveis.

"Não está vendo Lina nela?"

Cecily ficou surpresa com o gelo na sua voz, a firmeza com que disse o que mudaria tudo, rompendo o selo do segredo guardado por tanto tempo.

"Não está feliz em conhecer sua filha, afinal?"

ABEL

O sol despontava por entre as nuvens grossas. Os olhos de Abel se ajustavam enquanto ele corria, procurando freneticamente por Freddie.

O estrondo dos aviões ficava mais alto quanto mais eles desciam, as vibrações ecoando pelo campo. Outros meninos começaram a sair do alojamento, esfregando os olhos com sono, olhando confusos para o céu. Os aviões formavam um V perfeito; um deles passou bem na frente do sol, em um eclipse mecânico.

"Freddie!", Abel chamou, com a voz rouca e falha, de tão pouco que vinha sendo usada. "FREDDIE!" Ele passou pela pilha de fardas e suprimentos que o amigo e os meninos tinham reunido no centro do campo, os preparativos para a viagem daquele dia.

"No chão, no chão!", alguém gritou. Abel se deitou de bruços. Por toda a volta, meninos saíam dos alojamentos e deitavam de bruços também. Bolas brancas que lembravam ovos começaram a cair dos aviões, em diagonal. Abel percebeu que miravam qualquer estrutura visível do céu. A primeira a ser atingida foi o teatro improvisado, depois chegou a vez das casinhas.

"Os aviões dos aliados!", alguém gritou. "Os britânicos vieram nos libertar!"

"Então por que estão nos bombardeando?"

"Não vieram aqui para nos soltar?"

Rama saiu correndo do alojamento, tropeçando num lençol em que ele tinha escrito com lama POW, a sigla em inglês para prisioneiros de guerra. E: PAREM AS BOMBAS! ESTAMOS DO SEU LADO!

Os meninos puxaram os quatro cantos do lençol, apontando as palavras para o céu e torcendo para que os pilotos vissem. Em volta de Abel, o ar começou a se encher de fumaça com os ovos brancos se transformando em bolas laranja e queimando tudo o que tocavam. Um dos meninos da cozinha, Davidson, se levantou e acenou. "Estamos com vocês, estamos...", ele gritou antes que sua voz fosse interrompida por um detrito que arrancou seu braço. Logo, todos os gritos, primeiro de alegria e depois de confusão, se tornaram de desespero, agudos e fortes. O chão estremecia com os pés correndo e os garotos caindo.

Em meio ao caos, Abel não conseguia encontrar Freddie. Geralmente, ele estava em toda a parte, passando instruções, com sua liderança tranquila. Abel já começava a imaginar o pior. Seus pés gritavam de dor. Parecia que fazia horas que ele estava correndo, muito embora não pudesse ter passado mais que alguns minutos. Algo corrosivo parecia escorrer pelo chão; o que quer que tivesse queimado a sola dos seus chinelos agora fazia a pele dos pés arder.

Ainda assim, Abel corria, gritando: "Freddie, cadê você?". A paisagem mudava a olhos vistos. Uma luz laranja se derramava sobre tudo, quase uma réplica exata do pôr do sol, ainda que um cheiro de queimado a acompanhasse e cinzas cobrissem o ar e entrassem pelas narinas. A fumaça fazia os olhos de Freddie arderem, e o mundo parecia filtrado e polvilhado por um crepúsculo romântico, só que aquilo eram os corpos e as construções queimando, o metal derretido dos trilhos de trem que eles tinham instalado. Um rugido se espalhava; mesmo com o zumbido nos ouvidos, Abel reconheceu a cacofonia de gemidos e gritos. Havia meninos curvados, meninos deitados no chão sem enxergar, meninos sem braço e mancando em meio à fumaça, meninos arrastando o corpo ensanguentado pelo chão, meninos chorando pela mãe, pelo pai, pelas irmãs, uns pelos outros, braços, pernas, troncos manchados de sangue coagulado, como geleia que passara do ponto. Enquanto Abel arfava de exaustão, foi assaltado por um cheiro novo, azedo, enferrujado e levemente cítrico. Vinha de todos os lados, tão carregado que provocou uma reviravolta familiar no seu estômago — náusea, só que daquela vez, para variar um pouco, não como resultado da bebida.

Freddie estava certo, como sempre. Os britânicos tinham o campo como alvo e o bombardeavam para acabar com qualquer possibilidade de que os japoneses transportassem suprimentos. No entanto, os únicos homens no chão, em pilhas de cinzas e membros, eram os meninos recrutados que, contra todas as chances, haviam sobrevivido à tortura japonesa só para morrer nas mãos dos seus supostos salvadores. O familiar não parecia familiar. Abel passou pelo refeitório, que primeiro havia sido o lugar onde apanhavam, depois o espaço de diversão, e agora era uma pilha de madeira e fumaça. Passou pela estrutura ruindo do que antes fora o teatro em que Freddie entregara Akiro de bandeja a Abel. Então, do lado de fora do galinheiro, reconheceu o menino de olhos azuis, agachado, abrindo um buraco no chão.

"Freddie!", Abel gritou, tentando fazer a voz alcançá-lo apesar do caos por toda parte. Conforme se aproximou, ele viu que o chão estava coberto de papéis amarelados, com os rostos dos seus familiares e dos meninos do campo: todos os desenhos que ele e Freddie tinham feito em papel higiênico, tarde da noite, sob o luar, Abel descrevendo as pessoas que amava, o outro dando vida a elas.

"O que está fazendo, Freddie? Temos que ir!"

"Eu precisava pegar os desenhos, Abe, não tinha alternativa, você sabe. Para lembrar, como eu disse..." Sua voz, em geral tranquila, se reduziu a um sussurro e ele desmoronou, seus joelhos batendo no chão úmido do orvalho da manhã. Abel deu um salto para segurar Freddie antes que ele tombasse de cara.

Então Abel percebeu que Freddie estava ferido. Cortes nos pulsos sangravam e manchavam as palmas de marrom. O mais preocupante, no entanto, era o ferimento na perna direita, que parecia fresco. Era um círculo surpreendentemente simétrico, com as bordas preocupantemente delineadas.

"Freddie, você está sangrando."

"E não vou parar de sangrar, Abe."

Nenhum dos meninos no campo era médico, porém todos, por pura necessidade, eram versados na gravidade de ferimentos. Sabiam diferenciar os cortes superficiais dos profundos, sabiam distinguir os padrões dos hematomas, tinham aprendido a identificar o princípio da sepse. E reconheciam quando uma artéria importante havia sido atingida, quando o sangramento não parava e não havia nada que pudesse ser feito. Era o caso ali. O ferimento de Freddie era profundo, o sangue escorria de maneira constante e lânguida pela perna, sem dar nenhum sinal de que ia parar.

"Está doendo, Freddie?"

O menino balançou a cabeça. "Fique com isso", ele disse a Abel, entregando os pedaços de papel higiênico desenhados, alguns com as pontas rasgadas. Havia determinação na sua voz.

Abel segurou os desenhos sem jeito por um segundo antes de enfiá-los no elástico da calça. "Freddie, vou tirar você daqui. Você precisa conseguir. Me arrastou por toda parte nesta merda, e agora vou arrastar você."

Freddie riu da fraca tentativa de Abel de fazer piada, porém emitiu apenas um silvo, como uma chaleira seca depois de tanto tempo no fogo.

CECILY

A escuridão caiu, e o criado, seguindo as instruções de Fujiwara, acendeu uma série de lâmpadas a esmo, que criavam longas silhuetas, as sombras apontando furiosas nas paredes. Grilos começaram a estridular enquanto o coro de mosquitos zumbia. Um deles voou até a sobrancelha de Fujiwara, que o matou distraído, deixando a carcaça esmagada e uma mancha de sangue na testa. Cecily se forçou para manter os braços colados ao corpo e não limpar o rosto dele. Mesmo agora, no acesso de fúria, seu corpo queria tocá-lo. As meninas estavam reunidas atrás de Fujiwara, como uma unidade amorfa.

"Tia Woon sempre me disse que meu pai era um homem importante!", Yuki comentou, suas primeiras palavras em um bom tempo. Então se virou para Jasmin com o olho bom reluzindo de alegria. "Agora posso morar aqui com você! Pra sempre!"

Lá fora, como se suspirasse aliviada, a tempestade começava, sem trovões e sem raios, consistindo apenas em gotas gordas de chuva fazendo barulho ao cair sem parar.

"Não entendo. Segundo Jasmin, essa menina" — Fujiwara apontou para Yuki — "mora na estação de conforto."

Cecily apertou os olhos para o corredor escuro e estudou o rosto de Fujiwara enquanto ele tentava absorver as informações.

"Você deixou minha filha apodrecer em um bordel?" Sua voz chegou a um volume que seria o normal para a maioria das pessoas, porém Cecily sabia que no caso dele era perigoso. "Você simplesmente a largou lá?"

"*Você* a abandonou", Cecily disse, deixando o peso do corpo cair contra a parede e ouvindo um soluço de choro entrecortado escapar da sua garganta. "Você abandonou as duas. Abandonou todas nós."

"Está tudo bem, mamãe, não precisa chorar. Eu cuido de você", Jasmin garantiu, dando um pulo e se enterrando na barriga de Cecily para abraçá-la de uma maneira tão familiar que fez arrepios dispararem na coluna dela. Jasmin, que sempre queria tornar tudo melhor, mesmo quando se tratava de coisas que ainda era incapaz de compreender.

"Ela quer morar comigo, Cecily. Posso dar uma vida melhor a Jasmin."

A voz de Fujiwara retornou ao volume normal, pouco mais alto que um sussurro, obrigando a todos, incluindo o criado, a se inclinar involuntariamente para ouvir. Cecily se deu conta de que ele ainda era um redemoinho de vontades, aceitando apenas o que queria — Jasmin — e ignorando Yuki, a filha que estava bem ali.

"Você não pode simplesmente ficar com Jasmin. Ser pai não é assim."

"Fiz tudo do jeito certo esse tempo todo. E não tenho nada para mostrar..." A voz de Fujiwara morreu no ar. Ele levou uma mão à testa, esmagando ainda mais o mosquito de antes. "As coisas mudaram." Ele abarcou tudo em volta com um gesto. "Está tudo chegando ao fim com os americanos, você sabe... Um homem começa a pensar no seu legado."

A cabeça de Jasmin virava de um lado para o outro, alternando-se entre os adultos, o rosto totalmente concentrado, tentando ler o que não era dito. "Vou poder escolher? Yuki vai poder escolher?"

Mesmo com as sombras da noite cobrindo o rosto dele, Cecily notou seus olhos mergulhados na tristeza. A cortina se ergueu por um breve momento, e ela viu desespero do outro lado. Por um minuto, Cecily hesitou. Ela estendeu a mão para limpar o mosquito e o sangue da testa de Fujiwara, mas a deixou cair ao lado do corpo em seguida. Não havia redenção para ela, tampouco para Fujiwara. A guerra transformara os dois, e os danos colaterais que haviam infligido pareciam personificados na figura da pessoinha que se encontrava à frente deles.

"Não", Cecily disse, pondo-se de pé, gritando acima do barulho de um trovão que se juntava à tempestade com certo atraso. "Não é uma questão de escolha. Sou sua mãe."

"Bem, quem vai me deixar levar Yuki?" Jasmin tirou uma mecha de cabelo da frente do rosto, impaciente, e um topete se formou sem querer. Cecily foi tomada pelo impulso de baixá-lo, porém, antes que pudesse fazê-lo, Yuki correu para o general e enterrou o rosto no mesmíssimo ponto do peito dele onde Jasmin tinha enterrado o dela, quando o abraçara poucos minutos antes.

"Eu escolho o senhor, general", Yuki disse.

JASMIN

Jasmin sabia que Yuki a estava copiando — ela tinha visto o general abraçá-la e estava tentando reproduzir aquilo, torcendo para que ele a abraçasse também. Yuki, no entanto, não havia entendido. Jasmin percebia que o general era diferente dos outros adultos.

"Não, Yuki, não!", ela gritou, tentando tirá-la de cima do general.

Jasmin notou que o homem apenas olhava fixo para Yuki, que se agarrava a ele. Antes, seus braços tinham envolvido o corpo de Jasmin, o que fora desconfortável a princípio, porque o uniforme dele estava quente e era um pouco áspero. Depois, ao relaxar no abraço, Jasmin se sentira mais leve e todos os medos quanto ao que o general pudesse dizer em relação a Yuki se dissiparam. Agora, por sua vez, Yuki estava estragando tudo.

"Me solta! Por que só você pode ter tudo?", Yuki gritou para Jasmin, com a voz abafada pelo uniforme do general.

Na maior parte do tempo, Jasmin sentia que Yuki sabia muito mais do que ela, porém não era o caso naquele momento. Seu coração acelerou; ela entrou em pânico e o corpo se dobrou para a frente.

Jasmin ouviu a mãe dizer "Não", e depois: "Você está bem?". Antes que pudesse responder, um som retumbante ecoou pelo cômodo. Quando Jasmin levantou os olhos, viu Yuki cambaleando para trás, segurando o lado marcado do rosto, e Fujiwara massageando a própria mão. Yuki caiu de costas, em seguida de lado. Jasmin ouviu os gritos que saíram da própria garganta, daí sentiu as vibrações que provocaram em seu corpo. O que mais a assustou foi o fato de que Yuki não gritou, não disse uma palavra, só ficou ali, deitada de lado como se estivesse morta, agarrada à bochecha, enquanto uma marca vermelha surgia em meio às cicatrizes.

Jasmin correu até Yuki e se agachou ao lado dela.

"Você bateu na menina!", gritou a mãe, indo na direção de Fujiwara.

"Pelo menos não a deixei para morrer como uma desgarrada", ele disse.

Isso tudo era demais. Jasmin não estava entendendo mais nada. A seus pés, Yuki soltou um gritinho comovente.

O criado chegou às pressas, com um pano e água quente. Ele olhou para o general para pedir permissão; ao identificar que o homem assentia de maneira quase imperceptível, pôs Yuki sentada e começou a dar batidinhas leves na bochecha dela com o pano morno.

Atrás de Jasmin, a mãe e o general discutiam. Ela só ouvia partes, como a mãe dizendo "Não tive escolha" e "Você não a queria", e o general dizendo "Agora ela está arruinada".

Jasmin não queria mais saber disso tudo. Ela olhou para Yuki, novamente com a mão na bochecha que já começava a ficar azul. O criado fez sinal para que as meninas aguardassem e se levantou com cuidado, segurando a bacia com firmeza para impedir que a água transbordasse. Ele se virou para ir à cozinha.

Assim que deu as costas para as duas, Jasmin pegou a mão de Yuki na sua. A mãe e o general estavam ocupados demais um com o outro. Ela viu quando os dois também lhes deram as costas, entre seus sussurros cortantes, e seguiram para a varanda. Jasmin sabia o que fazer. Era hora. Entrelaçou o braço com o de Yuki e as duas se levantaram como uma só. Então ergueram a barra dos vestidos, deram-se as mãos suadas e correram para a porta dos fundos.

ABEL

Abel tentou de tudo. Tentou levantar Freddie, porém não tinha força o bastante, e o movimento fez o sangramento na coxa do amigo aumentar. Tentou arrastar Freddie pelos braços, mas ele gritou quando a perna machucada raspou no chão. Tentou pôr Freddie de pé e ajudá-lo a andar, mas o menino desabou sobre ele.

"Você tem que se mexer, Freddie!", Abel exclamou, sentindo vergonha pelas lágrimas frustradas que ameaçavam rolar. "Por que está sendo assim teimoso?"

Abel notou que Freddie tentou fazer uma careta para ele, mas até isso exigia esforço demais. Freddie não disse nada, só encostou o corpo na parede externa do galinheiro, deixando uma mancha vermelha na terra marrom. Abel olhou em volta, atrás de alguém, qualquer menino que pudesse ajudá-lo a erguer Freddie. Os aviões pareciam voar mais baixo, porém o céu estava abrindo. Talvez ele pudesse ir buscar ajuda correndo. Não gostava da ideia de deixar Freddie sozinho ali, porém não tinha escolha.

"Já volto, Freddie. Não se preocupe."

Um calor se espalhou pelo corpo de Abel. O pânico o cercava, gritos preenchiam o ar junto com o cheiro pungente e inesperado do gengibre e das ervas da horta que Rama mantinha atrás do galinheiro.

"Para", Freddie disse, com uma voz ao mesmo tempo tranquila e imperativa, obrigando Abel a se virar para ele. "Por favor. Não quero ficar sozinho."

Então os dois ficaram ali, sentados juntos, com as costas magras apoiadas na parede externa do galinheiro — onde Abel tinha sido destroçado e que agora era a única coisa que mantinha Freddie minimamente erguido. Em volta, aviões roncavam e o cheiro azedo de morte dominava; no casulo deles, no entanto, tudo parecia estranhamente sereno. *Talvez não fosse tão ruim morrer ali*, Abel pensou. Partículas de cinzas faziam cócegas no seu nariz e na sua garganta, e ele olhou para ver se também estavam irritando Freddie. O outro, que mantinha os olhos fechados como se dormisse em paz, abriu um e sussurrou: "Sei que sou mais bonito que você, mas não precisa ficar com inveja".

Apesar disso, sobretudo da gravidade do momento, os cantos dos lábios de Abel se curvaram para cima e o estômago se contraiu numa risada, a primeira que ele dava em meses. Freddie apoiou a cabeça no ombro de Abel. "Meu pescoço está doendo", ele disse.

Abel afastou o próprio pescoço para dar mais espaço a Freddie. Suas costas coçavam por causa da parede externa do galinheiro, mas ele se manteve imóvel.

"Desculpe." Freddie tossiu.

Abel sentiu perdigotos aterrissarem no pescoço. O hálito de Freddie cheirava a azedume e amargura, mas Abel não se encolheu.

"Desculpe por Akiro. Eu só... queria que você se sentisse melhor."

"Fica quieto, Freddie, você precisa falar menos." Abel levou os dedos à bochecha dele e sentiu a terra e o suor sob os dedos.

"Espero que minha mãe esteja lá... aonde quer que eu vá depois disso", Freddie disse, com a voz rouca. "Estou com medo."

"Não diga bobagens, Freddie. Você não vai a lugar nenhum." Abel notou o corpo magro no seu ombro estremecer, e como respirava profundamente.

"Talvez eu não veja, por causa do que fiz com você."

O círculo escuro na perna de Freddie aumentara de tamanho e a simetria de antes desaparecera. Abel sabia que não havia o que fazer. Aquele era todo o tempo que restava.

"*When you wish upon a star...*" Abel começou a cantar a música preferida de Freddie. Ele mordeu a bochecha para impedir que um tremor na sua voz o entregasse. A absolvição podia vir de diferentes formas. Era sua vez de oferecê-la.

"*Makes no difference who you are...*", Freddie sussurrou em resposta, soprando o hálito azedo na maçã do rosto de Abel.

Freddie ficou em silêncio antes que a música terminasse, sua respiração curta e estridente. Abel continuou cantando as músicas que amavam, uma depois da outra, como uma espécie de hino. Quando a respiração de Freddie se tornou inaudível e o hálito azedo deixou de provocar cócegas no pescoço de Abel, ele soube, soube, soube.

JUJUBE

"Jujube", o sr. Takahashi a chamou da frente da casa de chá. A voz dele chegou até a cozinha.

Doraisamy se virou e olhou feio para ela. "Jujube, você está atendendo os clientes?"

"Sim", ela disse, com a cabeça latejando.

"Por favor, mantenha suas coisas no seu espaço. Não quero saber de contaminação."

Jujube pegou a raiz de mandioca na bancada e assentiu, com uma máscara de consentimento submisso no rosto. Talvez ela devesse cuidar de Doraisamy também, chegou a pensar, mas não, isso seria loucura, e ela não estava louca, só ia se vingar. Havia uma diferença. Jujube observou Doraisamy se afastar, o suor escorrendo numa linha sinuosa pela camisa branca.

Então ela passou ao salão da casa de chá, com as unhas de uma mão formando luas crescentes na palma. "Gostaria de mais chá, senhor? Posso ferver mais água."

"Sim, obrigado." A voz do sr. Takahashi soava animada. Ele não notou o ferimento na cabeça de Jujube, coberto de qualquer jeito com o cabelo. Estava distraído, entrara aquele fim de tarde com alguns papéis debaixo do braço, cartas de Ichika que haviam ficado paradas e agora chegavam todas juntas. O sr. Takahashi contou a Jujube que planejava reordenar as cartas e lê-las uma a uma, para que parecesse que a filha estava contando uma história, de modo que a narrativa fizesse sentido e ficasse completa.

De volta à cozinha, Jujube despejou mais água na chaleira azul ornamentada e a deixou no fogo. Então abriu a tampa e ficou vendo as bolhas surgirem, primeiro nas laterais, depois chegando ao meio, até ficarem maiores e estourarem em fervura. Jujube jogou as folhas de chá e viu o líquido assumir um tom marrom enlameado.

Sua atenção se voltou para a mandioca. Ela pensou em como a mãe costumava cozinhá-la para se livrar do cianeto que trazia quando crua. Então misturava com arroz e todos — quando ainda eram uma família de cinco — comiam a mistura grudenta que mal conseguiam engolir, depois mentiam dizendo estar satisfeitos, para ouvir ansiosos às notícias no rádio. Na época, tudo já parecia estéril e sem perspectivas. *Não sabíamos o quanto podia piorar*, Jujube pensou.

Ela ainda não tinha decidido se ficaria ao lado do corpo, reivindicando o assassinato, ou se correria antes que o cianeto fizesse efeito. Imaginava que acabaria sendo encontrada, ficaria óbvio que fora ela quem o envenenara. Talvez fosse mais fácil assumir o feito, vê-lo convulsionar, vê-lo sangrar pelo nariz e pela boca enquanto o estômago queimava, vê-lo olhando para ela e descobrindo que a culpa era sua, ver a esperança se extinguir dos seus olhos enquanto ele morria, sabendo que Ichika nunca mais o veria.

Jujube pegou uma faca da gaveta e admirou a serra da lâmina. Como a maioria das coisas, parecia muito mais nociva do que era: estava cega e precisava ser amolada. Na defesa pessoal, seria inútil; para outros propósitos, serviria. Ela tirou uma lasca da mandioca e pôs na xícara verde, a preferida do sr. Takahashi, tomando o cuidado de não deixar cair nenhuma migalha no pires. Então encheu a xícara de chá, e a mandioca flutuou como um barquinho sem leme entre as folhas que haviam passado pelo bico da chaleira até afundar. Jujube pescou a lasca de tapioca com uma colher e mexeu bem, para que qualquer resquício no fundo dissolvesse.

Então saiu da cozinha da casa de chá e passou ao salão, com a xícara verde na mão. Os ventiladores giravam, ela sentia a umidade do fim da tarde nas costas, um senhor impaciente batia o pé contra a perna da mesa em que estava sentado.

A mente de Jujube estava clara.

CECILY

Havia cadeiras de vime na varanda. As almofadas estavam afofadas, caso viesse alguém se sentar ali. No entanto, Fujiwara tirou os coturnos pesados, deixou-os atrás de um pilar e se agachou devagar, sentando-se rigidamente no chão de madeira, com as pernas cruzadas. Cecily ficou surpresa, porque esperava que o confronto aos gritos continuasse. A tempestade havia passado, e o luar, forte e claro, iluminava seus pés descalços, brancos e delicados, com uma única bolha no calcanhar, provavelmente por causa das botas duras.

Fujiwara apontou para o espaço à sua frente. "Ouça. Temos que resolver isso. Elas não precisam nos ver brigar." Seu rosto estava envolto pelas sombras, as bochechas encovadas. Cecily o imitou, sentando-se e cruzando as pernas também.

Ela nunca tinha acreditado de fato em fantasmas. Era verdade que às vezes os barulhos da noite, rangidos estranhos e os ruídos da expansão e da contração das velhas casas de madeira a assustavam, porém Cecily não era o tipo de pessoa que se preocupava com os mortos à espreita. Ainda assim, certas noites, quando as coisas ficavam especialmente desanimadoras, ela se perguntava se Lina se encontrava no limite das sombras, se Lina a amaldiçoara a ter a vida que tinha, a amaldiçoara a impor o destino que impôs às pessoas que ela amava.

"Por que quer uma família agora?", Cecily perguntou, retorcendo os dedos. "Quando nunca quis?"

"Acho que pode ser o fim", Fujiwara explicou. O luar iluminava um lado do seu rosto e deixava o outro na escuridão, seu nariz se erguendo como uma montanha na sombra. "O fim de tudo pelo que trabalhamos." Ele se recostou num pilar da varanda e soltou um suspiro baixo, e sua respiração movimentava o ar parado da noite. "Deixar uma marcar no mundo é importante para o homem."

"Não foi como você disse que seria." Cecily estava tão zangada que não escolhia as palavras certas. Como articular os anos de promessas quebradas e vidas prejudicadas, o fato de que o resultado da equação pretendida não resultou em nada?

"Eu só queria ver como seria ter uma família para mim, para nós. Pensei em mostrar mais a ela, por alguns dias." Fujiwara ficou tanto tempo em silêncio que Cecily se perguntou se não tinha pegado no sono. Então ele sussurrou: "Ela não merece um mundo assim". Antes que Cecily pudesse responder, Fujiwara disse: "Eu não sabia sobre a outra menina. Você tem que acreditar em mim".

Cecily puxou os joelhos junto ao peito, e o vestido se colou nas suas pernas. Talvez isso fosse o mais próximo que teria de um pedido de desculpas, de um arrependimento. Ela não sabia se bastava, mas sentia a amargura na culpa dele, e o sofrimento somado dos dois era quase palpável.

"A pequena Jasmin é uma boa menina, não é?", Fujiwara comentou. "Já a outra..."

Cecily vasculhou o rosto dele, porém era seu corpo quem mais revelava. A maior parte da lua estava escondida por uma nuvem, portanto tudo o que ela conseguia ver eram seus ombros desiguais, o peso que Fujiwara carregava. Talvez pela primeira vez, Cecily o compreendia; compreendia aquele homem que tinha ficado com tudo, mas a quem não restava nada.

"Talvez a gente mereça isso", Cecily disse, apontando para si mesma, para toda a sujeira, todo o descuido, e para ele, que era apenas dor e condescendência. Ela olhou diretamente para o luar, tão forte que fazia a vista doer. Não foi muito diferente de olhar diretamente para o sol.

Ele ficou em silêncio, embora desse para escutar sua respiração baixa e sibilante.

"Tenho que levar as duas", Cecily disse, encarando-o. "Elas precisam de um lar."

Ele assentiu. "Os ingleses logo vão vir atrás de mim." As palavras saíram calmas e suaves. Por um breve momento, foi como nos velhos tempos, apenas os dois, sussurrando sobre o futuro que achavam que se concretizaria. Desajeitada, Cecily se levantou, sacudindo um pé que havia adormecido. Fujiwara se deitou na varanda e abriu os braços, inclinando o queixo para o céu.

Dentro da casa atrás dela, um grito do criado, estridente e apavorado, cortou a noite.

JUJUBE

As cartas de Ichika flutuavam como águas-vivas na superfície verde-mar da mesa da casa de chá. Jujube observava enquanto o sr. Takahashi extraía com cuidado cada uma delas. Ele as alisava, depois as apoiava em cima do envelope correspondente. Tendo passado tanto tempo dobradas, as folhas se assemelhavam a pequenos acordeões. A qualidade do papel variava. Algumas estavam manchadas, outras tinham borrões de tinta. A letra de Ichika, entretanto, grande e segura de si, era inconfundível.

"Opa, opa, cuidado", o sr. Takahashi disse quando Jujube ia pôr a xícara na mesa. Uma vontade de virar a água quente nele ou nas cartas tomou conta dela, obrigando Jujube a respirar fundo. Ainda não era hora, e esse não era o plano.

"Desculpe", o sr. Takahashi falou em seguida, dando tapinhas no braço dela. "Não queria gritar com você. Estou emocionado." As leves rugas nos cantos dos olhos se aprofundaram quando ele sorriu. Jujube deixou a xícara de chá cheia num espaço vazio, distante das correspondências, depois recuou e assentiu, reconhecendo o pedido de desculpas dele.

"Por favor", o sr. Takahashi pediu, "sente comigo." Ele apontou para um banquinho vazio.

Jujube hesitou. Não era para ser assim, a demonstração de afeto não estava prevista. Ela apontou para a xícara, desamparada. "Seu chá."

"Se o gerente vem dar bronca, digo que eu que pedi", o sr. Takahashi garantiu. "Por favor, sente. Quero..." Ele fez uma pausa enquanto procurava pela palavra certa. "Quero *dividir* com você. Esse momento de alegria."

Não havia nada mais que Jujube pudesse fazer. Ela se acomodou ao lado dele, com os dedos dos pés contraídos de tanto nervoso dentro dos sapatos. Vapor saía da xícara; logo esfriaria, mas o sr. Takahashi estava distraído.

"Por onde começar?", ele perguntou, alegre. "Ora, pelo começo, claro." Rindo da própria piada, o sr. Takahashi pegou a carta que, em sua arrumação, ficara no canto esquerdo superior. Ele pigarreou e começou a ler em voz alta.

A carta de Ichika era prosaica, cheia de detalhes do cotidiano.

> *Fui ao hospital hoje, e os pacientes foram simpáticos comigo. Um médico pareceu impaciente, mas deve estar com a cabeça cheia, claro. Quando fui ao mercado, fiquei feliz em poder comprar nossa raiz preferida, que depois usei para fazer um caldo. Fez frio, o tempo está virando. Desenhei o céu. Queria pintar, mas estamos sem material, por isso me contento em desenhar sem colorir no momento.*

Ichika escrevia em linhas gerais; Jujube notou, com certo convencimento, que ela não era uma boa escritora, alguém capaz de evocar sensações e presença na página. As cartas tinham um empolamento infantil e se atinham a simples declarações de fatos, sem qualquer julgamento, poesia, drama, descrição ou sentimento. Ainda assim, Jujube não conseguia evitar se envolver ao ouvir a tradução truncada do sr. Takahashi. Ele lia uma ou duas frases em silêncio, piscando depressa, depois traduzia lentamente cada uma para o inglês, atrapalhando-se com os tempos verbais, contrações e pronomes.

Pelas cartas, Jujube ficou sabendo que Ichika tinha se mudado de Nagasaki para uma cidade menor, onde levava uma vida tranquila apesar da guerra. Ainda que simples, sua vida parecia satisfazê-la e ser uma fonte de clareza mental e, o mais estranho de tudo, felicidade. Jujube preenchia as lacunas das cartas — na sua mente, todo dia Ichika se levantava no mesmo horário, quando o sol amarelo impunha determinado seus raios sobre as nuvens. Ela morava com uma tia idosa, com a qual tomava café — uma xícara de chá, arroz e vegetais em conserva, o chá fumegante cortando o azedume da conserva e de alguma maneira tornando tudo mais doce e mais picante. Depois Ichika vestia sua calça larga masculina e ia para o hospital, onde passava horas indo de um lado para o outro e fazendo todo tipo de coisa, desde tratar ferimentos de soldados até ler para eles e levar papéis dos médicos e enfermeiras para outros médicos e enfermeiras. Ela ficava cansada e sentia o arco dos pés doer ao forçar os dedos para baixo, tentando relaxar um músculo tenso na sola. Depois do trabalho, jantava com a tia, lia, desenhava e escrevia cartas para o pai, cheias de uma prosa tranquila e de esperanças juvenis relacionadas ao retorno dele.

Jujube também pensou em tudo o que Ichika não estava dizendo ao pai. Amigas com quem ela ia de mãos dadas olhar vestidos e com quem frequentava cafés e dava risadinhas ao ver passar homens bonitos, magros e que pareciam estudiosos. Homens que a paravam na rua para elogiar seu cabelo preto comprido ou que fitavam a ruga em seu nariz que fazia parecer que ela estava sempre a um segundo de cair no riso. Talvez Ichika até sentisse o desejo aflorando abaixo da barriga, de maneira confusa, quando a enfermeira estreitava os olhos, levava os dedos ao seu pulso por um segundo além do necessário, com os olhos fixos nela, embora Ichika não conseguisse ou não quisesse erguer os seus. A dor que Jujube sentia na cabeça passou, sendo substituída por uma ânsia profunda. Havia poesia na vida interior de Ichika, cheia de amor, desejo, felicidade e maravilhas, e Jujube queria mais daquilo, queria tudo aquilo.

JASMIN

Jasmin podia ouvir Yuki respirando ao seu lado no carrinho de mão escuro. As duas estavam deitadas lado a lado, com os braços paralelos ao corpo, as mãos fechadas em punho. Ela tinha certeza de que as engrenagens da cabeça de Yuki funcionavam de forma tão rápida quanto as da sua, processando toda a gritaria dos adultos, toda a troca de palavras, todas as emoções confusas das últimas horas.

Era estranho que as duas não estivessem se tocando agora, não estivessem de mãos dadas como tinham ficado durante todo o trajeto correndo da casa até ali. Nem mesmo quando os mosquitos, que haviam aparecido assim que o sol se pusera, começaram a zumbir e picar seus braços, Jasmin não soltou Yuki. Ela os tinha afastado com o outro braço e sacudido a cabeça com vigor, até quase ficar tonta, para impedir que zumbissem no seu rosto. Yuki, em contrapartida, se mantinha deitada e em silêncio ao lado dela no carrinho de mão.

"Você está com fome, Yuki? Estou morrendo de fome!" As duas tinham comido os estranhos salgadinhos que o criado oferecera, mas eram aerados e não satisfaziam; Jasmin ansiava pelo peso do arroz, por algo que preenchesse sua barriga e permitisse que cochilasse bastante feliz. Jasmin agarrou a própria barriga para enfatizar o que dizia, então percebeu que Yuki não a estava enxergando. Ela deixou as mãos caírem paralelas do corpo, roçando no braço da outra. Yuki se encolheu diante do seu toque e se virou de lado no carrinho de mão, formando um C torto. Jasmin sentiu a coluna dela em seu cotovelo. "Yuki?"

A outra menina permaneceu em silêncio, embora o volume da sua respiração tivesse aumentado, como se soltasse o ar tanto pelo nariz como pela boca. Parecia que ela estava grunhindo e fungando. Isso normalmente faria Jasmin rir, porém ela percebeu que não devia fazê-lo. Ao falar, a voz de Yuki saiu áspera, como a de Jasmin pela manhã, quando estava com sede ou não dizia nada havia muito tempo.

"Não é justo! Como você pode ter dois pais e uma mãe? E eu... e eu..." Ela não terminou a frase. Em vez disso, disse: "No seu lugar, eu não teria fugido".

Jasmin sentiu as pontas das orelhas ficando vermelhas, a fúria fluindo para o rosto. Yuki não fazia ideia de como era ficar trancada no porão; não entendia que todo mundo tinha mudado desde a chegada dos japoneses, que a família inteira havia se transformado em pura tristeza, ou como era olhar nos olhos vazios da mãe, ou ainda quão difícil era ver a coisa selvagem em que ela tinha se transformado agora. Yuki não fazia ideia de como era precisar encontrar maneiras de estar sempre divertindo, ser a responsável por manter todos os membros da família felizes. Ela não imaginava como era testemunhar as pessoas mudando diante de seus olhos, tornando-se cacos de si mesmas, e não conseguir fazer nada a respeito. Era difícil explicar, turbulento demais, grande demais, doloroso demais. Jasmin ficou deitada no carrinho de mão, de costas para Yuki. Seu estômago roncava. Atrás dela, Yuki soltava o ar furiosa.

JUJUBE

Fazia quase quarenta e cinco minutos que Jujube estava sentada com o sr. Takahashi. O sol havia descido por completo, e a casa de chá se encontrava artificialmente iluminada com a feiura inflexível das lâmpadas fluorescentes. Quando ela olhou para os tubos empoeirados no teto, viu apenas sombras pretas contra o revestimento branco, carcaças dos insetos mortos que haviam tido o azar de ficar presos lá dentro. Doraisamy olhava feio para Jujube sempre que aparecia no salão, porque ela não estava atendendo os outros clientes. No entanto, como estava com o sr. Takahashi, o mais fiel dos clientes, ele a deixava em paz.

O sr. Takahashi já tinha lido quatro cartas de Ichika, com várias páginas cada, sem parar nem uma vez para dar um gole no chá. A leitura dele era muito diferente de como a mãe de Jujube tecia contos noturnos; era truncada e empolada, cheia de pausas, enquanto ele fazia a tradução do japonês para o inglês. O sr. Takahashi hesitava em palavras difíceis. "Minha filha diz que tem um menino que mora perto dela, uma criança da vizinha, que é... mais que desobediente. Como é a palavra? Ela fala travesso ao extremo. E acha que não tem jeito."

"Incorrigível", Jujube sugeriu.

"Incor...", o sr. Takahashi tentou, mas desistiu. "Muito desobediente", ele disse, rindo. "Você entende."

Jujube se perguntou se ia sonhar com Ichika aquela noite, se ia reviver as cartas propositadas e sinceras dela, se ia encenar uma vida com possibilidades reais.

O sr. Takahashi pigarreou forte. "Minha voz está cansada." Ele apontou para a garganta. "Mas fico feliz por ter lido as cartas para você. São uma fuga, não?" Ele abriu um sorriso fraco, indulgente, insuspeito. "Então, o que achou, Jujube?"

"Das cartas da sua filha?"

"Da minha filha."

Jujube se perguntou o que o sr. Takahashi queria que ela dissesse, ou mais precisamente o que ele queria ouvir. Talvez esperasse apenas uma validação simples do fato de que sua filha tinha sido bem-criada, de que era tão boa pessoa quanto ele pensava, de que ele fizera o necessário para garantir que ela fosse educada para se tornar uma mulher que depusesse a favor dele. Talvez o sr. Takahashi quisesse ser reassegurado de que Ichika ficaria bem, de que ele voltaria a vê-la, de que a vida familiar de ambos não havia sido totalmente destruída pela guerra, que de uma maneira ou de outra os dois podiam se reencontrar.

"Sua filha é uma boa pessoa. O senhor tem muita sorte."

O sr. Takahashi desviou o rosto e o baixou, parecendo cansado. "Esta guerra", ele começou a falar. "Esta guerra."

O buraco no peito de Jujube, aquele que havia se aberto no dia em que Jasmin desaparecera, a fisgou dolorosamente.

O sr. Takahashi pigarreou outra vez. "Não existe justiça. Não sei o que vai acontecer depois desta guerra", ele falou, levando a mão enrugada à dela.

"O que vai fazer caso a veja de novo?", Jujube perguntou, recolhendo a mão. Ela imaginou os dois juntos, ele e Ichika reunidos, contando histórias um para o outro, e a própria Jujube se tornando uma lembrança distante, quase esquecida.

"Espero...", ele começou a dizer, então pegou um dos envelopes e sorriu para a caligrafia da filha, melancólico. "Espero que... abrir uma pequena tipografia. Não para livros, seria difícil demais. Mas talvez cadernos, ou calendários, com as pinturas e fotografias de Ichika dentro."

"Uma vida tranquila", Jujube disse.

"Uma vida tranquila", ele repetiu. "Sem hospitais, sem mortes."

Doraisamy começou a fazer barulho na cozinha, batendo pratos e o cabo do esfregão contra a parede. Queria fechar a casa de chá.

O sr. Takahashi tossiu e finalmente fez menção de pegar a xícara de chá. Jujube visualizou o cianeto abrindo seus tentáculos no chá, enchendo-o de veneno.

"Só vou terminar o chá e já vou. Acho que seu gerente está sugerindo que é hora." Ele abriu um sorriso fraco. "Desculpe por minha... explosão", ele disse, olhando diretamente para ela.

"Explosão", Jujube repetiu, no automático.

"O que farei sem você?", o sr. Takahashi levou a xícara aos lábios. Ele piscou um pouco, como se esperasse que o chá ainda estivesse fumegando e, ao se dar conta de que estava frio, sorriu para si mesmo e inclinou a xícara.

Sem pensar, Jujube estendeu o braço, seus dedos cruzando o mar de letras. Ela bateu a mão contra a xícara, que balançou nos dedos dele.

"Jujube, o que...?" O sr. Takahashi olhou para ela, alarmado.

"Não", Jujube disse, batendo outra vez na xícara e conseguindo derrubá-la. A água marrom escorreu em ondas pelos dedos dele, molhando um escrito de Ichika. A tinta se dissolveu no papel, as dobras do acordeão se alisaram, e a carta manchada e ilegível encontrou sua morte.

O sr. Takahashi se levantou de um pulo e se afastou para evitar o chá derramado que pingava da beirada da mesa.

"O que você fez?", ele perguntou, com a voz trêmula, as bochechas vermelhas, o mais perto de zangado que ela já o tinha visto. Os olhos do homem se arregalaram tanto que a testa pareceu se esticar. Ele tentou pegar a carta molhada, com os dedos arqueados para descolá-la da mesa.

Jujube pôs o corpo entre o sr. Takahashi e a mesa, enquanto o chá pingava sem fazer barulho em sua saia. Então ergueu as mãos para que ele não passasse por ela e não pudesse tocar a superfície molhada.

"Desculpe." Sem saber o que mais dizer, concluiu: "É melhor assim".

Quando os olhos castanhos e nebulosos dele encontraram os seus, Jujube não soube se o sr. Takahashi tinha ideia do que ela quase tinha feito. Jujube se perguntou se devia gritar, fazer com que o homem sentisse o medo que pretendia infligir nele, fazê-lo sentir a dor que a assolava todo dia. No entanto, apenas murmurou "Desculpe" várias vezes enquanto ele reunia em silêncio as cartas intactas de Ichika e as enfiava debaixo do braço. Quando terminou, o sr. Takahashi olhou para ela, depois para a folha arruinada em meio à poça de chá e tinta. Jujube abriu a boca, porém não havia palavras para aquilo. Ela sentiu o ar produzir um assovio ao sair pelo nariz.

Devagar, o sr. Takahashi foi embora da casa de chá.

Na cozinha, Doraisamy bateu o cabo do esfregão contra a parede outra vez. Jujube pegou um pano, descolou a folha molhada da mesa e limpou tudo. Quando afinal deixou a casa de chá, a lua estava baixa e cheia no céu, uma bola gorda perfeita, banhando-a com sua luz fresca. Qualquer outra pessoa receberia aquilo como um sinal de esperança, de absolvição, ou de que algo bom estava por vir. Qualquer outra pessoa teria erguido o rosto para contemplar o prodígio do esplendor incomparável da lua. Mas Jujube simplesmente se perguntava que outros horrores a lua prateada iluminaria aquela noite, e em todas as noites que viriam.

ABEL

Um novo tipo de confusão havia se instalado no campo. Os aviões tinham parado de bombardear, baixado ao nível do solo e aterrissado. Europeus com uniformes militares saíram deles em seguida, com os braços erguidos, comemorando sua vitória. *Os britânicos chegaram*, Abel pensou. O Japão havia mesmo perdido a guerra. Lampejos irrompiam no céu tomado por cinzas; eram os pilotos tirando fotos. Abel viu como eles passavam os braços sobre os ombros uns dos outros e posavam, uma parede de uniformes da Força Aérea Real, com seus amigos mortos ao fundo. Seria possível que imaginassem que todos que tinham matado eram japoneses? Ou não se importavam, por considerarem a carnificina um dano colateral? Câmeras apontavam para pilhas de membros. Os britânicos cantavam ao passar por cima dos corpos e dos detritos, uma música que Abel reconhecia, o hino "Deus salve o rei", algo que o irmão Luke e outros o forçavam a cantar na escola.

Logo, os soldados britânicos estavam reunindo os sobreviventes. Os olhos dos últimos se enchiam de lágrimas, por causa da fumaça e do pânico, suas roupas estavam esfarrapadas, eles magros e sangrando. Abel viu Azlan cambaleando, de olhos vidrados. Viu Rama ser sustentado por outros dois, mancando, cada um com um antebraço sob suas axilas, para mantê-lo de pé. Os soldados alinharam os meninos e limparam alguns rostos com um pano.

"Sorriam, vamos!", eles gritaram. "Libertamos vocês! Deus salve o rei! Os bárbaros não reconhecem a liberdade quando a veem?"

As câmeras continuavam fotografando.

Os britânicos ainda não o tinham visto, agachado dentro do galinheiro. Quando Freddie morrera, Abel tinha ficado catatônico, incapaz de se mover, determinado a manter o amigo erguido e a não permitir que seu ombro desabasse. Uma hora, no entanto, o corpo havia cedido, seu ombro incapaz de suportar o peso morto; ele segurara a cabeça de Freddie quando já estava escorregando e a deitara com cuidado no chão, em um ângulo estranho, retorcido. Os desenhos em papel higiênico tinham cutucado sua cintura de maneira incômoda quando Abel ficara de quatro e entrara no galinheiro para se acalmar.

Olhando através do alambrado para a cena que se desdobrava mais adiante, ele percebeu que havia uma única coisa que podia fazer, aquilo que Freddie teria feito. Apertando o cordão da calça, para que os desenhos ficassem firmes, Abel se levantou e saiu correndo, tão rápida e silenciosamente quanto possível. Correu para longe dos amigos alinhados como bonecos, para longe das lentes das câmeras, para longe dos soldados britânicos comemorando sua vitória, para longe de Freddie, contorcido no chão. Seu corpo gritava de exaustão e das muitas horas sem comer e sem beber. Era impossível que sobrevivesse, que conseguisse passar pelos soldados, chegar ao portão e encontrar uma maneira de entrar na Tailândia. No entanto, ele não tinha outra opção. Era hora de partir.

JASMIN

Quando Jasmin acordou, ainda era noite, mas Yuki tinha ido embora. O lençol tinha sido puxado e seu rosto estava úmido do orvalho, seu braço coberto de picadas de mosquito. Seu estômago, dolorosamente vazio. Ela não sabia se gostaria que Yuki estivesse ali ou não; pegara no sono ouvindo a outra respirar no silêncio, com o enorme buraco do que não havia sido dito entre elas. Por ora, estava com medo. Da última vez que acordara sozinha no carrinho de mão, Yuki voltara machucada, e ela teve que levá-la à casa do general. Jasmin não estava certa de que restava alguma coisa ou alguém de confiança. Sua garganta implorava por água. Ela precisava se levantar e pensar num plano. Ficou de joelhos, com certa instabilidade, e tirou o restante do lençol da frente. Jasmin sentiu o frescor da noite úmida no rosto; o silêncio predominava e não havia ninguém por perto.

    Ela tentou organizar os pensamentos, que não paravam de girar em sua mente e a deixavam enjoada. Muitas pessoas exigiam sua atenção — Jasmin precisava encontrar Yuki, precisava descobrir o que havia de errado com a mãe e, acima de tudo, estava com tanta fome que em breve seria incapaz de se manter de pé. Ela desceu do carrinho de mão e olhou para os próprios pés, embora estivesse escuro demais para ver o que quer que fosse. Seus sapatos pareciam tão apertados que Jasmin os tirou e deixou dentro do carrinho de mão. Sentindo os pés na terra fresca, ela caminhou hesitante na direção de um barraco. Talvez lá houvesse comida e bebida, talvez uma das meninas a ajudasse. Depois, ela poderia encontrar Yuki.

    Jasmin bateu com cuidado na primeira porta. "Olá?", disse baixo, morrendo de medo.

    Houve um barulho lá dentro, depois a luz acendeu e a porta abriu. Tinha um homem à porta. Era um pouco mais alto do que o general e usava a mesma jaqueta, embora a dele estivesse muito mais suja, com menos listras nos ombros. Jasmin notou que as pernas do homem estavam à mostra, pelos pretos escassos pontuavam suas coxas rosadas. Sonolento, ele disse algo a Jasmin em japonês, que ela não compreendeu, depois ergueu a voz e virou a cabeça para dentro do barraco, para chamar alguém. Jasmin soube que era melhor correr. Seu corpo todo doía enquanto os pés descalços empurravam o chão. A carne mais macia ardia quando lixo, gravetos e lama seca cravavam nela. Pontos apareceram diante dos seus olhos, pontinhos pretos no branco, depois pontinhos brancos no preto, dançando. Jasmin parou, com a respiração profunda e dolorosa, o ar silvando ao entrar e sair do seu corpo.

    Ela se recostou contra a lateral de outro barraco, tomando o cuidado de se manter fora do campo de visão da porta da frente. Sentia que todos os seus sentidos estavam alertas, mas a tal ponto que se tornavam inúteis. Aquele lugar a deixava insegura como nenhum outro. No fundo, Jasmin sabia que, se ficasse parada e à vista, acabaria se tornando uma menina de olhos mortos, como todas as outras por ali. Ela se sentia desesperançada, sozinha e faminta. Até mesmo Yuki a havia deixado; Yuki, cujos dedos gordos ainda podia sentir na sua mão, enquanto corriam juntas, como uma coisa só. A outra menina era mais alta, porém seus dedos eram mais curtos e suas mãos eram menores, logo Jasmin sempre conseguia envolver sua mão completamente na dela, o que a fazia pensar que podia cuidar de Yuki.

Os pontos diante dos seus olhos ficavam cada vez maiores, porém Jasmin sentiu o cheiro familiar do cabelo oleoso da amiga e ouviu a voz estridente sussurrando: "Aonde você foi? Achei que tivesse te perdido!".

"Eu estava procurando por você", Jasmin murmurou, fraca, enterrando a cabeça nas mãos e, depois que se agachou, nos joelhos.

"Fui ao quarto de tia Woon e consegui isso." Yuki pôs o que parecia ser um pão sob o nariz de Jasmin. Quando o mordeu, ela quase chorou — era macio e estava quentinho.

Jasmin olhou em volta e viu Yuki agachada à sua frente, com seu próprio pão. O gemido de um homem, vindo da barraca atrás delas, interrompeu o ritmo da mastigação silenciosa. Jasmin deu um pulo e Yuki fez uma careta.

"Você é minha irmã, não importa o que aconteça." Yuki olhou para Jasmin e em seguida enlaçou seus ombros com os braços. Jasmin sentiu o corpo todo inchar, mas principalmente o coração, que ficou tão repleto de felicidade que ela achou que não fosse caber no peito. Ela sempre soube, e agora estava confirmado. Não se importava com as brigas dos adultos. Eles estavam sempre confusos e infelizes, tinham tantas coisas em que pensar que frequentemente se esqueciam do mais importante. E o mais importante para Jasmin era o mais simples — que ela e Yuki ficassem sempre juntas e que nada nem ninguém voltasse a separá-las.

Depois que terminaram de comer, Yuki a ajudou a se levantar. Embora ainda cambaleasse um pouco e sentisse dor, Jasmin estava muito mais forte depois de comer. Elas voltaram correndo para o carrinho de mão e se cobriram com o lençol, os braços e pernas emaranhados como uma única entidade.

"Está quente aqui", Yuki disse, soltando um braço para se abanar.

Através do lençol fino e puído, Jasmin pensou ter visto uma faísca bem laranja, e depois também sentiu calor. Por toda a volta, ruídos se tornaram audíveis, de pés correndo e pessoas gritando. Confusa, Yuki pôs a cabeça para fora para descobrir o que estava acontecendo.

"Estão todos correndo, Mimi". As duas sentiam o carrinho de mão vibrar, ouviam pesado som dos passos à sua volta. "É assustador."

"Não me importo", Jasmin disse a Yuki e a quem ouvisse. Embora estivesse cada vez mais quente e abafado, embora o rugido ficasse cada vez mais alto, Jasmin estava cansada de correr, cansada de contar com adultos para consertarem as coisas; eles nunca consertavam. Ela puxou Yuki de volta para o carrinho de mão — as duas eram as únicas que importavam. Braço a braço, ombro a ombro, cara a cara, as meninas permitiram que o calor crescente e pulsante as embalasse até caírem num sono profundo. Lá fora, as chamas serpenteavam pelo chão enquanto a estação de conforto queimava.

CECILY

Claro que tinham fugido, Cecily pensou. Quantas vezes os adultos não as haviam decepcionado, deixado que sofressem com sua confusão, enquanto perseguiam de maneira egoísta seus torpores de adulto — fúria, luxúria e tudo aquilo que mal chegava a mascarar a profunda tristeza da sua vida? Quando o criado chegou correndo para avisar que as meninas tinham sumido, Cecily viu, pela primeira vez, o pânico e o medo tomarem conta da expressão de Fujiwara. Ele sabia que duas meninas que buscavam apenas amor e felicidade não eram páreo para o mundo que criara. Elas seguiriam pelo caminho errado, fariam escolhas erradas, confiariam nas pessoas erradas. Fujiwara encheu o pobre menino aflito de perguntas — em que direção foram, como ele podia não ter ouvido nada, como tinha deixado as duas escaparem? —, perguntas que ele e Cecily deviam estar fazendo a si mesmos.

"Aonde?", Cecily gritou. "Aonde elas foram?"

O criado apontou à distância, de maneira geral. Fujiwara, no entanto, pareceu compreender. "A estação de conforto", ele disse, com os olhos ardendo em chamas. "Vamos."

Então o cheiro acre de queimado começou a se espalhar por toda a volta, e Cecily ficou impressionada com o quanto aquilo a lembrava do porto Lewisham, tantos anos antes. Por trás da fumaça, mãozinhas laranja pareciam se esticar na escuridão — um incêndio, como aquele que os japoneses haviam iniciado, tendo os aviões da Força Aérea Real como objetivo. Um incêndio se espalhando, crescendo, ficando mais quente e próximo.

Ela olhou para Fujiwara, alarmada. "De onde vem? De onde vem?"

"Ah, não", Fujiwara disse. "Não, não, não, não, não."

Os dois seguiram na direção do fogo, tossindo com a fumaça que entrava nos pulmões. Cecily corria ao acaso, sentindo a garganta no estômago, tendo que se esforçar para a voz sair. "Jasmin! Yuki!" De alguma maneira, Fujiwara incumbira um grupo de jovens oficiais japoneses para vistoriar as ruas de maneira sistemática. Juntos, os dois avançaram rumo ao calor, no sentido contrário da multidão de vizinhos suados de Cecily, que buscavam ar fresco.

JUJUBE

Na entrada da estação de conforto, Jujube viu a mãe e o homem. Por puro instinto, tinha corrido na direção do fogo — sem saber se por curiosidade, por um desejo de ajudar ou por algo completamente diferente. Com a aproximação da mãe, o corte na cabeça, de quando havia caído no chão do banheiro, voltou a latejar forte.

"Jujube, ah, meu Deus." A mãe a encarou, pesarosa. Jujube se perguntou se ela se lembrava do que tinha feito, se aquilo doía tanto na mãe como nela. Então a mãe piscou e o momento se foi. "Depressa, Jujube! Temos que encontrar sua irmã. O general acha que ela pode estar aqui."

Ao lado da mãe se encontrava uma versão desgastada do Tigre da Malásia, que havia cortado a rua, com as costas eretas, no desfile de boas-vindas aos japoneses, três anos antes. O que ela estava fazendo com o general?

"Temos que ir, temos que ir!", a mãe gritou.

Um cheiro de queimado e de carne chamuscada atacava o nariz de Jujube. O ar estava cheio de partículas que entravam nos seus olhos. Ela correu ao lado da mãe, com os chinelos chapinhando na lama. Passou por um aglomerado de pelos púbicos cobrindo uma pélvis ao lado da placa de entrada torta que costumava ficar na frente da estação de conforto. Com metade das letras queimadas, em vez de BOAS-VINDAS ela dizia apenas VINDAS.

As duas gritavam, com a voz rouca: "Jasmin! Jasmin!".

Jujube e a mãe se separaram do general, que da última vez que haviam visto corria ladrando instruções às pessoas. Ele ficava repetindo que não sabia como o fogo havia sido autorizado, que não tinha dado sua aprovação, e aquilo deixava Jujube com vontade de empurrá-lo na direção das chamas. As desculpas, o remorso... era muito pouco, era tarde demais. O pessoal dele costumava fazer aquilo, apagar tudo de maneira violenta antes de ser forçado a ir embora, como se pudessem encobrir tudo o que haviam feito.

Ela queria parar e recuperar o fôlego, parecia que seus órgãos laterais estavam prestes a se desprender do corpo. No entanto, Jujube não se permitiu parar — Jasmin podia estar em qualquer lugar. Ela e a mãe correram e correram, passando pelos barracos com calças cáqui penduradas nas portas, passando por meninas ensanguentadas e por meninas queimadas. Verificavam cada rosto atrás dos olhos brilhantes e açucarados de Jasmin, atrás do sorriso capaz de iluminar um milhão de planetas. Juntas, gritaram, gritaram e gritaram.

"Jasmin! Jasmin! Jasmin!"

25

Dezembro de 1945

Alguém bate no portão da frente, *toc-toc-toc*, de maneira tão vaga a princípio que Jujube acha que está imaginando. É o crepúsculo, mas nem dá para saber lá de dentro, com as janelas e as portas fechadas independente da hora do dia, assim como não dá para saber com que força o calor castiga as paredes marrons.

Toc-toc-toc, batem de novo, com insistência, mais alto agora. Então uma voz chama: "Mãe! Mãe!". E depois de um tempo: "Jasmin!".

A voz soa estridente, falha, mas é inconfundível. Jujube abre a janela para olhar. Antes que possa dizer alguma coisa, a mãe, que há três meses não sai do quarto, corre para abrir o portão e segura o filho antes que ele caia no chão.

Abel está magro demais. Seus olhos cinza e seu cabelo claro parecem mortos e secos, as solas das sandálias estão desgastadas, e feridas cobrem seus braços. Ainda assim, não é o menino em pior estado a chegar em Bintang recentemente. Gente de todo tipo veio à cidade aos tropeços desde que a guerra acabou, três meses atrás, todos destruídos e arfando, cansados e sangrando. Jujube corre lá para fora para ajudar a mãe. Juntas, elas seguram Abel, apesar de os ossos das suas costas e dos seus ombros se curvarem de maneira errática, despontando na pele em ângulos estranhos. Jujube fica pasma com o fato de ele ter conseguido se sustentar até ali.

Ela e a mãe o limpam em silêncio. O número de cortes e feridas em todo o corpo de Abel impressiona Jujube. Ele deve ter sido mordido por uma centena de mosquitos. De alguma forma, parece mais alto do que oito meses antes — Jujube não sabe se pela magreza ou porque, apesar de tudo, de fato cresceu. Quando ela e a mãe terminam, Jujube tenta perguntar o que aconteceu.

"Por onde esteve? Como conseguiu voltar para casa?"

A mãe cobre a boca de Jujube com a mão, fazendo-a se encolher. O toque da mãe estará para sempre manchado pela lembrança do dia em que a empurrou no banheiro e abriu sua cabeça.

Abel dorme e dorme. Acorda para comer um pouco, mas não fala, só dorme, por uma semana.

Freddie sempre aparece em seus sonhos. Às vezes, são tão reais que Abel acorda sobressaltado, certo de que ele está bem ali, ao seu lado, cantarolando. Então Abel vê o quarto vazio e os olhos preocupados da mãe e da irmã. Finalmente, faz a pergunta cuja resposta já sabe.

"Onde está Jasmin?"

Jujube morde o lábio com tanta força que ele vê um corte começando a se formar. "O que importa é que você voltou. Jasmin e papai ficariam felizes."

Abel se pergunta quem dá aos outros o direito de tomar esse tipo de decisão, quem é responsável pela aritmética que permite que ele, um bêbado imprestável, um assassino, um covarde, sobreviva? Que isso vale a vida de uma irmã e de um pai. Ele mesmo teve muitas oportunidades de morrer, caminhando por semanas num terreno em péssimas condições, até que os chinelos se rasgassem, rastejando pela fronteira da Tailândia com a Malásia. À sua volta, pessoas eram abandonadas, feridos passavam fome, famintos morriam, formava-se um exército de pessoas em pedaços. Ainda assim, de alguma forma, Abel conseguiu.

Ele sente frio, muito embora a tarde esteja escaldante. Olha em volta, em pânico. "Os desenhos!", exclama. "Onde estão?"

Quem responde, mais uma vez, é Jujube: "Desculpe, Abe. Estão aqui".

Ela os reuniu numa pilha ao pé da cama. Então entrega a ele, os pedaços de papel higiênico, os rascunhos grosseiros que ficaram marrons depois de secos, manchados e com cheiro de bolor.

Abel mostra à irmã um desenho que Freddie fez a partir das lembranças dele, tanto tempo atrás. "Parece com Jasmin?", pergunta.

Os contornos do rosto da sua irmã mais nova se tornaram distantes; isso o assusta, não ser capaz de guardá-la na memória. Jujube assente, e por um momento Abel se enche de esperança. Quer lembrar, quer que ela se lembre por ele. Mas, antes que Abel possa dizer alguma coisa, Jujube desaba no chão, com o lábio inferior tremendo. A mãe cambaleia para fora do quarto. Ele notou que as duas demonstram sua angústia no corpo. Sobrecarrega tanto a mãe que ela não é mais capaz de manter as costas eretas, seus ombros sempre curvados, como se o menor peso fosse derrubá-la. Impõe-se no rosto de Jujube de tal maneira que seus olhos estão sempre inchados, semicerrados de tristeza.

Agora Abel sabe que Jujube está mentindo, que está apenas sendo indulgente com ele, que o desenho não se parece com Jasmin, que ele não consegue mais se lembrar da cara da irmã.

Ao longo das semanas seguintes, as feridas de Abel se curam, porém a expressão assombrada não deixa seus olhos. Quando ele consegue andar, segura-se em Jujube e manca pela cidade. Tropeça com frequência e aperta os dedos em volta do braço dela. Deixa marcas, hematomas leves com os quais ela não se importa. São marcas dos vivos, prova de que Abel está ali. Às vezes, Jujube se pega olhando para ele. Quando pisca, fica morrendo de medo de que ao abrir os olhos o irmão tenha sumido.

"Não fique me encarando", ele murmura.

Enquanto os dois andam por Bintang, Jujube aponta para os antigos pontos de referência. "Está vendo ali? É onde costumava ficar o armazém chinês. O filho dos Chong se voluntariou para lutar contra os japoneses. Ninguém achou que ele sobreviveria, mas ele sobreviveu, só perdeu os polegares."

"Está vendo ali? É a escola, que reabriu. Você devia voltar. Aceitariam você."

Abel não presta atenção. Em vez disso, pergunta a todo mundo se conhecem um menino chamado Freddie, de uma família eurasiática. Quando lhe pedem para descrevê-lo, Abel segura o braço de Jujube com mais firmeza e recorda os olhos azuis e brilhantes, a disposição séria, sua música preferida, sobre fazer um pedido a uma estrela. Conforme a notícia se espalha, todo tipo de gente aparece na casa dos Alcantara, alegando ser a mãe de Freddie, o pai, primos, parentes distantes. O rosto de Abel se enche de esperança — ele tem que encontrar a família do menino, *precisa encontrar*, diz. Os desconhecidos entram pelo portão, curvam-se à entrada e dizem conhecer o menino de olhos azuis. Eles fitam Abel, esperançosos, achando que oferecerá dinheiro ou algum tipo de recompensa. Quando Abel entrega os desenhos em papel higiênico sujo e manchado, todos se afastam, com nojo.

Então um novo ano, 1946, chega. As chuvas de monções caem todos os dias de janeiro, como se tentassem varrer os cacos da história. Nos dias anteriores ao que seria o aniversário de oito anos de Jasmin e Yuki, Cecily sonha com elas, duas meninas-fantasma. Sonha com chamas lambendo seus cotovelos, com camisolas brancas pegando fogo. Às vezes, sonha com as meninas cantando músicas tolas juntas, o que é logo substituído por lampejos dela mesma correndo pela estação de conforto, gritando pelas duas, com o cheiro do desespero a cercando. Cecily reviveu a dor incapacitante quando se deu conta de que o preço daquela guerra era a inocência, e que as duas meninas tinham pagado, sem saber por quê.

Ao lado de Jujube e Abel, ela enterra os pedaços de ossos e cinzas que encontraram em meio aos destroços da estação de conforto, sem saber se os resquícios são de Jasmin, de Yuki ou de nenhuma das duas. Ao fim, as duas meninas se tornaram indistinguíveis, irmãs separadas na vida, juntas na morte. Entre os vizinhos de ascendência chinesa, a tradição dita que, depois que corpos são cremados, os vivos usam hashi para extrair com cuidado pequenos fragmentos de ossos, depositá-los em uma urna e enterrá-los com outros membros da família, de modo que todos fiquem juntos no além-vida. Apesar de não serem chineses, Cecily e a família fazem isso. Espalham alguns fragmentos de ossos que esperam que sejam das meninas nos buraquinhos do tabuleiro de mancala de Jasmin e o enterram sob uma primavera. E, embora pareça mórbido, Cecily não consegue evitar — mantém um pedaço de osso numa latinha de Horlicks que deixa no peitoril da janela, onde brilha sob a luz prateada na lua cheia. Ela gosta de imaginar Jasmin e Yuki olhando para o céu noturno, o rosto iluminado pelo luar, os braços entrelaçados, as camisolas brancas emaranhadas, enquanto riem juntas, de tudo e de nada. De certa maneira, também é um lembrete constante da absolvição que sua família nunca receberá.

Há uma cerimônia, claro. A bandeira japonesa é baixada, a bandeira do Reino Unido volta a ser hasteada. Nesse dia, o ar continua parado e marcado pela umidade, fazendo com que o azul, o branco e o vermelho da bandeira penda contra o mastro. Cecily e os vizinhos ficam no campo aberto e sem sombra. O sol bate no seu pescoço enquanto aguardam, encarando uma plataforma simples de madeira.

Finalmente começa. Cecily não reconhece os dois primeiros oficiais japoneses levados na direção da bandeira do Reino Unido. Eles são instruídos a entregar suas armas aos oficiais britânicos, como símbolo da sua rendição, e o fazem com o arrependimento apropriado, mantendo os olhos baixos. Em volta dela, as pessoas aplaudem; os moradores de Bintang deveriam sentir alívio por seu colonizador benevolente ter retornado.

"Mãe", ela ouve Jujube sibilar. A filha acena freneticamente com a cabeça para as mãos da mãe.

Cecily cerra os dentes, a raiva causando dor na sua mandíbula, porém faz o que precisa fazer, une as palmas, finge aplaudir em gratidão.

Quando Fujiwara aparece na plataforma elevada, Cecily a princípio nem o reconhece, porque seu nariz, sempre empinado e aristocrático, está quebrado, o que faz todo o rosto parecer deslocado. Ela não o vê desde a terrível noite na estação de conforto. Tem lembranças desconexas dele gritando "Quem autorizou o ataque?" e "Encontre a menina". No entanto, os dois logo se separaram.

Ela olha em volta e percebe que Jujube a está observando. Jujube nunca perguntou por que ela e Fujiwara estavam juntos aquela noite, mas hoje os olhos dela parecem não a abandonar, e também pela primeira vez desde aquela noite tenebrosa Cecily sente algo além de desespero. Ela sente medo. A filha não pode descobrir. Por isso Cecily mantém os olhos baixos, não olha para a plataforma, para não permitir que seu rosto a traia. Ela ouve o barulho da arma sendo entregue, ouve os passos na plataforma instável, vê os tornozelos de Fujiwara quando ele é levado embora. Depois, ela ficará sabendo que ele será julgado e por fim enforcado nas Filipinas por crimes de guerra. Naquele dia, no entanto, pela primeira vez, Cecily não olha nos seus olhos.

Quando ela finalmente ergue o rosto, Jujube não a encara mais. Os olhos da filha estão fixos em outro ponto. Cecily nota que ela observa Abel, que segura a lata de Horlicks perto do rosto e sussurra para ela.

"Estão prendendo os homens maus, irmã. Queria que você estivesse aqui."

Os ossos das duas meninas ouvem.

Quando voltam para casa, uma garoa se transforma rapidamente em tempestade. Eles veem que o correio passou. No portão, há um pacote em frangalhos, amarrado com barbante e molhado de chuva. Abel ergue as sobrancelhas, porque os selos são japoneses e o endereço para retorno fica no Japão, e o pacote foi enviado mais de três meses antes, perto da rendição. Jujube e a mãe interrogam uma à outra com os olhos e dão de ombros; não fazem ideia do que poderia ser ou de quem pode ter mandado.

Eles levam a correspondência encharcada para dentro, ficam só olhando enquanto molha a mesa. Abel é o primeiro a ceder. Ele deixa a lata de Horlicks de lado e começa a rasgar o papel pardo tira a tira, como se descascasse uma fruta. Então segura uma espécie de livro, abre a capa e eles veem que se trata de um calendário. Cada mês é ilustrado por uma foto de uma flor diferente — girassóis, glórias-da-manhã, flores-de-lótus, lavandas, crisântemos, camélias, flores-de-cerejeira, tulipas e outras que eles não conseguem identificar. Cada dia tem um número, e ao lado dele o kanji equivalente. O papel é grosso, de qualidade, e as imagens são nítidas, as pétalas tão coloridas que convidam a aproximar o rosto da página para estudar cada uma.

"O que é isso?", a mãe de Jujube pergunta.

Ela a ignora, com as mãos tão trêmulas que mal consegue segurar o objeto. O reconhecimento é uma tempestade em seu peito, porém ela precisa ter certeza. Procura uma carta, um bilhete, algo que explique aquele calendário, e então vê — a caligrafia irregular na contracapa.

Tipografia Takahashi & Filha

Lá fora, a chuva começa a arrefecer. De trás das nuvens, uma lasca de lua crescente emerge. Outro dia veio e se passou. Jujube pendura o calendário à janela. Ao lado dele, Abel ajeita a lata com Jasmin e Yuki. A mãe vira ambos os itens para o luar.

Agradecimentos

A minha família, sem a qual não sou nada. A minha falecida mãe, Diane, que se esforçou para ler os primeiros trechos deste romance, publicados furtivamente no Instagram e apagados por vergonha uma hora depois. Ela me mostrou que a vida só vale a pena ser vivida quando imbuída de significado. A meu pai, Lawrence, que me ensinou a ler e a amar os livros, além de ter sido de grande ajuda na verificação dos fatos. A minha tia Bernie, que me ensinou a ser engraçada e que tem orgulho de mim desde antes que eu aprendesse a andar. A meu tio Henry, que me mandou pelo correio um livro de antigos fotógrafos malaios ao descobrir que eu estava escrevendo um romance histórico. A meu avô, que me levava e buscava das aulas de literatura inglesa e que sempre foi alguém que acredita. A minha avó, que contava histórias e escreveu as que inspiraram esta.

A minhas agentes, Stephanie Delman e Michelle Brower, cujo brilho nos olhos ao falar sobre este título sempre vai me inspirar. Vocês são minhas mais formidáveis defensoras. A toda a equipe da Trellis, incluindo Allison Malecha, que vendeu o livro para o mundo. A Nat Edwards e Khalid McCalla.

À minha editora, Marysue Rucci, por amar as imperfeições dos meus personagens e do meu livro, por tornar todos infinitamente melhores e, sinceramente, por ter mudado minha vida ao escolher publicá-lo. A Andy Tang, não só pela ajuda com o livro, mas também pela amizade, pelas mensagens e pelas risadas. Foi muita sorte ter conhecido você.

Às equipes de Marysue Rucci Books, Scribner, Simon Element e Simon & Schuster, incluindo Clare Maurer, Jessica Preeg, Elizabeth

Breeden, Ingrid Carabulea e Jason Chappell. À equipe de áudio. A Michael Taeckens. Aos muitos outros que tornaram esta publicação uma realidade.

Às equipes de Hodder & Stroughton no Reino Unido, incluindo Lily Cooper, Maria Garbutt-Lucero, Alana Gaglio, Alice Morley e incontáveis outros.

A Samantha Tan, que deu vida à versão em áudio, mantendo intactas todas as nuances malaias.

A Fadilah Karim, Vi-An Nguyen e TAKSU Gallery pela arte incrível da capa norte-americana. A Jon Gray pela igualmente incrível capa britânica.

Às equipes internacionais ao redor do mundo e aos tradutores que estão dando vida à história em tantas línguas — estarei sempre em dívida com vocês.

A Gina Chung, que tem infinita disposição para gritar e me acordou no meio da noite porque não podia esperar até a manhã para me dizer o quanto havia adorado o livro. A Katie Devine, pelas inúmeras conversas motivacionais, sessões de desabafo, por ter lido o primeiro rascunho e os vários subsequentes e por compreender como escrever sobre o luto e durante o luto. A Jemimah Wei e Grace Liew, minhas almas gêmeas da SEA, que me lembram de escrever sobre meu lar com orgulho.

À New School, onde conheci meus primeiros amigos escritores — Kate Tooley, Lauren Browne, Vic Dillman, John Kazanjian, que escreveram e criaram comigo durante a época mais estranha e desoladora.

A Mira Jacob, que me ensinou não só a escrever, mas a me tornar escritora e a viver neste mundo com palavras. Obrigada pela mentoria e amizade. A Marie-Helene Bertino, que me ajudou a começar a história, depois me incentivou a nunca deixar de protegê-la. A Alexandra Kleeman, que leu a versão mais bruta dos capítulos e ainda assim encontrou coisas simpáticas a dizer.

À Sewanee Writers Workshop e aos amigos maravilhosos que fiz lá — Marcela Fuentes, Jamila Minnicks, Kirstin Chen, Jon Hickey, Angeline Stevens, Mary South, Nancy Nguyen, David Villaverde, Alysia Sawchin e muitos outros. À Tin House Summer Workshop, especialmente à oficina de Nicole Dennis-Benn, cujos participantes leram o primeiro capítulo deste romance. A Alexander Chee, que foi firme em dizer que eu precisava soltar meu romance no mundo.

A Seyron Foo, Vaughn Villaverde, Charmaine Wong, Kena Peay, Stephen Downey, Rosalyn Lau, Sonny Nguyen, Jerome Sicat, Diana Halog, Carlo Delacruz, Chris Juan, Jamil Walker, Elisabeth Diana e Alan Williams — obrigada por serem meus amigos na Califórnia, enquanto eu descobria quem deveria ser. A Yves Gleichman, por decidir tantos anos atrás, antes mesmo de eu mesma ter decidido, que eu seria escritora, e por sua amizade e seu incentivo enquanto eu aprendia o ofício. A Aram Mrjoian, pelos trocadilhos e pelo período que passamos na *TriQuarterly*. A Alan Karras, Kevin Kwan, K-Ming Chang, Jenny Tinghui Zhang, Jami Nakamura Lin, Jessamine Chan, Dawnie Walton, Jessica George, Rowan Hisayo-Buchanan, Tracy Chevalier, Nguyễn Phan Quế Mai, Daphne Palasi Andreades, Qian Julie Wang e Michelle Young — agradeço pelas diferentes maneiras como contribuíram para a criação do livro.

À Malásia — por ser o lugar idiossincrático onde nasci, para sempre a minha inspiração literária.

TIPOGRAFIA Adriane por Marconi Lima
DIAGRAMAÇÃO Vanessa Lima
PAPEL Pólen Natural, Suzano S.A.
IMPRESSÃO Gráfica Bartira, janeiro de 2024

A marca FSC® é a garantia de que a madeira utilizada na fabricação do papel deste livro provém de florestas que foram gerenciadas de maneira ambientalmente correta, socialmente justa e economicamente viável, além de outras fontes de origem controlada.